KB005068

강헌의 한국대중문화사 1

●

표제어 '사랑에 속고 돈에 울고'는 '한 많은 여자의 비참한 인생'이라는 전형적인 멜로드라마로 1936년 일제강점기 당시 초연된 신파극의 제목에서 따온 것이다. 신파극 〈사랑에 속고 돈에 울고〉는 해방 이전 한국 연극사에서 가장 많은 관객을 동원한 작품으로 알려져 있다. 그 주제가 〈홍도야 우지 마라〉는 지금까지도 널리 알려져 있다.

사랑에 속고 돈에 울고

강헌의 한국대중문화사 1

1894~1945

대중문화 시대의 막이 오르다

이봄

대중문화는
다양한 층위의 억압으로부터
대중이 자신의 욕망을
실현하려는
이데올로기 투쟁의
최전선이다.

_강헌

일러두기

- 이 책은 2016년부터 서울 충정로 벙커1에서 이루어지고 있는 '다이내믹 코리아의 종횡무진 대중문화사—이식의 으름장과 독립의 몸부림 사이' 강의의 녹취록을 바탕으로 한 것이다. 단, 책으로 펴내는 과정에서 주요 내용을 전면적으로 재구성하고, 그 내용을 대폭 보완 · 수정했다.
- 본문의 판면 안쪽 인용구는 소제목 단위의 내용을 압축적으로 보여줌으로써 본문의 내용을 간명하게 이해하는 데 도움을 주기 위한 것으로, 본문의 문장을 그대로 인용한 것도 있으나 이해를 돕기 위해 새로 쓴 문장도 있다.
- 참고한 문헌들은 책 뒤에 목록을 수록했고, 직접적인 도움을 받은 문헌은 해당 본문에 밝혀두었다. 아울러 본문 내용 및 인용한 노래가사 등은 저자가 가지고 있는 자료 및 문헌, 인터넷 포털, 관련 사이트 등을 참고한 것으로 서로 상이한 경우 중복되는 것이 많은 내용을 채택했다.
- 노래와 개별 곡명, 영화, 시 등에는 홑꺽쇠표(〈 〉)를 사용했고, 음반에는 겹꺽쇠표(《 》), 책과 신문 · 잡지명 등에는 겹낫표(『 』), 논문 및 문헌의 게재글, 단편소설, 포고문과 선언서 등의 문서에는 홑낫표(「 」), 방송 프로그램 및 그룹이나 단체명 등에는 홑따옴표(' ')를 사용했다.
- 주요 인물의 경우 최초 노출시 한자명과 생몰년을 표시했으나, 내용상 관련이 더 있는 곳에 표시하기도 했다.
- 외래어는 기본적으로 국립국어원 외래어 표기법을 기준으로 표기하였으나, 이미 그 표기로 굳어진 경우 익숙한 것을 따랐다.
- 저작권자 및 사용의 권한을 갖는 이와 연락이 닿지 않은 자료에 관해서는 추후 정보가 확인되는 대로 적법한 절차를 밟겠다.

책을 펴내며

1 대중문화는 코카콜라와 같다.

팝아트의 거장 앤디 워홀의 이 간결한 진술은 너무나 익숙하되, 너무나 익숙해서 정의조차 어려운 대중문화에 대한 가장 핵심적인 통찰이 될 것이다.

한때 이 제품의 선전 문구처럼, '언제, 어디서나' 그리고 '누구나'에게 적용되는, 하나의 기호음료를 넘어 전 세계 브랜드 파워 1위를 차지했던 이 이름을 워홀은 대중문화를 규명하는 데 끌어다 썼다.

이것, 곧 코카콜라는 무엇보다도 먼저 상품이다. 특정 기업이 물에 인위적인 향료를 첨가하여 대량 복제한, 철저한 이윤동기를 가진 배타적인 존재다. 고작 100여 년의 역사를 지닌 대중문화가 수천수만 년 동안 형성되어온 인류의 다양한 문화를 무력화시키고, 혹은 변형 및 재창조화하면서, 독점적인 경쟁력을 순식간에 확보할 수 있었던 것은 다름 아닌 자본주의 체제가 낳은 가장 강력한 동기인 이윤에 대한 욕망 때문이다. 문화는 이제 더 이상 인류의 교양과 여가 활동의 장이 아닌, 시장의 소비 대상이 된 것이다.

여기에, 이 이윤의 극대화를 꾀하는 극적인 전략으로서 '스타'라고 하는, 상품의 인격화 개념이 등장한다. 일반적인 제조업 상품과는 달리 문화라는 상품은 감성에 호소하고 감성을 움직여야 존립하는 상품이므로, 소비자인 인간에게 가장 효율적인 감정을 불러일으키는 존재이자 치명적인 매력을 지닌, 하지만 무엇보다도 친숙하다는 환상을 자아내는 어떤 '인간'을 다시 창조해낸다. 이 인간이 바로 스타다.

대중문화 이전에도 인류의 역사는 예외적으로 탁월한 재능을 지닌 예술가들을 보유했다. 그러나 그들은 그저 미학적 안목을 갖춘 일부의 계층 혹은 집단에게만 인정을 받는다는 태생적 한계가 뚜렷했다.

그러나 스타는 새로운 룰의 적용을 받는다. 이들에게 재능은 필요조건 중의 하나이긴 하지만 충분조건은 아니다. 이들은 태어나는 것이 아니라 만들어진다. 이들은 그저 약간의 열정을 지닌 평범한 사람에 지나지 않으나, 자본과 산업의 집중적인 관리와 노력에 의해 순식간에 '유명해서 유명한' 존재가 된다. 나아가 이들은 선출되지도 임명되지도 않았으나 공화정 시대의 그 어떤 사람들보다도 막강한 사회적 영향력을 지니게 된다. 이들의 가치가 상품의 이윤 동기를 보장하는 최후의 순간까지는.

---

5 자본주의라는 새로운 환경 속에서 새로운 총아寵兒를 기획하는 자는 자본이지만, 이들을 생산하는 공장은 다름 아닌 자본주의의 결정적인 산물인 매스미디어이다. 과학기술혁명의 결과물인 매스미디어는 인류의 어떤 시대에도 가능하지 않았던, 신속하고 광범위하며 반복적인 인지를 대중이라고 부르게 되는 소비자들에게 강요함으로써, 이들의 공통적인 욕망을 이 인물에 투사하게 하고 급기야는 동일시하게 만든다.

기존의 전통적인 문화는 '매스미디어-스타'라는 막강한 마케팅 시스템을 탑재한 이 단순하면서도 당돌한 문화와 대적할 수 없었고, 거개는 파렴치하기까지 한 이 세속적인 문화의 블랙홀 속으로 용해되고 만다.

> 21세기는 문화산업에서 각국의 성패가 결정될 것이고, 그 승부처가 바로 문화산업이다.

6

경영학자이며 미래학자인 피터 드러커가 진술했듯이, 20세기 후반에 이르러 대중문화는 문화의 영역이 아닌 정치와 경제의 영역에서 재규정된다. 대중문화의 또 다른 이름은 이제 문화산업이 되었다. 이미 1920년대부터 지구촌의 신흥 강자로 부상한 미국은 대중문화가 단순히 지속가능한 이윤 창출의 도구의 성격을 넘어 항만이나 도로 건설, 정유와 군수 산업 같은 국가의 기간산업임을 승인했고, 한 발 더 나아가 세계 지배의 효율적이고 전략적인 수단으로 사고하게 되었다.

문화는 이제 문화가 아니다. 멀리 갈 것도 없이, 우리의 '한류'만 보더라도 대중문화는 문화산업이 생산해낸 콘텐츠 상품 중 하나가 아님이 명백해졌다. 그것은 관광이나 패션, 화장품, 나아가 모든 가전제품에 이르기까지, 관련된 모든 산업과 유기적인 연관을 형성하며 국가 브랜드를 창출하는 데 있어 결정적인 영향력을 행사한다.

7

대중문화는 20세기 후반과 21세기 초반에 걸쳐 인류의 압도적인 일상이 되었다. 우리는 대중문화가 개입하지 않는 일상을 상상할 수조차 없다. 대중문화가 일상의 지배 질서가 된다는 것은 그것의 수동적인 소비자인 대중의 문화적 자발성이 거세된다는 것과 같은 말이다. 하지만 자본의 시각이 아닌 (자본에 예속된) 대중의 시각에서 바라보면 대중문화는 자신에게 가해지는 다양한 층위의 억압으로부터 대중이 자신의 욕망을 실현하려는 이데올로기 투쟁의 최전선이기도 하다.

대중은 (자본과 권력이 2인 3각의 연합으로 기획하는) 파시즘의 열광에 도취되기도 하지만 동시에 그 열광 속에서 개인의 독자성을 수립하려는 이중적 욕망의 존재이다. 이들은 지배 이데올로기에 의한 검열과 규제를 완화 혹은 철폐하라고 줄기차게 요청하는 한편으로, 강력한 반문화反文化, counter culture를 대중문화의 시장에서 노골적으로 혹은 우회적이고 풍자적으로 지지하면서 전복적인 집단 지성의 참호를 형성한다. 특히 매스미디어라는 정보의 일방통행에서 인터넷이라 부르는, 아직은 충분치 않지만 가능성은 폭발적인, 상호 소통의 새로운 미디어 환경이 열리면서 대중문화의 패러다임은 전 지구적인 대전환의 국면을 맞이하게 되었다.

왕조의 몰락과 일제강점기, 해방과 함께 직면하게 된 분단과 내전, 극도의 빈곤에서 경제적 급성장을 이루기까지, 약 120년 간의 짧지만 격렬한 근대사를 통과해온 한국의 대중문화사는 어떤 나라의 것과도 비교될 수 없는 파란만장의 에너지를 탑재한 몸부림의 연대기이다. 그것은 사대성과 독자성의 대치이기도 하며(나는 이것을 이식과 독립이라고 부르겠다.), 도취와 각성의 이종교배이기도 하다.

9

오래전부터 나는 어떤 드라마보다 흥미진진한 우리의 대중문화사를 내 나름의 방식으로 정리해보겠다는 욕심을 가졌지만 그것은 그저 희망사항일 뿐이었다.

작가를 꿈꾸고 국문학과에 입학하긴 했지만 작가 되기를 포기했고, 음악대학원에 들어갔으나 그것도 잠시, 음악대학원을 마친 뒤에는 영화를 제작하고 잡지를 기획했으며, 대중음악을 비평하고 음반을 만들기도 하면서 다양한 장르의 공연과 페스티벌을 무대에 올리는, 하나의 장르와 예술에 대한 충성심 없이 이것저것 내키는 대로 '집쩍거린' 알량한 경험밖에는 아무것도 가진 것이 없는 내가 아무도 가지 못한 길의 지도를 그려보겠다는 것은 진정으로 '오버'라고 스스로 생각한다.

그러나 지금 하고 싶은 것이 나의 일이다. 뻔히 예상되는 수많은 한계에도 불구하고, 나는 내가 할 수 있는, 내가 아는 한의 한국대중문화사의 지도를 그려보기로 3분 만에 결정했다. 처음에는 세 권 분량으로 가늠했지만 네 권은 되어야 21세기에 도달할 것 같다.

뒤에 올 누군가에게 아무런 도움이 되지 않는다 하여도, 도움은커녕 무시당한다 해도 할 수 없는 일이다. 이 작업은 또한 일곱 살 이후의 내 삶이 녹아 있는 다른 버전의 자서전이기도 하니까.

---

etc.

모든 책이 그러하듯 이 작업 또한 많은 이들의 도움을 받았다.

나의 첫 책『전복과 반전의 순간』과 뒤이은『명리-운명을 읽다』를 세상에 내보내는 데 혁혁한 공로자인 이현화의 저돌적이고 근거 없으며 무모하기까지 한 지지와 강압적인 독려가 없었다면 이 시도 역시 영원히 현실화되지 않았을지도 모른다. 이 사람과 작업하는 한 나는 마조히스트다.

강연에 쓸 다양한 자료를 인상 한 번 쓰지 않고 해달라는 대로 즐겁게 임해준 벙커1의 나호영 · 이만희 두 PD와, 강연을 녹취하여 초고를 정리하는 데 큰 도움을 준 명리학 제자 홍기란에게 또한 감사한다. 몇 차례에 걸친 교열과 교정 작업을 통해 셀 수도 없는 비문非文과 고증의 오류, 맞지 않는 문맥 등을 바로 잡느라 수명을 단축시킨 오효순과 이승환, 강소이에게 감사한다. 특히 마지막 사람은 나의 첫 책을 헌정한 사람이기도 하다. 저자의 의도와 희망을 잘 반영한 디자인으로 책의 품위를 간신히 만들어준 디자이너 최윤미와 거친 원고를 손보느라 애쓴 김명선에게도 특별한 고마움을 전한다.

묻지도 따지지도 않고, 한 권짜리도 아닌 이 시리즈의 출간을 흔쾌히 받아준 이봄 출판사의 고미영 대표에게도 감사한다.

제대로 된 감사는 책이 많이 팔리는 것이겠으나, 그럴 것 같지 않아 괴롭다. 우선 말로 때운다.

저자 약력에도 잠깐 언급했지만 나의 대중문화 수업의 진정한 첫 선생님은 초등학교 6학년 때부터 매주 『선데이 서울』과 『주간 여성』, 『주간 경향』 등 당시 주간지 세 권 모두를 내 방 책상 위에 슬며시 비치해주신 아버지다. 황량한 항구 도시의 소년은 그 잡지들을 통해 세상을 보았다.

아버지와 나는 평생 3분 이상 대화를 해본 적이 없지만, 사범대학에 입학해서 국어교사가 되고 싶다는 나의 소박한 희망을 '술집에서 제일 매너 나쁜 놈들이 학교 선생'이라는, 터무니없……지 않은 비난으로 짓밟는 바람에(지금은 선생님들이 절대 그러지 않을 거라고 믿는다) 오늘날 내가 있게 되었다.

남진의 〈가슴 아프게〉가 18번인, 그런데 가수로는 같은 경상도 출신 나훈아를 좋아하는, 거의 평생을 술집에서의 풍류로 보냈지만 지금은 술을 드시지 못하게 된 나의 아버지 강길만 옹에게 진로 소주 대신 이 책을 바친다.

2016년 10월 어느 날,
지진과 원전의 공포가 묻은
서늘한 가을바람을 느끼며
강헌

차 례

0

전사

前辭

동학농민혁명,

만민공동회,

그리고
대중의 탄생

1894년, 거대한 역사의 분기점을 잉태하다

1894년. 이 해는 갑오년甲午年이었다.

전라도 고부군에서 일어난 농민 봉기가 전주성을 함락하고 전국적인 무장 봉기로 요원燎原의 불길처럼 확산되었지만 관군-일본 연합군에게 처절하게 패배한 해.

그리고 그 내전의 와중에 일본군이 궁중에 난입하여 친청親淸 민씨정권을 무너뜨리고 흥선대원군興宣大院君, 1820~1898을 허울로 옹립하면서 군국기무처 주도 하에 중앙집권적인 서구적 정치 모델의 반봉건 혁신을 꾀한 갑오개혁甲午改革(갑오경장甲午更張이라고도 했다.)이 추진되던 해.

한편으로 한반도와 바다에 걸쳐 벌어진 청일전쟁으로 조선에 대한 중국의 오랜 종주권이 무너지고 일본이 조선의 주도권을 지니는 대반전이 일어난 해.

나라는 복잡함을 넘어서 너무나 혼란스러웠다. 개화파 김홍집金弘集, 1842~1896을 수장으로 하는 군국기무처의 개혁사업에 결코 동의할 수 없는 대원군은 대원군대로 고종과 민비를 폐위시키고 그의 적손자인 이준용李埈鎔, 1870~1917을 왕위에 앉히려는 음모를 꾸미는 한편, 동학농민군과 12년 전 임오군란 때 자신을 중국 땅으로 체포해간 청나라와 은밀히 내통하여 일본군을 축출하려는 계획을 추진했으나, 청일전쟁과 우금치 전투에서 모두 승리한 일본에 의해 강제로 정계은퇴를 당하고 만다.

1894년은 마치 1945년 8월 15일 직후 해방정국의 상황처럼 한치 앞을 예측하기 어려웠던, 그러나 역사적으로는 거대한 분기점을 이루는 해이다.

동학농민혁명, 이것은 혁명인가, 혁명이 아닌가

그 분기점은 그전까지는 정치적으로 어떤 주목도 받지 못했던 저 멀리 전라도 고부군에서 시작한다. 고부군은 지금의 전라북도 정읍시와 부안군의 일부를 포함한 지역으로, 만경평야를 끼고 있는 비옥한 땅에서 엄청난 쌀을 수확하던 곳이었다.

그런데 이곳의 군수인 조병갑趙秉甲, 1844~1911이라는 작자가 해도 해도 너무할 정도로 수탈을 일삼았다. 국법이 정한 조세의 범위를 훌쩍 넘어 자기 마음대로 빼앗아가기를 서슴지 않았으니 대놓고 하는 강도짓과 다를 바 없었다. 백성들의 원성이 커지는 건 당연한 일이었고, 급기야 전창혁全彰赫, 1827~1893이라는 지역 지식인이 대표로 항의장을 제출했지만 곤장을 맞고 한 달 후 장독으로 죽고 만다.

그 뒤에도 고부군수 조병갑의 폭정은 날로 더해갔고 백성들의 원성은 하늘을 찔렀다. 양민 전창혁이 맞아죽은 이듬해 드디어 더 이상 이대로는 안 되겠다고 뜻을 함께한 사람들이 모이기 시작했다.

바로 1894년 1월의 일이다. 그 중심에 전봉준全琫準, 1855~1895이 있었다. 그는 전창혁의 아들이었다.

당시 모인 사람은 300명도 채 되지 않았다. 1789년부터 1799년 사이에 일어난 프랑스 혁명 같은 그림을 떠올려서는 안 된다. 그냥 고부군이라는 전라도의 작은 마을에서 양민 아저씨들 몇백 명이 모여 이대로는 못살겠다, 들고일어난 것이다. 이들 중에 동학교도가 몇 명이나 있었는지는 모르지만, 그리 많은 수는 아니었다고 한다.

그리고 수탈에 못 이긴 농민이 집단을 이루어 지방 권력에 항거하는 것도 드문 일이 아니었다. 약 30년 전인 1862년에는 진주 민란이 일어나 일대를 휩쓸었고, 갑오년 전해에도 개성을 비롯한 팔도 20여 지역에서 크고 작은 소요가 일었다.

하지만 규모가 작다고 해서 그 의미마저 작은 것은 아니고 처음이 아니라고 해서 의미가 퇴색하는 것은 아니다. 이들이 일으킨 봉기는 우리 근대사를 가로지르는 중요한 사건의 서막이었다.

이 사건을 뭐라고 이름 붙여야 할까. 이를 가리켜 사람들은 무엇이라고 부르는가. 명칭을 두고 학계에서는 많은 논란이 있었다. 누구는 '운동'이라고 하고, 누구는 '혁명'이라고도 하며, 한편에서는 '전쟁'으로 부른다. 최악은 '난'亂이라고 하는 것이다. 이름하여 '동학난'이다. 한동안은 쭉 그렇게 불렸다. 들어본 이들도 있을 것이다. 하지만 이것은 철저히 일본 제국주의의 입장에 서 있던 식민사관이 붙인 이름으로, 언급하고 싶지도 않으니 논외로 치자.

그럼 어떻게 불러야 하는가. '동학농민혁명'이냐, '갑오농민전쟁'이냐, 이도 아니면 '갑오동학운동'이냐, '갑오농민운동'이냐 등등 다양한 의견이 있다.

어떻게 부르느냐는 그 사건을 바라보는 사람의 시선을 드러낸다. 약간 우파 쪽 입장에 있는 사람은 1894년에 일어난 이 사건의 의미를 과소평가하는 경향이 있다. '그게 무슨 혁명이냐, 그건 좌파들의 지나친 해석이 아니냐'고 한다. 그분들의 그런 문제 제기에 타당한 면이 있음을 인정한다. 나조차도 전봉준을 위대한 혁명가로 과대평가하는 일부 좌파계 학자들의 해석이 다소 과하게 느껴지기도 해서다. 이들은 오히려 같은 해 중앙에서 진행된 갑오개혁에 더 초점을 맞춘다.

그럼에도 불구하고 나는 이 사건을 '동학농민혁명'東學農民革命으로 부르고 싶다. 내가 이것을 혁명으로 부르고 싶은 이유는 분명하다. 전봉준을 위대한 혁명가라고 여겨서가 아니다.

혁명이라는 것은 꼭 레닌Vladimir Il'ich Lenin, 1870~1924이나 마르크스Karl Heinrich Marx, 1818~1883 같은 혁명가만 하는 것이 아니다. 반드시 그런 인물들이 앞장서야만 가능한 것도 아니다. 매우 사소하고 우발적으로 일어난 어떤 사건이 우연치 않게 그 시대의 상황과 맞물리면서, 의도하지는 않았으나 역사적인 의미를 부여받게 된다면 그것 자체로 혁명의 도화선이 될 수 있다. 정작 그 주체들은 자신들이 무슨 일을 했는지, 자신들이 벌인 일이 역사 속에서 어떤 의미를 부여받을지 전혀 의식하지 못할 수도 있지만 말이다.

다시 말해 작은 사건일지언정, 혹은 주체들이 전혀 의식하지 못했을지언정 그것이 그 이후의 역사를 어떤 방향성으로 규정하게 되느냐에 따라서 '혁명'이 되기도 하고 '민란'이 되기도 하고 '폭동'이 되기도 하고 '양아치 판'이 되기도 한다. 역사는 그런 것이다.

이런 예는 또 있다. 1980년 5월 광주를 두고 당시 모든 언론과 학계에서는 '폭동'이라고 했고 광주 시민들을 '폭도'라고 칭했다. 그러나 지금은 아무리 몰상식해도 그때의 광주와 광주의 시민들을 두고 폭동과 폭도라고 이야기하지 않는다. 그것은 1980년 5월의 광주를 폭동이라고 말했다가는 어느 날 밤길을 걷다가 쥐도 새도 모르게 돌에 맞을까봐서가 아니다. 인간이라면 가지고 있는, 마땅히 가져야 하는 역사적 이성 때문에 그런 것이다. 사건 당시에 폭동으로 불리던 5월의 광주는 그렇게 오늘날 '광주민주화운동'이 되었다.(나는 '운동'이라는 모호한 표현 대신 '광주 코뮌'이라고 부르고 싶다.)

주체들의 의지와 관계없이 획득한 역사적 의미

다시, 120여 년 전인 갑오년에 일어난 동

학농민혁명이다. 1894년 1월에 시작한 이 혁명은 1894년 12월 전봉준과 김개남金開南, 1853~1895, 손화중孫華仲, 1861~1895 등 주요 인물 세 사람이 체포되면서 막을 내린다. 딱 1년 동안 벌어진 일이다. 1년 내내 싸우다 말다를 거듭 반복했다.

그중에 혁명의 분기점이랄 수 있는 중요한 순간이 세 번쯤 있다. 그 첫 번째가 1894년 1월 고부군에서 양민 300여 명이 들고 일어난 것이고, 두 번째는 5월 전라도에서 동학교도가 합세한 약 7천여 명의 농민군이 전주성을 함락한 것이며 마지막 세 번째가 실질적으로 동학농민혁명의 종장終場이랄 수 있는 11월 우금치 전투다. 당시 약 3만여 명의 동학농민군이 참여했다.

이 순간을 두고 분기점이라고 한 것은 이때를 기점으로 봉기의 성격이 완전히 달라졌기 때문이다. 이를 두고 각각 1차, 2차, 3차 봉기라고 일컫기도 하는데, 횟수가 거듭될수록 그 성격이 전면적으로 변화하면서 동학농민혁명은 역사적으로 그 의미와 역할이 발전되어나갔고 우리는 그 변화의 과정에 주목해야 한다.

아마도 내가 전봉준이었다면 1차 봉기를 한 후 '어, 이렇게까지 될 줄 몰랐는데 일이 왜 이렇게 커진 거야?'라고 했을 것 같다.

그들은 잘 몰랐겠지만 1894년 1월 전봉준과 고부군의 양민들의 결집 이면에는 시대적 요구를 거스를 수 없는 어떤 힘이 작동하고 있었다. 따라서 비록 1차 봉기 때의 전봉준과 3차 봉기 때의 전봉준이, 또한 1차 봉기 때 참가했던 사람들과 3차 봉기 때 참가했던 사람들이 설령 같은 인물들이라고 할지라도 이들은 이미 전혀 다른 역사적 의미를 갖게 되었다.

이들이 획득한 역사적 의미란 무엇인가. 동학농민혁명과 언제나 세트로 언급되는 것이 갑오개혁이다. 다시 말해 동학농민혁명의 영향으로 내부적으로는 갑오개혁이 일어났다고 하는 것인데, 간단하게 보면 바로 아래로부터 일어난 농민봉기로 인해 일본은 조선에 강력한 내정개혁을 요구했고, 이로 인해 들어선 김홍집 등의 친일 내각의 개화파가 주도하여 신분제나 과거제 등등을 폐지하는 개혁으로 이어진 것이다. 그중 신분제 철폐와 과부의 개가권, 공사 노비제로의 혁파 등은 농민군의 요청 내용 그대로다.

다시 말해 고부군에서 300여 명도 채 안 되는 양민들이 모여 시작한 동학농민혁명은, 그들이 혁명가여서가 아니라 그들의 행위 이면에 깃든 시대의 요구가 온

나라의 개혁을 이끌어냈고, 그로 인해 고부군의 양민들이 일으킨 봉기는 우리 근대사의 중요한 분기점으로 자리매김하는 그야말로 혁명적인 사건이 된 것이다.

1894년 1월 고부군에 모인 300여 명도 채 안 되는 양민들은 고부군을 접수한 뒤 어떻게 됐을까. 이들은 도망가버린 군수 조병갑은 잡지 못한 채 그가 수탈해간 것을 전부 군민들에게 나누어준 뒤에 해산한다. 물론 그냥 해산만 하지는 않았다. 해산하면서 고부군 위에 있는 전주 감영 관찰사와 어느 정도 적절한 정치적 타협을 한다. '고부군을 뒤집었다고 해서 우리에게 더 이상 책임을 묻지 말고, 이게 다 군수 조병갑이 나빠서 그런 거니까 엄중히 다스려 달라'는 선에서 마무리를 짓고 끝냈다. 아마 그걸로 끝났다고 생각했을 것 같다.

그런데 일이 그렇게 끝나지를 않았다. 조병갑이 가만히 있었으면 좋았으련만 그게 또 그렇게 되지를 않았나보다. 양민들에게 호되게 당한 게 억울해서인지, 오히려 '반상班常의 도를 어지럽힌 적도들을 가만히 놔두는 것은 종묘사직에 위해가 된다'면서 조선을 망가뜨린 외척 풍양 조씨의 핏줄답게 여기저기 뇌물을 써가면서 쑤시고 다녀 일을 크게 만들었다.

그러자 1차 봉기 때 화해를 하고 멈춘 고부군의 양민들이 술렁이기 시작했다. 자신들을 향한 체포의 압박도 심해지고, 분위기가 심상치 않게 흘러갔다. 나라도 가만히 앉아서 당할 수는 없다고 생각했을 것 같다. 심상치 않은 분위기는 이들만이 아니었다.

전라도 인근 지역의 동학 접주들이 함께 들썩이기 시작했다. 이미 동학의 교세는 민중을 중심으로 점점 확산되고 있었다. 뭔가 세상을 뒤집을 기회가 될 수도 있겠다고 생각한 동학의 접주들과, 1차 봉기 때 참여했던 사람들에 대한 심상치 않은 분위기를 느끼고 있던 전봉준이 손화중이 접주로 있던 무장茂長에서 태인 접주 김개남 등과 연합전선을 이루고 창의문彰義門(곧 선전 포고문)을 선포하면서 본격적인 농민전쟁의 서막을 연다. 앞의 봉기가 민란의 성격을 띄었다면 여기서부터는 전쟁인 것이다. 학자에 따라서는 이를 1차 봉기라 일컫기도 한다.

1894년 5월 중순 동학 교인이 중심이 된 농민군 7천여 명이 고부를 재점령하고 백산에서 보국안민輔國安民의 기치 아래 4대 강령을 발표하며 민심을 얻고 역사적인 황토현 전투에서 전라 감영군을 격파한다. 아마도 이는, 우리 역사상 수많은 민란이 있었지만, 농민군이 도 단위의 관군을 물리친 최초의 승리일 것이다. 농민군은 파죽지세로 고창, 영광, 담양, 장성 등을 함락시키고 북상하여 마침내 전주성에 무혈 입성한다.

300여 명이 모여 고부군을 접수한 것과 7천여 명이 모여 전주성을 함락한 것은 규모가 완전히 다르다. 사건이 걷잡을 수 없이 커져버렸다. 덩달아 이들에 대한 조정의 대응도 달라졌다. 어디 작은 군에서 그냥 몇백 명이 모여서 군수 하나 내쫓은 것과, 몇천 명이 모여 한 관찰사의 지역을 장악해버린 것은 차원이 다른 사건이니 조정의 대응이 달라지는 건 당연한 일이다.

조정에서는 이 지역에 초토사招討使를 파견한다. 초토사는 무장한 적이나 반란 세력을 토벌하고 진압하는 것을 주 업무로 하는 군사 책임자다. 이때 파견된 초토사가 홍계훈洪啓薰, ?~1895이다. 민비 1851~1895의 호위무사라고 알려진 바로 그 인물이다. 민비를 소재로 한 영화 〈불꽃처럼 나비처럼〉은 물론 뮤지컬 〈명성황후〉에서 남자 주인공으로 등장하는 바로 그 인물. 독일제 소총과 야포, 미국제 기관총 같은 신식 무기로 무장한 정부군은 그러나 5월 25일 장성의 황룡촌 전투에서 동학농민군에게 패배했고, 이는 나흘 뒤 동학농민군의 전주성 함락으로 이어진다. 당황한 정부군은 함락당한 다음 날부터 탈환을 위한 재공격을 퍼붓지만 조선 이씨 왕가의 본거지인 전주성은 끝내 탈환하지 못했다.

크게 동요한 조선 조정은 조선, 아니 동아시아의 역사를 바꾸게 되는 최악의 선택을 하게 된다. 바로 동학농민군을 진압할 군대를 파병해달라고 청나라에 요청한 것이다.

자신의 백성을 죽이기 위해 강력한 외세의 개입을 요청한 역사치고 아름답게 결론이 난 경우가 있던가. 판단력이 부족한 고종과 권력욕에 눈 먼 민비는 100여 년 전 루이 16세와 마리 앙트와네트의 전례를 알았어야 했다. 청나라 파병의 요청은 텐진 조약에 의거해 일본군의 한반도 진군의 길을 열어주었으며 이는 청일전쟁과 시모노세키 조약으로 이어져 일본 제국주의의 한반도 강제병합의 결정적인 계기가 되고 말았다.

청일 양군이 몰려올 즈음 초토사와 동학농민군은 전주화약을 맺고 전주성에서 해산한다. 이 지점에서 우파 학자들은 이것이 왜 혁명이냐, 하고 문제를 제기한다. 전봉준, 다시 말해서 동학농민군의 지도부와 조정의 군대 사이에 사실상 협약이 있었다는 것인데, 그것을 혁명으로 보는 게 맞느냐는 것이다. 이는 어찌 보면 타당한 주장일 수 있다.

비록 동학 세력이 본격적으로 이 봉기에 개입하면서부터 신분제 철폐 등의 개혁을 주장하긴 했지만, 당시 전봉준을 위시한 동학농민군의 정치적 목표는 왕조를 무너뜨리는 게 아니었다. 이것이 그들의 한계였다.

왕을 둘러싼 간신배를 소탕하고 조병갑 같은 악덕 탐관오리를 제거함으로써 왕이 정말 진정한 의미의 왕도로 나라와 백성을 통치해주기를 바라는 것이 전봉준의 정치적 시야였다.

이때의 전봉준은 전주성을 함락한 뒤 내친 김에 경복궁까지 내처 함락하려고 마음을 먹은 게 결코 아니었다. 단지 지금 이 나라를 도탄으로 몰고 가고 있는 '민씨 일파'를 숙청하는 것이 어쩌면 그의 가장 큰 정치적 목표였을 것이다. 때문에 전봉준 입장에서는 조정과의 협약이 가능한 일이라고 여겼을 것이다.

내가 명성황후를 '민비' 혹은 '민자영'이라 칭하는 이유

그런데 여기서 왜 갑자기 민씨 일파를 언급하는가. 다 그럴 만한 이유가 있다. 민씨 일파가 누구인가. 곧 민비 집안이다. 여흥 민씨는 안동 김씨나 풍양 조씨만큼 거대 가문은 아니었으나 유력 가문의 하나였고 무엇보다 고종의 아버지인 흥선대원군의 외가이자 처가였다. 그는 자신의 힘을 강화하기 위하여 민씨 가문에서 며느리를 물색했는데, 그가 바로 민비, 민자영이다. 외척 세력에 신물난 대원군은 민씨 중 가장 몰락한 집의 여식을 며느리로 맞았던 것인데, 웬걸, 이 며느리는 호랑이를 잡아먹는 여우였다.

이쯤에서 내가 명성황후가 아닌 민비라고 부르는 이유를 간단히 말하고 넘어갈까 한다. 그녀는 누구인가. 우리나라의 대표적인 창작 뮤지컬 〈명성황후〉를 본 적은 없어도 그런 뮤지컬이 있다는 것을 들어본 적은 있을 것이다. 한때 국민 뮤지컬이라고 불리기도 했으니까 알 사람은 다 알 것이다. 이 뮤지컬의 인기를 바탕으로 배우 이미연이 주인공으로 나와 높은 시청률을 올렸던 TV드라마 〈명성황후〉도 있었다. 〈불꽃처럼 나비처럼〉은 조승우와 수애를 주인공으로 내세운 영화다. 이 '명성황후'의 텍스트는 이문열李文烈, 1948~이 쓴 희곡 『여우 사냥』이다. 희곡 『여우 사냥』, 뮤지컬 〈명성황후〉, 드라마 〈명성황후〉, 영화 〈불꽃처럼 나비처럼〉에 이르기까지 민비, 즉 민자영의 이야기는 모두 흥행에 성공했다.

이 이야기들 속에서 민자영은 일본의 양아치급 무사들에게 처참하게 시해당한 우리의 슬픈 국모國母로 그려진다.

하지만 나는 그런 걸 보고 있으면 참을 수가 없다. 실제로 민비 시해 100주년이 되던 1995년에 나는 뮤지컬 〈명성황후〉의 초연을 보러 서울 예술의전당에 갔다가, 너무 기가 막혀서 제1막만 보고 중간에 나와버렸다.

그녀는 한마디로 자신의 권력을 지키기 위해, 곧 나라의 백성을 죽이기 위해 강대국에게 파병을 요청하고 강산을 피로 물들이고, 마침내 나라를 망하게 한 일급 책임자 중의 한 사람이다.

훨씬 전인 1882년 임오군란 때의 일화를 보면 그녀가 어떤 인물인지 금방 알 수 있다. 궁녀의 옷을 입고 간신히 피신한 그녀가 한강을 건너 도망갈 때 광주군의 아낙들이 왕비를 비난하는 수다를 자기들끼리 나눴다. 우연히 이를 듣게 된 민자영은 그 이야기를 가슴에 담고 있다가 나중에 권력을 다시 찾았을 때 그곳을 지목해, 한 마을을 아예 도륙을 내버렸다. 그만큼 비정하기 이를 데 없는 인물이기도 하다.

그렇게 악독하기 이를 데 없는 여자를 단지 일본인에 의해 참살당했다는 이유 하나만으로 우리나라의 국모로 묘사하는 것이 가당키나 한 일인가. 민비에 비하자면 프랑스 혁명 때 처형당한 루이 16세의 왕비 마리 앙투아네트는 일말의 동정의 여지라도 있는 인물이다. 자신과 민씨 일가의 권력을 유지하기 위해 외교라는 이름으로 일본과 청, 러시아에 붙었다 떨어졌다 하다가 결국 일본 낭인들의 칼에 죽게 되는 그녀의 삶에는 어떤 진정성도 보이지 않는다.

'민비'라는 호칭이 그녀를 낮춰 부르려는 일제 식민사관적인 표현이라고 하더라도, 대한제국의 슬픈 코미디 같은 '황후'라는 표현은 쓰고 싶지 않다.

조선 왕조에서 왕의 아내를 '비'라고 부르면 안 된다. 비라는 호칭은 연산군처럼 왕이 폐위되거나, 병자호란으로 청의 속국이 되었을 때, 그리고 성종조에 폐위되어 사약을 받은 중전 폐비 윤씨 등을 칭할 때나 썼던 말이다. 하지만 나는 그녀를 끝끝내 민비 아니면 민자영이라고 부른다. 어디까지나 내 생각일 뿐이지만.

다 알다시피 1895년에 민비는 일본인에게 살해당했는데, 그때까지 그러니까 민비가 왕비 자리에 있던 약 20년 동안 민씨 일파는 조정을 완전히 장악한다. 오빠, 사촌오빠, 동생 등이 나서서 강력한 족벌 권력을 형성했다. 그들이 어떤 일을 벌이느냐. 바로 매관매직賣官賣職, 즉 돈을 받고 관직을 파는 것이다. 그러면서 온 나라를 엉망으로 만들었다. 도저히 관리가 될 수 없는 자들이 돈으로 자리를 사서 관직을 꿰차고 앉아 백성을 들들 볶아댔다.

이것을 견딜 수 없어 백성들이 들고 일어난 것이 동학농민혁명이다. 그러니 동학농민혁명의 가장 큰 원인 제공자는 바로 족벌 민씨 일가의 수장인 민비였다.

그런 그들이었던지라 우파 쪽에서는 동학농민혁명 당시 민중이 바랐던 것은 민씨네를 물리치는 것이었을 뿐, 왕정을 전복시키는 것은 아니었으니 이것은 혁명이 아니라고 본 것이다. 게다가 어떤 혁명이 조정의 군대와 협약을 하느냐고 이의를 제기한다. 혁명이냐, 아니냐의 논란도 여기에서 비롯되었다.

조선 땅 최초로 해방구를 맛보다

그러나 그런 시각이 맞는 것일까. 그렇다고 해서 동학농민혁명을 '혁명이 아니다'라고 주장하는 건 이 사건이 갖는 의미를 의도적으로 절반만 보는 것이라고 생각한다. 동학농민군과 조정의 군대 사이에 협약이 이루어진 이후의 상황을 다시 들여다봐야 한다. 여기서부터가 새로운 핵심이다.

협약을 마친 후 초토사가 철수를 하고 동학농민군도 무장을 해제하고 전주성을 내놓고 물러나려는 순간이다. 동학농민군은 전주 감영과 새로운 협상을 한다. '자, 우리가 병력을 해산하긴 하는데 지난번 일을 보건대 너희들을 완전히 믿을 수는 없다. 그러니 이제부터 전라도 지역은 우리가 통치하겠다'라고 한 것이다. 다시 말해 '전주성에서는 나가주겠지만 앞으로는 우리가 자치적으로 전라도 지역을 통치하겠다'라고 한 것이다. 일종의 인민위원회를 만들겠다고 한 셈인데, 이게 바로 집강소執綱所다.

그 이후 동학농민군은 전라도 내의 군현 단위마다 집강소를 두어 자신들이 중심이 된, 사실상의 자치 치안, 즉 내정을 시작한다. 그러니까 조선 땅에서, 양반 토호들이 끝까지 저항한 나주 같은 몇몇 지역을 제외하면, 전라도는 완전히 해방구가 된 것이다. 이것은 어찌 보면 이로부터 20여 년 전인 1871년 파리에서 있었던 일종의 파리 코뮌Commune de Paris과 같은 것이다. 물론 이들이 파리 코뮌을 알았을 리는 없겠지만.

민중에 의한, 민중의 직접적인 정치 참여에 의한 통치. 이것은, 비록 몇 달의 기간이었지만, 바로 왕조 통치의 한복판에서 권력이 민중으로 넘어온 것이며 집강소가 실질적인 민중 권력의 중심이 되었다는 것을 의미한다. 이들은 탐관오리 숙청, 동학 농민군 참정권, 양반 토호의 탐학 배격, 토지 재분배, 노비 해방, 과부의 개가改嫁 허용, 모든 천민의 해방, 일본 세력 배격 등을 골자로 하는 '폐정개혁안 12개조'의 요강을 바탕으로 개혁을 추진했다.

이걸 놓고도 좌우 역사학자 사이에는 진짜다, 아니다 등의 논쟁이 여전히 분분하다. 그런데 그런 논쟁은 다 부질없다. 그 내용이 새삼스러울 것이 하나도 없기 때문이다. 이미 1860년대부터 시작된 동학의 교리 내용과 거의 비슷하기 때문이다. 줄곧 이야기해온 것을 바탕으로 12개조목을 만든 것이니 이상할 게 없다. 이전에 없던 것이 하나 추가되긴 했다. 일본과 내통한 자들을 엄단한다는 내용이다. 이게 이후에 논쟁의 불씨가 되었다. 동학은 한편으로 일본의 우파와 연결되어 있었는데, 여기에서는 일본과 내통한 자를 엄단한다고 했기 때문이다.

일본의 진짜 우익 덴유쿄, 우익인 듯 우익 아닌 리버럴 집단

우리는 여기서 굉장히 재미있는 지점을 만난다. 당시 일본의 우익 단체였던 덴유쿄天佑俠가 우리 이야기에 등장한다.

먼저 당시 일본의 '우파'의 의미를 짚어봐야 한다. 우리는 흔히 일본 군국주의자들을 싸잡아서 '우파'라고 부르지만 일본 역사의 입장에서 보자면 이건 안 될 말이다. 단적으로 조선통감부 초대 통감 이토 히로부미伊藤博文, 1841~1909는 일본에서는 우파가 아니다. 그는 군인도 귀족 출신도 아닌 말하자면 하급 무사 가문 출신의 중도파다. 유럽 유학을 다녀온 그는

1868년 단행된 메이지유신明治維新의 이념을 제시한 근대 일본의 아버지 후쿠자와 유키치福澤諭吉, 1835~1901의 영향을 받은, 정치적 자유주의자이자 효율성을 중시하는 근대 서구주의자로서, 정확히 말하면 비스마르크주의자다.

『일본 우익사상의 기원과 종언』을 쓴 마쓰모토 겐이치松本健一, 1946~2014에 의하면 이처럼 서구 모델을 따르던 사람을 일본에서는 좌와 우 사이에 있는 중도, 혹은 리버럴 집단이라고 하며, 이들은 메이지유신 이후 지금까지 일본 정치 권력의 주류를 형성하고 있는 보수파로 발전한다. 본래 '자유주의자'라는 뜻인 리버럴이 일본 근대사에서는 '보수주의자'로 자리매김한 것이다.

이토 히로부미가 중도라면 좌파는 누구이고, 우파는 누구인가. 일본에서 우익과 좌익, 우파와 좌파는 서구 근대화주의자인 이 리버럴을 가운데 두고 서서히 형성된다. 메이지유신은 개인의 자유, 즉 민권에 대한 광범위한 여론을 불러왔지만 동시에 부국강병을 통한 민족적 자긍심, 곧 국권에 대한 여론의 관심도 동시에 커졌다.

1884년 조선의 갑신정변甲申政變 당시 1,500명 청국 군대에게 응전해보기도 전에 철병함으로써 일본에 호의적이었던 김옥균金玉均, 1851~1894의 급진개화파 정권이 사흘 만에 붕괴하는 것을 무력하게 지켜보아야 했던 것, 그리고 민권파의 아성이랄 수 있는 자유당 좌파가 조선 개화파를 도와 다시 쿠데타를 기도하려다 리버럴 권력에 의해 좌초된 1885년의 이른바 '오사카 사건'을 지나며 일본 반체제파의 위기감은 높아져 갔다. 국면 전환의 출구를 찾지 못하던 골수 민권파들이 사회주의 사상을 받아들여 본격적인 좌파의 길을 걷게 되는 것도, 일본 우파의 원조랄 수 있는 겐요샤玄洋社가 민권결사단체에서 1886년 국권주의로 전향하며 본격적인 우파의 정체성을 다지게 되는 것도 이와 같은 일련의 흐름에서 비롯된 결과이다.

1889년 미국, 러시아, 독일과 여전히 굴욕적인 조약 개정을 추진 중이던 외무대신 오쿠마 시게노부大隈重信, 1838~1922가 탄 마차에 폭탄을 던지고 그 자리에서 황궁을 향해 절을 한 후 비수로 자신의 목을 찔러 자결한 겐요샤 소속원 구루시마 쓰네키來島恒喜는 이후 우파의 테러 미학의 전범이 되었다. 하지만 오쿠마 시게노부는 이 사고로 다리 하나를 잃긴 했으나 기사회생했으며 나중에 총리대신까지 올랐고, 와세다 대학의 전신인 도쿄전문학교를 설립하기도 했다.

일본의 조직적인 은폐로 인해 많은 논란이 있긴 하지만, 6년 뒤인 1895년 고종高宗, 1852~1919의 중전 민씨를 경복궁에서 살해하는 데 참여한 낭인무사들이 바로 이 겐요샤의 일원이라는 설도 유력하다. 하지만 어쨌거나 간에 '테러 그리고 자결'이라는 등식이 일본 우파의 트레이드 마크가 되었다는 사실은 메이지유신 이후, 특히 막부 시대의 후예들인 사무라이 계급(무사족)이 메이지유신 정부에 맞선 최후의 내전인 세이난전쟁1877의 장렬한 패배 이후로 이들이 단 한 번도 현실 권력을 획득하지 못했다는 것을 우회적으로 보여준다.

일본의 우파는 일본이 서구의 영향을 받아 근대화하는 것에 반대하고, 일본 본연의 가치를 숭상한다. 더 정확히 말하면 일본적 가치는 일본 정신의 상징인 천황에 있고, 나아가 일본의 전통과 농촌, 즉 농민이야말로 일본적 가치의 중심이라고 여긴다. 일본이 왜 일본의 정신을 잃어버리고, 서양인을 흉내 내면서 살아야 하느냐, 일본이 힘이 없어 서양인들에게 먹히는 날이 오면 장렬하게 벚꽃처럼 모두 다 깨끗하게 전사하자, 그럴지라도 일본의 정신과 혼을 절대로 잊어서는 안 된다는 것이 일본 우파의 생각이었다.

그 당시 소위 리버럴 집단의 중심이었던 개화파 기술관료 집단 역시 우파의 생각에 전혀 동의하지 않은 것은 아니었다. 하지만 이들은 이미 시대가 변했고, 밀려 들어오는 서양과의 제국주의 경쟁에서 살아남는 것이 최우선이라고 생각했다. 1853년 페리 제독Matthew Calbraith Perry, 1794~1858을 앞세워 밀고 들어온 미국과 1854년 미일화친조약美日和親條約이라는 불평등 조약을 맺고 강제 개항이라는 치욕을 겪은 일본의 현실을 마주한 이토 히로부미를 비롯한 이른바 리버럴들은 이러다가 자칫 나라를 빼앗기고 말 것이라는 위기감을 느꼈다. 이들은 나라의 힘을 키우는 것에 주력하여, 1894년의 청일전쟁과 1904년의 러일전쟁에서 승리함으로써 미국과 맺은 불평등 조약의 콤플렉스로부터 벗어났다.

한반도와 만주의 지배권을 두고 러시아와 싸운 러일전쟁의 승리로 일본이 얻은 것은 세계 최강의 불패 함대와 싸워서 이겼다는 명분 외에는 거의 없었다. 이 전쟁을 치르느라 일본 젊은이 8~12만 명이 전사했고, 사상자 수는 40여 만 명에 달했으며, 12억 엔의 군비를 썼다. 당시 일본의 1년 세입액은 2억 엔에 못 미쳤으니 이 규모가 어느 정도인지 가늠할 수 있겠다. 이 전쟁 부채는 1986년에서야 전부 다 갚았다. 이에 비해 정작 패전한 러시아의 피해는 일본의 절반 수준이었다.

그렇지만 이 전쟁을 통해 일본은 한반도의 지배권을 확보했고, 이를 교두보 삼아 만주로 진출할 수 있는 발판을 마련했다. 일본 국가의 생존을 위해 이들에게는 이 전쟁에서의 승리가 무엇보다도 절실했다. 그렇게 교두보를 마련한 일본은 한반도를 정복하고, 나아가 만주, 그리고 중국까지 정복하여 아시아의 패자가 되겠다는 꿈을 꾸었다. 일본은 아시아를 부흥시키자는 흥아론興亞論을 주창했고, 이것이 발전한 것이 1930년대의 '대동아공영론'大東亞共榮論이다. 이것이 바로 이토 히로부미로 상징되는 일본 리버럴 집단, 중도파의 실사구시적인 생각이었다.

조선과 일본, '합방'인가 '합병'인가

1910년 8월, 한일강제병합을 통해 우리는 완전히 일본의 식민지가 된다. 한때는 한일강제병합을 '한일합방'이라고도 불렀는데 '합방'合邦이라는 말은 조심해서 써야 한다. 엄밀히 말해 쓰면 안 된다. 합방이 아니라 병합倂合 또는 합병合倂이라고 써야 한다. 합방이냐, 병합 또는 합병이냐 하는 것에는 많은 의미가 숨어 있기 때문이다. 하나로 합치자는 건데 무슨 차이가 있느냐고 생각할 수 있겠지만, 의미가 완전히 다르다.

동학농민혁명이 일어난 1894년 즈음 일본의 중앙 권력 내부에서는 조선에 대한 향후 전략을 두고 '합병론'과 '합방론'이 공존하고 있었다. 우리가 '강화도조약'으로 부르는, 1876년 운요호 사건을 빌미로 일본이 강제적으로 조선과 맺은 불평등한 국교수립조약 이전부터 산발적으로 사실상의 조선침략론이라 할 수 있는 '정한론'征韓論이 제기되어왔다.

바로 이 정한론의 연장선에 있는 합병론은 당시의 총리대신 이토 히로부미를 비롯한 대부분의 리버럴 세력들의 입장이었다. 요약하자면 압도적인 군사력을 바탕으로 조선을 강제적으로 병합하자는, 즉 조선을 일본의 '보호국'으로 만들자는 것이었다. 정한론이 조선을 일본에게 조공을 바치는 속국으로 만들자는 수준의 것이라면, 합병론에서 말하는 보호국이란 외교권도, 군통수권도, 자치권도

갖지 못하는 사실상의 식민지를 뜻한다. 이는 일본 리버럴 집단이 이미 제국주의 노선으로 들어섰음을 의미한다.

이에 비해 '합방론'은 주로 재야에 포진하고 있던 우파들의 생각으로 조선과 일본이 각각 독립국으로서의 위상을 지니고, 각자 고유한 가치들을 유지한 채 힘을 합쳐 서양 열강들의 위협에 대항하자는 입장이다. 이들은 조선이 청으로부터 진정한 독립을 이룰 수 있게 후원하고, 조선을 각성시켜 글자 그대로 '국가 대對 국가'의 통합을 하자는 것이었다.

정한론의 대표 주창자로 잘못 알려진, 메이지유신을 성공시킨 삼걸 중의 한 명이나 실각한 뒤 사무라이의 대표로 추대되어 세이난전쟁의 패배 이후 자결한 사이고 다카모리西鄕隆盛, 1828~1877가 메이지 정부의 육군 최고 책임자이던 시절 조선과의 국교 교섭에서 전쟁을 준비하는 것은 무례한 짓이며 평화적으로 교섭해야 한다는 주장을 펼쳤는데 이런 그의 논지가 그를 찬양하는 후대의 우파들에게 합방론으로 계승 발전되었다고 볼 수 있다.

리버럴 집단인 합병론자들에게 우파의 합방론은 공허하고 어쩌면 유치해 보였을 것이다. 약육강식의 장으로 돌변한 세계 정세에서 '먹이'에 불과한 조선의 각성과 청으로부터의 진정한 독립을 후원하겠다니 이 무슨 망령이냐고 속으로 코웃음을 쳤을 것이다.

하지만 앞에서 언급한 마쓰모토 겐이치의 견해에 따르면 일본의 주류 리버럴들은 좌우파들을 자신의 체제 속으로 끌어들이거나 전략적으로 활용한다. 즉 강대국에 대한 우파의 주전론은 저지하면서도 필요한 국면에서는 그들을 내세우거나 흡수시키고, 우파의 민족주의적인 측면은 적극적으로 인정해주었다. 반대로 반전론이 필요할 때는 좌파들을 이용하면서도 사회주의나 반국가주의의 측면에서는 그들의 주장을 가차없이 잘라버렸다.

1910년 한일강제병합의 국면에 이르러 일본의 우파들은 자신들이 이용당했다는 사실을 알았지만 이미 우파의 대다수는 이 지배집단의 논리에 흡수된 상태이거나 무력화된 상태였다. 그래도 끝끝내 천황주의와 농본주의, 그리고 낭만주의적인 사생일여관死生一如觀을 고수하고자 한 우파들은 이후로도 리버럴 정치집단을 상대로 무수한 쿠데타를 시도했지만 번번이 실패하고 만다. 한 번도 성공하지 못한 정치적인 불운아들.

그래서 역설적으로 안중근安重根, 1879~1910

은 이들에게도 영웅이었다. 왜? 자신들을 농단한 이토 히로부미를 암살해주었으니까. 자기들도 못 한 것을 조선의 서른 한 살 대한의군 참모중장이 깔끔하게 제거해준 셈이 아닌가.

리버럴 집단은 이후 어떻게 되었는가. 그들은 19세기 말 근대 국가로서의 일본의 기틀을 세운 메이지유신의 시기부터 20세기 쇼와昭和 천황 시대1926~1989를 지나서 지금 이 순간까지도 일본을 지배하고 있다. 이들은 교묘하게 좌파와 우파 사이의 긴장 관계를 이용하여, 그때그때 필요한 힘을 취하며 중간에서 정치적 이득을 취함으로써 천황과 일본 사회를 독점하면서 그 세력을 이어오고 있다.

이들은 좌파도 우파도 아니면서 필요할 때마다 좌파나 우파를 자기편으로 끌어들이면서 권력을 유지해온 집단이다. 이른바 기술관료 집단으로 이들에게는 이념이 없다. 이들이 천황제를 지지하고는 있으나 그것은 천황에 대한 충성 때문이 아니다. 이들은 천황제를 자신들의 권력 체제를 유지하는 데 필요한 명분 정도로 생각한다. 모든 것을 효율로 생각하는 사람들, 이게 이토 히로부미부터 지금까지 이어져 내려오는 일본 리버럴 집단의 진면목이다.

동학을 바라보는 일본의 두 개의 시선

그런데 동학농민혁명과 일본의 우파는 무슨 상관관계가 있는 것일까? 1885년 오사카 사건의 실패 이후 절망에 가까운 침체에 빠져 있던 일본의 우파들이 다시 하나의 계기를 포착한 것이 바로 동학농민혁명이었다. 여기서 덴유쿄라는 일본의 우파 조직이 등장한다. 덴유쿄, 글자 그대로 하늘이 돕는 협객이라는 뜻이다. 겐요샤 소속이던 약관 스무 살의 우치다 료헤이内田良平, 1874~1937를 필두로 열네 명으로 이루어진 덴유쿄는 신속하게 조선으로 날아가 동학농민군을 원조한다.

이 무렵 우리가 일본의 우익과 어떤 관계를 맺어왔는가에 대해서는 자세히 연구된 바가 아직은 없다. 우리보다 일본이 그나마 연구가 조금 더 진행되었다고 하는데, 당시 일본 쪽 기록을 보면 일본 우파들이 동학농민군을 지원하기 위해 나름대로 노력했다는 내용이 나온다.

그들은 1894년 동학농민혁명 당시 동학농민군을 지원했고, 동학농민군이 내건 집강소의 정책들을 지지했다. 아마도 2차 봉기 때부터일 것으로 추정된다. 그들은 동학농민군이 조선 조정을 뒤엎고 새로운 권력을 잡게 되기를 바랐다. 자신들과 소위 '코드'가 맞을 것 같은 동학농민군이 한반도에서 권력을 갖게 되면 자기들과 힘을 합쳐서 서구에 대항하는 방파제를 쌓을 수 있을 것이라고 생각했다. 바로 그런 이유로 동학농민군을 지원했고, 동학농민군이 대패한 후 동학농민혁명의 우두머리들이 모조리 살해당하고 쫓겨다닐 때 3대 교주인 손병희孫秉熙, 1861~1922를 도쿄 한복판에 숨겨주었다.

당연한 말이지만, 일본의 현실적인 지배자들은 그렇지 않았다. 이들에게 동학농민군은 눈엣가시였다. 저 세력을 없애지 않는 한 한반도를 완벽하게 접수하고 지배하는 것은 불가능하다고 여겼다. 그리고 그들 특유의 집요함을 이 부분에서도 여지없이 드러냈다.

1894년 11월 전봉준이 패한 마지막 우금치 전투의 현장으로 가보자. 우금치牛禁峙는 충청남도 공주 남쪽에 있는 고개로, 부여에서 공주로 넘어가는 관문이다. 우금치라는 이름은 해가 지고 난 뒤에 도둑이 들끓어 소를 빼앗기는 일이 잦았으므로 해가 진 뒤에는 소를 끌고 그곳을 넘지 말라는 것에서 유래했다.

그 우금치에서 마지막 결전을 벌인 전봉준의 군사적 판단은 결국 패착이 되었다. 병력은 전봉준의 직할 부대를 포함한 3만여 명의 동학농민군이 압도적으로 많았지만, 정교하게 훈련받고 신식 무기를 갖춘 2천여 명의 일본군과 3천여 명의 관군 연합군의 벽을 넘지 못하고 만다. 만일 전면전이 아닌, 그들이 잘 썼던 게릴라전으로 대응했다면 결과는 어땠을까. 아무리 일본군이 기관총을 가지고 있었다고 해도 그렇게 허망하게 패배하지는 않았을 것이다. 그들이 비록 칼과 단발식 소총을 들고 있었다 해도 3만 명이 5천여 명을 장악하는 건 어렵지 않았을 것이다. 완전히 전략적인 판단 착오로 그렇게 참패를 당하고, 3만 명의 동학농민군은 전멸한다.

그것으로 끝이 아니었다. 동학교도를 향한 일본의 추적은 집요하고 잔인했다. 우금치 전투의 패전 이후 최소 10만에서 최대 40만 명의 동학교도들이 처형된다. 1910년에 강제병합될 때까지 일본군은 동학교도를 최후까지 샅샅이 추적하여 발견하는 대로 사살했다.

20세기로 접어들면서 우치다 료헤이

로 대표되는 일본의 우파도 본격적으로 변질한다. 1901년 우치다 료헤이는 그 뒤로 지금까지 (변절한) 일본 우파의 상징이 된 단체 고쿠료카이黑龍會를 설립하고 중국과 만주 그리고 조선에서 일본 제국주의의 야만적인 테러공작을 담당한다. 고쿠료카이라는 이름 자체가 중국과 러시아의 경계선인 흑룡강까지 일본의 영토를 넓히자는 침략주의적 발상에서 만들어진 것이다.

고쿠료카이를 만들 때부터 우치다 료헤이가 젊을 때 지녔던 우파적 변혁의 에너지는 이미 증발되었으며 그는 철저히 주류 리버럴 집단의 체제에 편입되고 만다. 그리고 '일한합방론'의 어리석은 환상이 그와 손을 잡았던 동학의 지도자이자, 일진회장인 이용구李容九, 1868~1912를 첫 번째 열의 매국노로 전락시키는 것은 시간문제였다. 마쓰모토 겐이치는 이를 '우익의 타락'으로 명명했다.

이처럼 일본 내에서도 우리의 동학농민혁명을 바라보는 입장이 극과 극이었다. 여기에 중국 청나라의 입장까지 들여다보면 이야기는 훨씬 더 복잡해진다. 동학농민혁명은 단순히 우리 땅에서 일어난 민중 봉기의 성격을 넘어서 굉장히 복잡한 국제 정보전의 성격을 띠었다. 사실상 고부군에서 촉발된 1차 봉기부터 한일강제병합에 이르기까지의 과정에는 아직까지 우리가 추적해야 할 수많은, 해명되지 않은 많은 역사적인 요인들이 잠복해 있다.

혁명의 실패, 새로운 세상의 문을 열다

그렇다면 동학농민혁명은 실패한 혁명일까. 아니다. 이 혁명은 그 이후 우리의 근대사를 완전히 새로운 단계로 진입시켰다. 동학농민혁명을 통해 우리는 폐정개혁안 12개조를 바탕으로 한 집강소라는 코뮌의 경험을 최초로 획득했다. 전라도 지역에 국한되긴 했지만 민중에 의한 직접 통치를 경험한 것이다.

동학은 전국 조직이었다. 크게 남접과 북접으로 조직이 나뉘어 있었는데 우리가 자주 들어본 최시형崔時亨, 1827~1898은 동학의 2대 교주로, 북접이었다. 비록 집강소는 전라도에 국한되어 있었지만 동학의 기본 생각과 사상은 동학 조직을 통해서 전국적으로 공유되어 있었다. 이미 처형당한 경상도 경주 출신의 1대 교주 최제우崔濟愚, 1824~1864가 꿈꾸었던 새로운 세상, 새로운 개벽의 시대가 열리고 있었다. 그들의 머리는 여전히 왕조에 대한 미련을 가지고 있었다 하더라도 실제 그들로 인해 우리는 근대를 향해 나아가고 있었다.

이것을 조정에서 몰랐을 리 없다. 동학농민혁명의 위험성을 좌시할 수 없던 민비와 그 일족들은 12년 전 임오군란 진압 때 도움을 받은 청나라를 끌어들인다. 정확히 말하면 청나라의 군대를 불러들인다. 청나라로서는 일본이 조선에 들어와서 활개를 치는 것이 못마땅하던 참에 이 요청에 응하지 않을 이유가 없었다. 청은 2,800명의 원병을 충청도 아산에 급파하지만 톈진 조약에 따라 일본 또한 7천여 명의 군대를 기민하게 인천에 상륙시킨다. 이는 당시 탄핵의 위기에 몰려 있던 총리대신 이토 히로부미에게는 커다란 호재였다. 즉 국내의 정치적 위기를 청일전쟁으로 타개하고자 한 것이다.

대규모 출병에 놀란 조선 조정은 마침 동학농민군과 초토사 간에 전주화약도 이루어져 양국에 철수를 요청했지만 일본은 경복궁을 기습적으로 점령하는 쿠데타를 일으켜 흥선대원군과 김홍집을 앞세운 친일내각을 수립한다. 이것이 갑오경장 혹은 갑오개혁의 실제 내용이다.

조선에 대한 주도권을 차지하기 위한 청과 일본의 일전은 불가피한 것이었다. 이들이 만난 곳은 지금의 충청남도 아산만. 여기에서 일본이 자랑하는 막강한 해군이 북양함대의 위용이 거죽으로만 남고 속으로는 허약할 대로 허약해진 1만 2,000여 명의 청나라 증원군을 수장시키고 육전陸戰에서도 청군을 간단히 제압함으로써 상황은 종료되었다. 특히 9월 15일 평양에 집결한 청군 1만 4,000명을 격파하고 이틀 뒤 황해에서 청군 함대를 격침시킨 후 기세가 오른 일본군은 국경을 넘어 청의 본토로 진군한다. 이 순간부터 청나라는 사실상 아시아에서의 주도권을 완벽하게 일본에 넘겨주게 되었고, 승자 결승전에서 이긴 일본군은 청나라를 대신해서 거칠 것 없이 바로 조선의 조정에 개입하기 시작했다. 바로 그 일본군은 내친 김에 동학농민군을 소탕하는 데 전격적으로 투입된다.

동학농민군으로서는 사느냐 죽느냐의 갈림길에 서 있는 셈이었다. 전봉준은 삼례 집회를 통해 전라도 지역의 동학농민군을 결집하고 충청과 경기 등 북접 세력과의 연합전선을 도모하기에 이른다. 북접의 최시형은 주화파였다. 전면전은 피해야 한다고 주장했다. '전면전을 벌였다가 우리 모두 화를 당하는 게 아닌가' 하는 우려 때문이었다. 남접의 손화중은 주전파였다. 전면전을 불사해야 한다고 주장했다. '지금 일본군이 군홧발로 경복궁에 쳐들어가는 형국인데 무슨 소리를 하십니까' 하는 입장이었다.

주전파와 주화파가 논쟁하면 누가 이기겠는가. 최시형은 반대했지만 손병희는 주전파에 가담한다. 손병희가 누군가. 최시형의 왼팔이자, 최시형에 이어서 3대 교주가 되는 인물이다. 그만큼 주전파가 대세였다. 3차 봉기가 1차, 2차 봉기와 다르다고 하는 것은 이 때문이다. 전라도 안에서만 움직인 것이 아니라 전국 연합군이 된 것이다.

1차, 2차 봉기와 3차 봉기가 다른 점은 또 있다. 1차 봉기 때 참여한 동학농민군 300여 명은 대부분 양민이었다. 2차 봉기 때는 동학교도가 들어오긴 했지만 기본적으로 양민 연합군이었다. 그런데 3차 봉기 때는 동학농민군의 성격이 달라진다. 바로 동학교도들이 대거 합류하고, 천민들이 주류를 이룬 것이다. 남사당男寺黨패, 재인才人, 광대, 무속인 등등 이쪽 업종 종사자들이 거의 1천 명 단위로 동학농민군에 들어간 것이다.

남사당패가 무슨 전쟁을 하느냐 싶겠지만 그게 아니다. 남사당패에 들어가려면 우선 체력이 좋아야 한다. 빙빙 날아다녀야 하고 덤블링도 해야 하니 체력은 기본이다. 실제로 조선 왕궁의 근위병들은 전부 이 남사당패에서 뽑았다. 고종을 지키는 호위군을 충의군이라고 했는데 그 주력 역시 남사당패였다. 그러니까 유사시에는 이 남사당패가 최고의 용병군단인 것이다. 이런 남사당패가 합류하니 막강하고 전문적인 군대가 만들어진 것이다. 남접의 지도자 손화중은 이 전체 군대의 병권을 남사당패 출신의 천민에게 맡긴다. 이전에는 상상할 수 없던 일이 동학농민군 안에서 일어난 것이다.

3차 봉기가 그 이전과 다른 점은 또 있다. 1차, 2차 봉기 당시 적敵은 백성을 괴롭히는 탐관오리, 탐관오리를 비호하는 정부군이었다면, 다시 말해 반半봉건 투쟁의 성격을 띠었다면, 이제 전국적인 싸움으로 확장된 3차 봉기에서는 제국주의 일본과 일본을 비호하는 모든 세력을 적으로 삼았다. 바야흐로 반反외세 반反제국주의 투쟁으로 변모한 것이다.

1차 봉기를 일으킨 전봉준과 300여 명의 양민들이 계획하고 주도해서 그렇게 된 것은 아니다. 원하는 바도 아니었을 것이다. 해도 해도 너무 심하게 수탈해가는 탐관오리에 맞서 들고일어난 것이 역사적인 상황과 맞물려 그렇게 이 싸움을 몰아간 셈이다.

이제 11월의 3차 봉기는 단순히 고부, 전주의 싸움이 아닌 중앙 전투가 되었다. 그들이 첫 번째 거점 확보 지역으로 선택한 곳은 바로 공주였다. 왜 그들은 한양으로 진격하기 전에 공주를 선택했을까. 전략적으로 매우 옳은 선택이었다. 백제의 수도였던 공주는 땅이 굉장히 좁긴 하지만 혹시라도 전투에서 밀렸을 때 최소의 병력으로 최후의 항전을 벌이면서 근거지를 지키기에 무척 유리한 요충지였다. 지리적으로 한양과도 가깝고, 자신들에게 식량이나 물자 등을 공급해줄 수 있는 전라도와 경상도를 배후에 두고 있었다. 따라서 공주를 선점하는 것은 중요한 전략이었고, 그 선택은 타당했다.

문제는 일본군도 그 사실을 잘 알고 있었다는 점이다. 일본군은 동학농민군이 공주로 올 것을 눈치채고 발빠르게 먼저 자리를 잡고 있었다. 동학농민군 입장에서는 공주는 당연히 수월하게 접수하고 여기를 거점으로 북상하려 했는데, 공주에 들어가기도 전에, 우금치를 넘지도 못하고 초장부터 처참하게 패배해버렸다. 어쩌면 동학농민군은 일본군을 너무 만만하게 본 게 아닐까.

이때 일본군은 몇 명이 죽었을까. 모두 37명이 죽었다. 이 가운데 36명은 병에 걸려 죽었다. 싸우다 죽은 건 딱 한 명이었다. 이 전투에서 동학농민군은 3만 명이 죽었다. 말이 3만 명이지, 3만 명의 시체가 산과 들판에 누워 있다고 생각해보라. 그런데 일본군은 한 명만 전사하고, 나머지 36명은 그나마 병에 걸려 죽은 것이다. 정말 치욕의 역사라 아니할 수 없다. 세계 전쟁사에 이런 예가 또 있는지는 모르겠지만, 내가 알기로 가장 비참한 전투가 아닌가 싶다. 이걸로 끝이 아니라고 앞에서 이야기했다. 일본군은 그 후 15년 동안 집요하게 동학교도들을 추적하고 마지막 한 사람까지 없애려고 혈안이 되었다. 그렇게 해서 동학은 순식간에 전국적으로 도륙이 난다.

동학에서 만민공동회로

이걸로 역사가 끝이냐 하면, 그건 또 아니

다. 동학은 끝났지만, 그걸로 그냥 끝낼 우리도 아니다. 1898년 지치지 않는 또 다른 불씨가 타오르기 시작했다. 이름하여 만민공동회萬民共同會다. 만민공동회는 1896년 서재필徐載弼, 1864~1951이 중심이 되어 조직한 독립협회獨立協會가 행한 정치활동의 하나로, 입헌군주제의 이상을 가진 공화주의자들이 시작한 새로운 이념 투쟁이다.

물론 이들은 동학 세력과 직접적인 관계는 없다. 이쪽은 주로 서학西學, 즉 기독교에 바탕을 둔 세력이었다. 그렇지만 동학농민혁명을 통해 조선 땅에서 벌어진 제국주의 투쟁, 신분제 철폐 등을 경험하고, 그것으로 인해 촉발된 전반적인 반외세의 분위기에 힘입어 이들은 직접적으로 대중을 조직하기 시작했다.

만민공동회는 오늘날의 촛불집회를 생각하면 이해하기 쉽다. 촛불집회가 지금으로부터 110년 전에 그대로 일어났다고 생각하면 된다. 지난 2004년 고 노무현 전 대통령이 탄핵당했을 때 시민들이 열흘 넘게 매일 광화문을 채웠던 일을 떠올리면 된다. 만민공동회가 그렇게 했다.

1898년 3월 서울 종로에서 이승만李承晩, 1875~1965, 홍정후洪正厚 등의 청년 연사가 연설을 했다. 반응은 뜨거웠다. 하루 2만여 명이 모였다. 그 당시 조선 조정에는 친러親俄 내각이 성립됐는데 그 때문에 자꾸 외세에 기대어 연명하려고 했다. 이런 조정의 행태에 대한 비판의 물결이 그렇게 사람들을 모은 것이다. 사람들이 엄청나게 모이자 기마경찰까지 등장해서 집회를 저지하려고 했다. 그러자 모여든 사람들은 돌을 던지며 강력하게 저항하면서 오히려 진압하는 경찰 세력을 무력화시켜버렸다. 이런 거리 투쟁을 경험하면서 조선의 민중은 서서히 민의에 대한 자각을 조직화하기 시작한다.

1898년 10월 28일에서 11월 2일까지 6일간 종로에서 대집회가 열렸다. 민중의 요구는 이제 과감해졌다. 의회를 소집하라, 입헌군주제를 실시하라는 말이 쏟아져 나왔다. 즉 왕의 존재는 인정할 테니 왕의 시대가 끝났음을 인정하라고 조정을 향해 대놓고 요구한 것이다.

이런 민의의 물결에 밀린 고종은 의회를 설립했다. 그런데 이것이 눈 가리고 아웅하는 격이었다. 민중은 그냥 넘어가지 않았다. 다시 열린 만민공동회의 개막 연설은 백정 출신인 박성춘朴成春, 1862~?이 했다. 양민조차도 천대했던 백정 출신이 연단에 올라 대회의 개막 연설을 하는 시대가 된 것이다. 조선의 신분제가 어떻게 극적으로 붕괴했는지를 상징적으로 보여주는 장면이 아닐 수 없다.

하지만 만민공동회의 주역인 서재필과 윤치호尹致昊, 1865~1945에게는 분명한 한계가 있었다. 이들은 결국 엘리트였다. 이들이 누구인가. 이때로부터 14년 전인 1884년에 일어난 갑신정변의 주역이다. 갑신정변은 김옥균을 비롯한 친일본적인 급진개화파가 개화사상을 바탕으로 조선의 자주독립과 근대화를 목표로 일으킨 정변인데, 이게 삼일천하로 끝났다. 서재필과 윤치호는 갑신정변이 실패하자 외국으로 망명했었다.

이런 사람들이 민중과 같은 입장일 리가 없었다. 마치 프랑스 혁명 때 혁명파의 미라보 백작처럼 이들은 절대권력을 '무지렁이' 인민들에게 넘겨줄 생각이 없었다. 따라서 이들은 민중 세력과 적극적으로 연대하지 않았다. 이들에게 민중이란 '무식한 돼지'이고, 여전히 교육과 계몽이 필요한 대상일 뿐이었다.

이런 사람들이었던지라 만민공동회 이후 탄압을 받기 시작하자 이 땅에서 버티는 대신 망명을 선택했다. 그럼으로써 우리 근대 사상 최초로 민중의 의식이 집결된 만민공동회, 지금식으로 말하면 촛불집회요, 포털 사이트 다음의 아고라의 오프라인 버전격인 만민공동회는 1년간의 반짝 사건으로 끝나고 만다.

드디어, 대중의 탄생

500년 조선 왕조는 동학농민혁명과 만민공동회를 지나며 멸망을 향한 어둡고 무거운 발걸음을 옮기기 시작했다. 봉건시대의 마지막은 이렇게 저물어 갔다. 하지만 이 어둠 너머 저 머나먼 지평선에서부터 그전에는 결코 존재하지 않았던 새로운 시대의 새로운 주체들이 어둠의 끝, 곧 새벽의 여명 속에서 천천히 모습을 드러내게 될 것이다.

이 새로운 근대의 구성원을 우리는 '대중'이라고 부르게 된다. 18세기의 프랑스 혁명과 산업혁명 이후 서유럽의 역사가 증명하듯이, 그리고 우리의 근대사와 다른 많은 약소국가의 역사가 그러했듯이 대중은 결코 점진적이고 평화적인 진화의 결과물이 아니다. 그것은 신분제에 저항하는 계급 혁명과 반제국주의 독립투쟁이라는, 역사적 도약의 소용돌이치는 에너지가 빚어낸 새로운 인간 개념의 탄생이다. 이들은 신분의 틀을 깨부수었으며 정치적 참여의 권리와 평등의 존엄을 요구하고 나섰고, 어떤 이념이나 종교, 혹은 지배자의 피지배 계층으로서가 아닌, 개인 각자의 행복의 가치를 추구하기에 이른다.

20세기 들어 전 지구적으로 펼쳐진 급속한 산업화와 교육의 확대 현상은 이제 곧 식민지가 될 한반도에도 어김없이 적용되었고, 대중이라는 이름으로 불리게 될 이 절대다수의 피지배 계층은 숱한 정치경제적 좌절과 사회문화적 절망을 거듭하면서 다양한 욕망을 생성하고 소비하는, 그 이전의 인류 역사에서는 상상조차 하기 힘든 규모의 거대 집단으로 성장한다. 이 과정에서 이들의 등장 직전까지 수천 년간 독점적인 지위를 누려온 모든 엘리트주의는 이 대중의 용광로 속으로 함몰되는 숙명을 피하지 못한다.

20세기 초반부터 100년도 채 안 되는 기간에 대중은 눈부신 영향력을 획득하며 지구촌의 상징적인 주체가 되었다. 동시에 대중은 숱한 이해와 관심이 모순적으로 충돌하는 복합적인 개념이며, 충동적인 비합리성에 종종 구금되기도 한다. 또한 동시에 이들은 자신의 현실적 영향력이 급증하는 것보다 더욱 정교한 수준으로 진화해온, 그리고 근원적인 생사여탈권을 가진 자본으로부터의 통제에서 여전히 자유롭지 못하며, 자본의 일상적인 이데올로기적 선동에 지배되는 존재이기도 하다. 이제 권력은 대중에 의해 결정되지만, 그렇다고 대중이 권력을 소유한 것은 아니다.

대중은 추악한 속물성과 전 인류적인 정의에 대한 공감을 동시에 실현하는, 예측 불가능한 개념이다. 대중문화는 바로 이 대중의 표현이자 이들이 생존하는 참호이기도 하다. 이것은 그동안 인류가 구현해왔던 그 어떤 문화보다도 역동적이고 강력하며 그 파급력이 크다. 이 대중문화에서 대중을 분리해낸다는 것은 사실상 불가능하다.

따라서 한국 대중문화의 역사적 맥락을 살핀다는 것은 아마도 근대 이후 우리 역사의 실질적인 주체인 이 땅의 대중의 욕망을 재구성한다는 말과 동의어가 될 것이며, 이들의 삶의 의제를 검토한다는 의미가 될 것이다. 비극으로 끝난 동학농민혁명과 해프닝으로 끝난 만민공동회. 하지만 이 두 역사적 사건을 경과하며 한반도엔 대중이라는 새로운 개념의 인간군이 형성되기 시작한다. 대중의 시대가 시작된 것이다.

1

근대의 여명에

노래가 울려퍼지다

한국대중문화사는 곧 이식과 독립의 역사

●

우리는 대중문화의 시대를 살고 있다. 아침에 눈을 떠서 저녁에 눈을 감을 때까지 대중문화의 홍수 속에서 매일 살아가고 있다. 일상의 모든 배경이 대중문화라고 해도 과언이 아니다. 그런데 막상 대중문화가 무어냐고 묻는다면 참으로 정의하기 어렵다. 학술적으로도 그 범위를 규정하는 것 자체가 여전히 현재진행형일 만큼 대중문화는 어려운 개념이고 주제다. 하긴 문화라는 말부터도 애매하다. 영국의 소설가이자 문화비평가인 레이먼드 윌리엄스Raymond H. Williams, 1921~1988는 『키워드』*Keywords: A Vocabulary of Culture and Society, Fontana*, 1976에서 문화를 이렇게 말했다.

> 문화, 그러니까 컬처culture라는 단어는 옥스퍼드 영어 사전에서 가장 어려운 두세 개 단어 중 하나다.

따지고 보면 인간이 하는 모든 행위는 다 문화적인 것이다. 그런데 이 말은 어디에든 다 적용할 수 있다. '인간이 하는 모든 행위는 다 정치적인 것이다', '인간이 하는 모든 행위는 다 경제적인 것이다'라는 식으로 어디에나 적용이 가능하다. 어디에나 붙일 수 있는 말이 제일 어려운 말이다. 그래서 우리가 일상적으로 쓰는 용어인데도 막상 그게 뭐냐고 물으면 한마디로 답하기 어려울 때가 많다.

문화 역시 그렇다. 한마디로 그게 뭐다, 라고 정의하기가 참 어렵다. 문화라는 말 자체도 이렇게 애매한데 여기에 앞에서 짚어본 대중이라는 말이 붙으면 더 어렵다. 의미와 범위가 매우 복잡하다. 그 개념을 우리가 붙들고 앉아 있다가는 결론도 안 나고 날이 샌다. 그러니 이런 철학적인 정의는 학자들에게 맡기고 결론이 나면 우리에게 연락해주는 걸로 일단락하자.

그렇다고 우리가 문화를 모르는가? 대중문화가 뭔지 모르는

○ 우리는 고려 시대부터 일제강점기까지 주변 강대국의 문화를 비선택적으로 받아들이고, 그 질서를 규정당하며 살아왔다. 그러나 한편 우리는 그런 문화에 대해 당당하고, 주체적인 엄연한 반동이 반응을 보여왔다.

가? 그건 또 아니다. 뭐라고 한마디로 정의하는 것이 어려워서 그렇지, 우리는 그게 뭔지 각자의 느낌으로 알 수 있다. 나는 내 식으로 대중문화에 대해 이렇게 말하고 싶다.

> 20세기 이후 지구촌에서 가장 강력한 헤게모니hegemony를 지닌 어떤 예술 행위이자 생활양식의 총체. 부르주아 정치권력과 자본주의 시장 논리를 바탕으로 이전까지의 전통적 패러다임을 전면적으로 해체한 일상적인 제반 질서.

그렇다면 이런 대중문화가 우리에게 언제부터 시작되었는지에 대해 생각해보자. 우리 대중문화는 우리의 현대사, 즉 20세기 이후 110여 년 동안의 우리 역사와 더불어 매우 복잡한 역학 관계를 형성하며 지금까지 흘러왔다. 따라서 우리 대중문화사의 흐름을 추적한다는 것은 세계 역사상 매우 독특하고, 또 입체적인 우리의 근현대사를 또 다른 시각에서 접근하는 시도가 될 것이다.

나는 앞으로 대중문화에 관한 이야기를 펼쳐갈 텐데 그 관점의 기준으로 두 개의 단어를 채택했다. 바로 '이식'移植과 '독립'獨立이다. 눈치 빠른 독자는 내가 무슨 이야기를 하려는지 알아차렸을 것이다.

우리의 대중문화사를 바라볼 때, 적어도 반도이며 중소 규모의 국가인 한반도의 역사에서 이 이식이라는 개념은 매우 중요하고 독특한 개념이며 정치 · 경제 · 사회 · 문화 등 많은 분야에 걸쳐 포괄적으로 적용되어왔다. 이것은 언뜻 떠오르듯 비단 일제강점기 당시만의 일이 아니다. 우리는 일본으로부터 지배를 받기 이전, 그러니까 나름 독립국가였던 시절에도 이미 정치적 · 문화적으로 중국의 그늘 아래 있었다. 정치적 · 문화적으로 중국에 예속되어 있었다는 말이다. 이른바 자치적 통치를 하긴 했으나 그 시절의 통치자들은 대부분의 시간 동안, 정확하게는 고려 시대 이후부터 사사건건 중국 조정의 승인을 받아야 했고, 이로 인해 문화적인 많은 질서들이 중국에 의해서 규정되어야 했다. 부인할 수 없는 역사적 사실이다.

하지만 비록 우리가 멀리는 고려 시대부터 일제강점기까지 오랜 역사에 걸쳐 주변 강대국의 문화를 비선택적으로 받아들이고, 그 질서를 규정당하며 살아왔다 하더라도 우리는 또한 한편으로는 당당하고 주체적인, 엄연한 반동의 반응을 역사 내내 보여왔다. 매순간 독립적인 태도를 보여온 것이다. 다시 말해 비록 강대국의 문화를 어쩔 수 없이 받아들여야 하는 상황에서도 독자적인 정체성에 대한 열망을 강하게 발휘했으며, 또 그것을 긴 시간에 걸쳐서 창조적으로 발효시켜온, 독특한 역사적 국면을 시기마다 만들어왔다.

그리하여 우리는 정치 · 경제 · 사회 · 문화의 전 부분에 걸쳐서 시대와 상황에 따라 이식과 독립이라는 두 개의 줄을 번갈아 타며 우리를 둘러싼 아슬아슬한 경계선들을 위태롭게 건너왔으며, 그런 과정을 축적함으로써 우리 나름의 문화를 만들어온 특수한 역사를 가지고 있다. 이것이야말로 우리 대중문화사가 가지고 있는 독특한 다이내미즘dynamism이다.

그런데 여기에서 우리의 대중문화는 또 다른 특징을 보인다. 전통과의 단절이 그것이다. 즉 우리의 전통문화와 20세기 이후 우리가 향유하게 될 대중문화 사이에는 엄연한 단절이 존재한다. 우리는 이것을 먼저 인정하고 나서, 대중문화에 관한 이야기를 시작해야 한다. 다들 잘 알겠지만 우리에게는 식민지라는 독특하고 특수한 경험이 작동하기 때문이다. 다시 말해 일제강점기를 겪으며 비자발적인 선택을 강요당한 요소들이 우리가 지금 누리는 대중문화의 출발선에 분명히 존재하고 있다는 것이다. 이것은 일제강점기 이전 강대국으로부터 이식당한 경로와는 또 다른 방식이었다. 물론 이는 당시 세계사적 상황에서 드문 일이 아니었다. 근대로의 이행이 식민 통치를 통해 이루어진 것은 보편적인 풍경이기도 했다.

이렇듯 우리의 대중문화는 오랜 역사 속에 때로는 강대국의 문화를 받아들이고, 그것을 바탕으로 우리의 주체성을 보태 새로운 것을 창출하는 과정을 거쳐왔다. 따라서 내가 앞으로 이야기를 끌어가는 데 있어 이식과 독립, 나아가 전통과의 단절이라는 관점으로 풀어나가는 이유가 바로 여기에 있는 것이다.

우리의 이야기를 100년 전에서 시작하는 까닭

●

우리의 대중문화사가 탄생하는 첫 번째 지점은 어디인가. 나의 이야기는 바로 그 발생론적인 지점에서 시작한다. 그것은 다름 아닌 우리가 근대라고 부르게 되는, 아직도 수많은 역사적 논쟁 속에 있는 100여 년 전의 시절, 바로 거기에서 출발한다.

키워드는 세 가지 노래다. 이 노래가 앞으로의 이야기를 지배한다. 하나는 동학의 노래이고, 또 하나는 교회의 찬송가이며, 마지막은 대한제국 시기에 나라에서 만든 〈애국가〉다.

동학의 노래는 우리의 자생 종교 중 하나인 동학에서 비롯된 것이며, 찬송가는 서양에서 유입된 종교인 기독교의 노래이고, 〈애국가〉는 우리의 국가 형태를 계몽주의에 입각한 근대적 국가로 자리매김한 노래다.

단 여기에서 말하는 〈애국가〉는 지금 우리가 알고 있는, 국민의례 때 울려퍼지는 그 노래가 아니다. 정확히 말하면 대한제국 시대에 불린 〈애국가〉인데 그때 그 노래의 제목도 〈애국가〉였다. 이 노래는 대한제국 최초의 공식적인 애국가다. 알다시피 대한제국의 운명은 1897년부터 1910년까지 약 13년 남짓밖에 유지되지 않았다. 그 13년 중 약 8년 동안 이 〈애국가〉가 공식 국가로 불렸다. 그러나 당시의 이 〈애국가〉를 아는 사람은 별로 없다. 약 8년 동안만 불리다가 역사의 그늘 속으로 사라졌으니 기억하는 사람도 없고, 지금의 우리에게도 낯선 노래가 되고 만 것이다. 아니 완전히 잊힌 노래가 되었다고 보는 것이 더 적절하겠다.

이 세 가지 노래는 앞서 말한 대로 우리 근대 대중문화사의 첫 장면을 지배하는 키워드다. 그런데 이 노래들에는 흥미로운 점이 있다. 세 가지 노래 중 우리나라 사람이 만든 것은 하나밖에 없다는 것이다. 나머지 두 노래(들)은 우리나라 사람이 쓴 게 아니다. 첫 번째

우리가 살고 있는 이 시대에 모름지기 문화라고 불리는 모든 것의 출발은
바로 지금으로부터 100여 년 전인 그때부터 시작되었다.
그 출발점을 모르고서 오늘을 제대로 이해할 수는 없는 일이다.

○

동학의 노래는 누군지는 모르지만 확실히 우리나라 사람들이 만든 것이다. 두 번째 노래인 찬송가의 곡조는 미국인 등 서구 사람들이, 세 번째 노래인 〈애국가〉는 독일인이 만든 것이다. 좋게 말하면 첫 시작부터 굉장히 글로벌하다. 이제 본격적으로 이야기를 시작할 시간이다.

그전에, 한 가지 의문점을 가져야 한다. 왜 우리가 대중문화사를 이야기하면서 친숙하지도 않은 100년 전의 시대부터 짚어봐야 하는가. 대답은 간단하다. 그것은 대중의 의미가 실로 간단치 않기 때문이다. 그리고 대중문화의 실체가 생각보다 복잡하며 복합적이기 때문이다. 그것은 우리의 근대가 지닌 특수한 성격에 기인한다.

좀 더 덧붙이자면, 지금 우리가 살고 있는 이 시대에 대중문화라고 불리는 모든 것의 출발은 바로 지금으로부터 100년 전인 그때부터 시작되었다. 그러니 이 얽히고설킨 실타래를 풀어보기 위해서는 그 출발점인(혹은 출발점이라고 내가 생각하는) 1894년으로 돌아가 하나씩 짚어보아야 한다. 즉 지금 우리가 살고 있는 시대를 정확하게 이해하기 위해서는 지금 이 시대의 출발선인 근대의 시대를 반드시 알아야 한다. 이것은 비단 오늘날을 이해하기 위해서만이 아니라, 앞으로 다가올 미래를 이해하기 위해서도 꼭 필요하다.

대중, 그 너머의 서로 다른 대중

●

우리가 그동안 대중이란 어떤 것이라고 생각해온 개념이 있다면 이제 그것을 전면적으로 다시 정의할 때다. 대중이라는 개념만이 아니다. 상식처럼 알고 있던 것들이 곳곳에서 균열을 일으키고 있다. 이를테면 이런 것이다.

우리가 살고 있는 대한민국이라는 나라는 그래도 '좀 산다는' 나라들이 모인다는 OECDOrganization for Economic Cooperation and De-

○ 같은 민족, 같은 대중 안에 속할지라도 문제가 생기면 입장에 따라 각각 갈라서게 마련이다. 입장이란 무엇인가. 계급이다. 그래서 이 대중이란 개념은 서로 극단적으로 다르게 작용하는 복잡하고 어려운 의미를 품은 것이기도 하다.

velopment, 경제협력개발기구에 가입한 국가이고, 2016년 기준으로 34개 회원국 중에서도 GDPGross Domestic Product, 국내총생산가 열한 번째로 높을 만큼 잘사는 나라다. 그런데 이렇게 높은 GDP에도 불구하고 이상하게 삶의 행복지수는 끝없이 낮아져만 간다. 예전에는 잘사는 것과 행복은 당연히 비례관계로 알고 있었다. 그런데 이것이 점점 더 어긋나는 현실을 우리는 마주하고 있다.

또한 우리에게는 1960년 '이승만 하야'와 '독재정권 타도'를 외치며 학생들이 중심이 되어 일으킨 민주주의 혁명, 즉 4·19혁명 이래로, 대중적인 선택과 판단에 대해서는 역사적으로 담보된 신뢰가 기본적으로 있어왔다. 이른바 '국민은 현명하다'라는 믿음이다. 그런데 이제는 그 부분에 대해서조차 전면적인 회의가 시작되고 있다. 지난 몇 차례의 선거 결과를 통해 과연 다수 국민의 선택은 옳기만 한 것인가, 나아가 대중은 현명한가, 라는 자문이 곳곳에서 나오고 있다. 경제적으로는 수치와 현실의 불일치를 목도하고 있고, 정치·사회적으로는 대중이 선택하는 방향에 의문을 느끼고 있는 것이다. 뭔가 균열이 일어나고 있다.

그러면서 대중이라는 하나의 이름으로 묶이기에는 서로 다른 생각과 입장이 그 안에서 충돌하고 있다. 따라서 이제 대중의 개념을 넘어서는 개념이 우리에게도 필요해졌다.

이미 서구의 진보적인 많은 이론가들은 이 대중의 개념을 넘어서는 개념, 다시 말해서 공공영역에서의 대중이라는 의미가 강한 '퍼블릭'public이라는 개념을 넘어서는 새로운 개념이 필요하다고 말해왔다. 후기 마르크스주의자들은 대중이 근대의 개념이라면 탈근대의 시대에는 또 다른 개념, 굳이 말하자면 '다중'多衆, '멀티튜드'multitude라는 개념이 필요하다고 했다. 대중이라는 하나의 개념으로 불리기에는 사람들이 너무 상이한 취향, 판단, 생활방식, 정치적 입장 등을 가지고 있기 때문이다. 이렇게 엄청나게 서로 다른 성질을 가진 무리를 어떻게 대중이라는 이름 하나로 묶을 수 있느냐, 그러니 이제는 그 대중이라는 범주 안에서도 각각의 다양한 자기정체성들이 끊임없이 의사소통하고 토론하고 논쟁하면서 의제를 생산적으로 만들어가는 그런 새로운 대중의 개념이 필요하다는 것이 이들의 생각이었다.

새로운 개념의 대중은 이미 등장하고 있다. 그런 예를 어디에서 볼 수 있을까. 위키피디아Wikipedia가 대표적이다. 위키피디아는 잘 알다시피 누구든지 인터넷으로 접속해서 자신이 알고 있는 정보와 지식을 올리는 온라인 백과사전이다. 2001년에 시작되어 현재 전 세계 200여 개의 언어권에서 이용하고 있다. 집단 지성의 힘으로 새로운 지적 체계를 만들고 이런 정보를 인류의 유산으로 공유하겠다는 것이 위키피디아가 지향하는 바다. 또 다른 대중, 집단 지성의 힘이 이렇게 세상을 바꿔나가고 있다.

여기서 잠깐, 우리의 인터넷 환경을 보자. 우리나라 인터넷 사용자들은 어떤 세상을 살고 있는가. 한마디로 특정 사이트가 지배하는 세상이다. 나는 구글www.google.com의 첫 화면과 네이버www.naver.com의 첫 화면을 보면서 많은 생각을 한다. 구글은 주소창에 주소를 입력해서 엔터키를 누르면 첫 페이지에 창만 하나 딱 뜬다. 사용자는 그 창을 통해서 어디로든 간다. 구글의 '안으로' 들어가는 것이 아니고, 다만 구글을 '통해서' 가야 할 곳으로 가고, 찾고자 하는 것을 찾아갈 뿐이다.

그런데 네이버는 어떤가. 주소창에 주소를 입력해서 엔터키를 누르면 첫 페이지부터 온갖 정보들이 넘쳐난다. 내가 선택하지 않았으나 이미 그곳에 제시된 정보들을 향해 사용자는 무의식적으로 마우스를 누른다. 네이버만이 아니다. 대부분의 포털 사이트가 같은 양상을 보인다. 그들은 우리에게 가야 할 곳을 제시하고, 우리로 하여금 그 안에서 최대한 많은 시간을 보내게 한다. 애초 우리가 왜 이곳에 왔는지도 잊어버린 채 포털 사이트가 안내해주는, 링크의 링크를 타고 우리는 그 안에서 '떠돌기' 일쑤다.

구글을 처음 접했을 때 이미 네이버 또는 다음www.daum.net과 같은 포털 사이트에 익숙해 있던 사람들은 이게 무슨 사이트냐, 뭐하는 기업이냐, 하고 뜨악해 했다. 그러는 동안 구글은 사용자가 원하는 것을 찾을 수 있도록 끊임없이 검색 엔진의 기술 개발에 몰두했고, 줄기차게 투자를 해댔다. 자, 그렇게 해서 지금의 결과가 만들어졌다. 지금 구글은 어떻게 되었는가. 대중, 즉 사용자가 가야 할 곳을 끝까지 장악하지 않은, 장악하지 못한 구글이 온 세상을 장악하고 있다.

그런데 우리의 사이트 생태계는 뭔가 조금 다르다. 인터넷 사용자의 76퍼센트가 구글이 아닌 네이버를 첫 화면으로 띄우고 있다. 사용자가 갈 곳을 정하는 대신, 제시한 정보에 따라 이동하는 포털의 질서가 승자가 되어 있다. 그 질서를 승인한 것은 바로 우리나라의 대중이다. 그것도 압도적으로.

인터넷 주소창에 처음 치는 www는 무엇을 의미하는가. 월드 와이드 웹World Wide Web이다. 그런데 우리의 사이트 생태계는 과연 월드 와이드한가? 그렇다고 말하기는 어렵지 않을까? 한석규, 최민식, 송강호 등이 출연하고, 1997년에 개봉한 송능한 감독의 영화 〈넘버3〉에 나왔던 유명한 대사가 있다.

> 투나 쓰리나 다 똑같은 거지. 막말로 넘버원이 싹쓸이하는 세상 아니냐?

넘버원만 기억하는 세상, 그게 지금 우리가 살고 있는 사회다. 그리고 1등에게만 모든 것이 돌아가는 세태는 사회 곳곳에 그대로 적용된다. 다자多者의 주체성이 상생하는 생태계를 만들어내지 못한 우리의 비극이다.

대중을 불러온 여러 이름과 그 의미의 변천

●

대중을 넘어서 다중의 개념으로 넘어가기 전에 우리는 다시 대중의 의미를 살펴보아야 한다. 대중의 개념을 정확히 규정하기란 거의 불가능하다. 그것은 단순히 군집된 사람들을 지칭하는 단어가 아니라 역사적이고 사회적인 개념으로 시대에 따라 그 의미가 끊임없이 변화 발전되고 있기 때문에 그렇다.

영어로서의 대중은 다양한 단어가 혼용된다. 대충 살펴보아도 mass, (the) public, crowd, people 등이다. 우리가 대중 매체나 매스 게임을 칭할 때 이때의 대중은 영어로 mass이다. '교육받지 못한 계층'이라는 의미의 독일어 Masse에서 유래한 것으로, mass의 의미로서의 대중은 기본적으로 계급 · 직업 · 지위 · 학력 · 재산 등의 사회적 속성을 초월한 불특정한 다수의 사람들로 이루어진 집합체를 말한다. 그러니까 확대해 보자면 여기에는 정치권력이나 자본가, 지식인들도 포함되므로, 사실상 근대 이후의 '모든 사람'의 의미가 되므로 사실상 아무런 차별성이 없는 개념이 된다.

하지만 좁은 의미로 보면, 다시 말해 현실적으로 통용되는 의미로 보자면 mass로서의 대중은 산업혁명과 부르주아 정치혁명 이후 형성된 새로운 피지배 계층을 말하며, 상호간에 수평적인 의사소통이 없는 익명적인 개인들로 구성된, 대량생산의 평준화된 의식을 지닌 사회적 존재를 말한다. 르 봉Gustave Le Bon, 1841~1931이 말하는 '소수의 지적 귀족에 의해 창조되고 이끌어지는 문화를 훼손하는 자들'이며, 매튜 아놀드Mattew Arnold, 1822~1888에 의하면 (우리 지배 계급과 같이) 존엄한 존재이지만 '(교양 있는 우리 지배 계급의) 교육을 통해 교양화되어야 하는' 존재다.

나의 관점으로 보면 mass는 '아직 어리석은 군중'이라는 명시적인 함의를 담은 '우중'愚衆의 개념에 가깝다. 다시 말해 '바보 상자'

○ 대중이라는 개념은 격동적인 근대의 공간에서 탄생한 후 역사의 여러 변곡점과 사상의 집적을 통해 생성되었고, 그때마다 여러 의미를 담아 불려왔다.

나 하루 종일 보면서 지배 이데올로기에 세뇌되어 자기도 모르게 시키는 대로 하는 획일적이고 비주체적인 계층, 마르쿠제Herbert Marcuse, 1898~1979의 말에 따르면 '1차원적 인간'이다. 좀 더 비극적으로 바라보면 참정권은 가졌지만 자신의 이익에 적대적인 세력에게 의식적으로 매수되어 그들에게 표를 던지는 피지배 계급의 속성을 말한다. 혹은 나름 권력 집단의 일원이라고 생각하며 술자리에서 절대 다수의 국민을 '개, 돼지'로 규정하는 대한민국 모 교육 공무원의 관점으로, 생각보다 질긴 생명력을 가지고 있다.

이 mass의 연장선에 '군중'群衆으로도 번역되는 crowd도 있다. 익명성과 무책임성의 측면에서 mass와 같으나 일시적으로 우연히 조직된 인간의 집단을 말한다. 경기장에 운집한 관중 같은 일시적인 공통적 관심으로 집결하거나 우연적인 계기로 모여든 경우를 말한다. 지속적인 지향점 없이 맹목적인 충동으로 폭력화되면 폭도가 된다. '군중심리'라는 말에 쓰일 때의 의미라고 보면 되겠다.

여전히 무조직적 집단이지만 매스미디어의 발달로 인하여 이 매체를 통해 상호간의 의사 소통을 하면서 종종 통일된 의사를 표현하기도 하는, 합리적이고 이성적으로 한발 진화해간 대중의 개념이 public이다. 공중公衆으로 번역되기도 하는 이 단어는 근대적 인간상을 추상적으로 이상화한 것에 지나지 않았으며, 일정 정도 민주주의를 확대시키긴 했지만, 고도화해가는 대중조작에 의한 감정적 측면과 비합리적 요소의 증가로 스스로 구축한 민주주의는 심각한 위기에 봉착한다. 따라서 공적 영역의 존재라는 이 말의 고유한 의미는 자본주의의 고도화와 함께 점점 희석된다.

'공화국'을 의미하는 republic이라는 말은 라틴어로 res publica, 곧 특정 집단이나 개인이 아닌, '공공의 소유물'로서의 국가를 뜻한다.

public으로서의 대중을 넘어서는 개념은 특히 마르크스주의에 의해 새롭게 조명된 people의 의미로서의 대중이다. 이 말은 populus라는 라틴어에 의거하는데 본래 뜻은 원로원 귀족을 제외한 기사

계급과 평민 전체를 망라하는 의미였지만 중세를 지나며 귀족에 대립되는 피지배자를 뜻하는 말이 되었고, 프랑스 혁명 당시에 소시민·노동자·농민을 묶는 개념으로 사용했다.

우리말로는 인민人民이 이 people에 해당된다. 하지만 부르주아 혁명을 통해 주권재민 사상이 확립되면서 이 인민은 단순한 피지배자가 아니라 국가와 사회의 주인이며 자신의 개인적 운명의 주체라는 보편적인 개념으로 확대되었다. 1863년 링컨의 유명한 게티즈버그 연설, 'by the people, for the people, of the people'은 인민이 국가의 지배 대상이 아니라 국가를 구성하고 운영하며 국가로부터 보호를 받는 존재라는 것을 천명했다.

1917년 러시아 사회주의 혁명 이후 인민의 개념은 좀 더 증폭된다. 즉 인민은 '근로대중'의 뜻으로 계급적 민족적 모순을 안고 있는 존재이면서 동시에 그것을 극복해가는 역사적 주체로서, 국가와 사회의 진정한 주인으로 규정되었지만 사회주의권 붕괴 이후 이 의미는 전 지구적으로 퇴색되었다. 인민은 계급적 시각에서 노동자, 농민, 지식인, 민족자본가 등의 조직화된 존재를 가리키는 말로 우리나라에서는 분단이 공고화된 1953년 이후 점차 쓰이지 않게 되었으며 민중民衆이라는 용어로 대체되었다. 영어권에서는 여전히 people 이라는 용어를 쓰지만 분단국가 대한민국의 지배 계급은 인민이라는 용어의 자리에 국민 혹은 시민을 주로 사용한다.

이렇듯 mass에서 people에 이르기까지 대중이라는 개념의 스펙트럼은 극단적이다. 똑같은 대중이라도 mass가 수동적이고 세뇌당한 피지배 계층의 의미가 강하다면 people은 부르주아 지배 체제를 무너뜨리는 혁명적 주체다.

하지만 나는 여기서 또 하나의 스펙트럼을 끌어오고 싶다. 바로 populus로 다시 돌아가고 싶은데, 이 말이 낳은 말 중엔 people 말고도 popular라는 형용사가 있다. 우리는 대중매체를 mass media라고 하지만 대중음악은 이제 더 이상 mass music이라고 하지 않고 popular music이라는 말을 쓴다. 20세기 이후 좀 더 주체적인 대중의 개념으로 쓰였던 people이 사회주의 국가의 전용어로 징발되면서 people 대신 자본주의 체제에서의 좀 더 적극적이고 주체적인 대중의 의미로서 popular를 고용하기 시작했다. 다시 말해 (the) popular로서의 대중은 여전히 생산수단과 독점적인 자본을 소유한 부르주아의 지배를 받아야 하는 피지배 계급이지만 일방적인 지배-피지배 관계가 아니라 참정권의 획득과 경제적인 성장 그리고 사회적 영향력의 확대와 무엇보다도 자신들의 취향에 기반한 문화적 헤게모니를 통해 지배 계층과 자발적인 교섭 능력을 지닌 주체적인 세력으로서의 대중의 성격을 강조한 것이다. 이것은 교육 혹은 재교육 기회의 확장과 복지 제도의 선진화를 통해 공화국 주민으로서의 존엄한 권리를 조직적으로 보장할 수 있는 단계의 대중을 말하는 것이다.

이렇게 격동적인 근대의 공간에서 탄생한 대중이라는 개념은 산업혁명과 부르주아 민주주의 혁명, 도시화와 공업화, 나아가 민족국가와 계몽주의에서 발원하는 근대적 사상의 집적을 통해 형성되었다.

대중이 채택한 마스크, '민족'과 '계급'

●

18세기 말에서 20세기에 걸쳐 만들어진 세계사적 현상의 하나인 대중이라는 개념이 역사의 전면에 막 드러나기 시작했을 무렵 이때의 대중에게는 몇 개의 마스크가 있었다. 하나는 '민족'이라는 마스크다. 특히 국민국가 단위로 진입할 때 대중은 민족이라는 이름으로 불렸다.

예를 들면 쉽다. 우리는 역사적으로 일제강점기를 경험했다. 그 시절에 살고 있다고 생각해보자. 일단 '나'와 '나를 지배하는 사람'이 있다. 여기에서 '나'까지가 대중이다. 우리를 지배했던 조선총독

대중은 역사의 전면에 등장하는 순간 민족과 계급이라는 마스크를 채택했다. 이 두 개의 마스크는 때로는 연합하고 때로는 대립하며 대중이란 개념에 복잡하고 어려운 의미를 부여하곤 했다.

○

부 사람들, 일본인 관료, 일본인 군인이나 경찰 등은 제외다. 이들은 '나'가 아니다. 그렇다면 '나'와 '나 아닌 자'를 어떻게 구분하는가. 민족이라는 이름으로 구분한다. 일본인과 일본인이 아닌 자. 이 일본인이 아닌 자는 나와 같은 민족이고, 민족이라는 개념은 나의 존립 근거가 된다. 즉 민족이라는 개념을 자신의 존립 근거로 삼는 것이다.

따라서 제국주의 안에 포함된 사회에서는 같은 민족과 같은 민족이 아닌 이들은 서로 대립 관계가 될 수밖에 없고, 그 대립 관계가 형성된 사회에서 각각의 세력을 하나로 똘똘 뭉치게 하고, 평균화하는 강력한 힘으로 기능하는 것이 바로 민족으로서의 대중이라는 개념이다.

그런데 이렇게 민족이라는 이름으로 묶인 대중은 모두 같은 편이냐 하면 또 그렇지 않다. 같은 민족, 즉 같은 대중 안에 속할지라도 어떤 문제가 생기면 입장에 따라 각각 갈라서게 마련이다. 바로 이 입장에 의해 규정되는 대중의 두 번째 마스크의 이름은 '계급'이다. 그래서 이 대중이란 개념은 민족 대중과 계급 대중이라는, 서로 극단적으로 다르게 작용하는 복잡하고 어려운 의미를 품은 것이기도 하다.

혁명의 도구,
동학의 노래

●

2014년 갑오년, 2015년 을미년을 지나서 2016년은 병신년이다. 갑오년, 을미년, 병신년을 되새기는 것은 이유가 있어서다. 조선 말 동학농민혁명 지도자 전봉준은 1894년 12월 2일 관군에 의해 체포된다. 1894년이 바로 갑오년이었다. 그 이듬해인 1895년, 그러니까 을미년에 전봉준은 처형당했고, 같은 해에 흔히 명성황후라고 불리는 고종의 왕비 민비가 일본 낭인들에게 살해를 당한 을미사변이 일어났다. 그리고 1896년 병신년에는 고종이 러시아 공사관으로 몸을 피하는 아관파천이 일어났다.

가보세 가보세 을미적 을미적 병신년이면 못 가리.

그 당시 크게 유행했던 노래다. 어떤 멜로디로 불렀는지는 악보가 없어서 모르지만 가사는 전해져 내려온다. 그러니까 1894년(갑오년), 1895년(을미년), 1896년(병신년) 이 3년의 이름을 따서 만든 노래다. '가보세'는 갑오년, '을미적'은 을미년, '병신년'은 병신년에서 따온 것이다. 노래의 뜻은 무엇이냐. 그러니까 나라를 확 엎어버리자는 얘기다. 을미적 을미적, 미적거리다가는 병신년에 큰일 난다, 이런 뜻인데 실제로 그렇게 되고 말았다.

이 노래에는, 뒤에서 더 얘기하겠지만, 어느 정도 선에서 멈춘 채 더 나아가지 못하는 동학농민군에 대한 민심의 촉구가 담겨 있다. 다시 말해 고부군수 하나 날리고 전주성 접수하고, 전라도 지역에만 집강소를 설치해서 일종의 자치를 하는 것만으로 끝나서는 안 된다는 뜻이다. 이왕 나섰으니 끝장을 보자는 민중의 바람이 담겨 있다. 그렇지만 동학농민혁명은 결국 1894년 우금치 전투에서 대패하는 것으로 끝이 났음을 우리는 슬프게도 이미 안다. 처음 기세 좋을 때 끝까지 밀어붙이기를 바라던 민중의 염원과 달리 동학농민군은 우금치에서 좌절한 것이다. 그리하여 '을미적 을미적 병신년'을 맞이하면서 타이밍을 놓쳤다.

앞에서 나는 우리의 대중문화사가 탄생하는 첫 번째 지점을 우리가 근대라고 부르는 시점이라고 이야기했고 우리의 이야기를 그 지점에서부터 시작하겠노라 했다. 아울러 동학의 노래, 찬송가, 〈애국가〉 등을 키워드로 삼겠노라고도 했다. 이제 본격적으로 그 이야기를 해보자. 첫 번째는 동학의 노래다.

동학농민혁명이 한창이던 바로 그때, 노래 한 곡이 전국을 강타한다. 이름하여 〈칼노래〉다. 제목은 〈시검가〉侍劍歌 혹은 〈격홍가〉라고도 전해지는데 이것은 동학의 창시자인 최제우가 1860년에서 처형당하는 1863년 사이에 걸쳐 지은 포교가사를 모은 『용담유사』龍潭遺詞의 아홉 번째 노래인 〈검결〉劍訣(칼노래라는 뜻)에 뿌리를 두고 있다.

그저 깨우침에 그치지 않고, 칼을 들고 무장투쟁으로 세상을 변혁하자는 내용을 담은 이 노래로 최제우는 사형당했고, 그를 이어받은 2대 교주 최시형이 『용담유사』를 목판본으로 펴낼 때 삭제되었던 노래지만 면면히 입에서 입으로 숨죽여 전해내려와 갑오년의 세상에 울려퍼졌던 것이다. 앞에서 동학의 조직이 전국적이라고 했다. 따라서 이 노래는 일부 특정 지역에서만 불리지 않았다. 전국의 동학 접주들이 조직된 곳이라면 어디에서든 다 불렸다. 이 노래는 동학의 종교적 교리를 담고 있으면서 동시에 동학이 추구하는 혁명적인 미래 지향성을 담고 있었다.

이 노래를 부를 때는 교주 최제우가 그랬듯이 칼춤을 동반했다. 수많은 사람들이 칼춤을 추며 이 노래를 부르는 장면은 그야말로 장관이었을 것이다. 하지만 당시에 악보가 있을 리 없고 녹음되었을 리도 없다. 입에서 입으로 구전되었으므로 지방마다 가사나 곡조가 조금씩 다르기도 했을 것이다. 노동은의 『한국근대음악사 1』에는 1994년에 김대성이 채보한 〈칼노래〉 악보가 실려 있다. 솔-라-도-레-미의 전형적인 경토리 곡으로 12분의 8박자의 중중모리 장단감을 가졌다. 이 노래를 부른 이는 경기도 천도교인 한청화(1927년생)인데, 경기 민요의 특성이 많이 개입했으리라는 것을 유추할 수 있다.

칼노래

노래: 한창화(1927년생)
녹음: 김광순(1993)
채보: 김대성(1994)

앞 소절 가사는 이렇다.

> 시호시호時乎時乎 이내 시호
> 부재래지不再來之 시호로다
> 만세일지萬世一之 장부로다
> 만세년지萬世年之 시호로다
> 용천금 드는 칼을 아니 쓰고 무엇 하리

풀어보면 이런 뜻이다. 첫 번째 줄의 시호의 '시'는 때 시時다. 드디어 때가 왔다, 지금 바로 이때다, 대충 그런 뜻이다. 두 번째 줄 '부재래지 시호로다'는 다시는 오지 못할 그런 때라는 뜻이다. 네 번째 줄은 만세 년 동안 기다려온 바로 그때라는 뜻이다.

누가 봐도 이 노래는 봉기가 혹은 혁명가다. 지금 당장 칼을 들고 일어나라고 촉구하는 노래다. 그런데 이들이 칼을 들고 일어나서 하려던 것은 무엇이었을까. 당시 동학에서 공식적으로 내건 목표는 탐관오리와 간신배의 축출이었다.

그런데 그게 전부였을까. 글자 그대로 이들의 목표를 탐관오리와 간신배 축출로만 여기는 게 맞을까. 나는 그건 좁은 견해의 논리라고 생각한다. 이 노래의 단호한 의지를 읽는다면 이들은 끝까지 간다고 생각하지는 않았을까. 서슬 퍼런 왕조 시대에 '우리는 왕조를 뒤엎는 게 목표예요'라고 대놓고 밝히면서 나서는 게 가당키나 한 일이었을까. 싸워보기도 전에 그렇게 말할 수는 없는 거다. 아예 나 잡아가라는 이야기가 되는 거다. '우리는 큰 욕심 없어요, 우리를 괴롭히는 탐관오리나 간신배만 처단할게요'라고 시작했다가 '하다 보니 이렇게 됐네요, 형' 하면서 왕의 목을 치는 게 자연스러운 일 아닌가.

18세기 말 프랑스 왕정을 끝장낸 프랑스 혁명 때도 그랬다. 1789년 성난 민중이 바스티유를 함락했을 때 이들이 처음부터 루이 16세를 처형할 마음까지 먹었던 것은 아니다. 프랑스 민중들이 바스티유를 함락한 뒤 2년이 지난 1791년 루이 16세는 새로운 입헌군주국 프랑스의 국가 원수가 되었다. '헌법을 수호하는' 선서를 한 그가 서명의 잉크가 마르기도 전에 가족과 함께 국경을 탈출하려다 붙잡혀 다시 파리로 압송되었고, 프랑스의 성난 민중들은 왕의 마차에 침과 욕설을 뱉었을 뿐 그를 폐위시키지 않았다. 이듬해인 1792년 왕비의 모국인 오스트리아와 프로이센 연합군이 루이 16세 부부의 구출과 혁명의 진압을 위해 프랑스로 진격해올 때에야 격앙된 민심은 비로소 왕과 왕비를 폐위시키고 유폐시켰으며 결국 혁명 발발 4년 뒤인 1793년에야 이들을 처형한 것이다. 파리 혁명광장에서의 처형 직후 울려퍼진 구호는 '왕은 죽었다. 공화국 만세'였다.

한 시대의 종언과 새로운 시대의 시작은 하나의 혁명적인 사건으로 단순하게 교체되지 않는다. 여러 복잡하고 다층적인 계기들이 하나의 소실점으로 서서히 집중해갈 때, 그 정점에서야 '미안해, 형' 하면서 왕을 단두대로 보내는 것이다.

그러니까 동학농민혁명을 가리켜 여전히 왕조의 존재를 전제하고 있으니 반半 봉건성을 내재하고 있는, 봉건성에서 벗어나지 못했다고 운운하는 것은 드라마틱하게 점증해가는 역사의 역동성을 거세한 표피적인 관찰에 지나지 않는다. 앞에서 살펴보았듯이 1894년 동학농민혁명 당시 고작 한 해 안에서 1차 봉기부터 3차 봉기까지 이르는 동안 혁명의 기치가 얼마나 놀라운 스펙트럼으로 확장되었는지 이미 확인하지 않았는가. '만세 년을 기다려온 바로 이때다'라고 사자후를 토해내는 〈칼노래〉의 참뜻, 동학이 내면에서 진정으로 꿈꿨던 것은 왕정의 전복이었으며, 그들의 말로는 '후천개벽'後天開闢 세상의 수립이었던 것이다.

앞에서 이야기한 '가보세 가보세'로 시작하는 노래나 〈칼노래〉 외에도 동학농민혁명 당시와, 끝난 후에 수많은 노래들이 등장했다. 판소리계의 아버지라는 신재효申在孝, 1812~1884라는 사람이 있다. 그는 아전衙前 출신이었다. 아전은 당시 신분제 안에서는 양반도 양민도 아닌 딱 중간 계급에 속했다. 이 아전 계급이 동학농민혁명 2차 봉기 때 적극적으로 가담했다. 그들 눈에는 이 봉기가 승리할 것 같아 보였기 때문이다. 그런데 3차 봉기 때는 썰물 빠지듯이 일사불란하게 죄다 빠져나가버렸다. 양민과 천민들은 끝까지 버티다가 죽었는데 이들은 안 될 것 같은 기미가 보이는 순간 싹 빠져나가 살 길을 도모한 것이다. 중간 계급의 기민함을 보여주는 대목이기도 하다.

신재효는 그런 아전 계급에 속한 사람으로, 정치적으로는 꽤 보수적인 입장에 있었다. 이 사람이 이 무렵 〈괘씸하다 서양되놈〉이라는 판소리 단가를 만들었다. 내용인즉슨 신미양요辛未洋擾, 1871, 병인양요丙寅洋擾, 1866에 관한 것인데, 골자는 '천주학을 너희들이나 할 것이지, 왜 들고 와서 난리냐, 니들 한다고 해봐야 도망밖에 더 갔느냐' 뭐 이런 말도 안 되는 내용이다. 가사는 이렇다.

괘심하다 서양되놈
무군무부 천주학을 네 나라나 할 것이지
단군기자 동방국의 충효 윤리 받았는데
어히 감히 여어보자 흥병가해 나왔다가
방수성 불에 타고 정족산성 총에 죽고

남은 목숨 도생하자 바삐바삐 도망한다

물론 이 노래도 가사만 남았을 뿐 어떤 곡조인지는 알 수 없다. 이 노래만이 아니다. 당시 민중이 부르던 노래들은 채록도 기록도 거의 되지 않았다.

어떻게 이렇게 하나도 안 남을 수 있을까. 이유는 간단하다. 이런 노래들이 나온 뒤 얼마 지나지 않아 나라가 일본으로 넘어갔기 때문이다. 일본이 우리 민중이 즐겨 부르던 노래를 후세만만 전해지라고 그냥 두었을 리가 없다. 누가 나서서 기록으로 남기려 했다 해도, 그대로 보고 있었을 리 만무하다.

그 당시 일본 제국주의자들이 우리에게 얼마나 집요하고 지독했는지는 이미 유명하지만 이 부분에서도 그런 모습이 그대로 드러난다. 앞서 말했듯 동학농민혁명, 만민공동회, 한일강제병합 등등 나라에 큰일이 터진 뒤에는 그와 관련한 창가唱歌들이 수없이 등장했다. 때가 때인지라 독립과 애국을 촉구하거나, 열심히 근면하게 일하고 공부하자는 내용을 담은 창가들이 수없이 쏟아지는데 일본은 강제병합을 하면서 이런 노래들은 물론 딱히 별 내용 없는 창가집까지도 닥치는 대로 수거해서 싹 다 태워버렸다. 자료가 남지 않도록 씨를 말려버린 것이다. 창가에 대해서도 이렇게 혹독한 검열과 탄압의 광풍이 몰아치는데, 동학과 관련한 노래가 살아남았을 리 없다.

민중의 염원을 노래에 담다

●

그중에서 정말 기적적으로 살아남은 노래가 있으니, 그게 바로 오늘날까지도 전해지는 〈새야 새야 파랑새야〉다. 이 노래는 그 존재 자체로 우리 대중문화사에서 차지하는 의미가 정말 크다.

그런데 이상한 게 하나 있다. 나는 이 노래를 민요라고 생각하

○ 〈새야 새야 파랑새야〉와 비슷한 곡조의 노래들이 수도 없이 나왔다. '파랑새'는 일본군이기도 했다가, 동학농민군이기도 했다. 이런 노래가 유행한 배경에는 노래의 주체인 민중의 염원이 자리잡고 있다.

는데, 정작 우리 민요를 부르고 국악을 하는 분 중 누구라도 이 노래를 부르는 것을 들어본 적이 없다. 조수미 같은 클래식 성악가나 노래를 찾는 사람들 같은 대중음악, 혹은 퓨전이나 헤비메탈 뮤지션들이 부르는 건 들어봤지만. 누구 들어본 사람 있으면 알려주기 바란다.

〈새야 새야 파랑새야〉에 대해 좀 더 이야기해보면, 이 노래는 '솔, 도, 레' 딱 세 개의 음계로만 이루어졌다. 미니멀리즘의 극치다. 노래가 성립할 수 있는 최소의 음계 수는 세 개다. 두 개의 음계만으로는 노래가 안 된다. 다시 말해 음계 두 개로는 노래의 드라마투르기dramaturgy가 안 되고 세 번째 음이 등장해야만 노래가 된다. 그러니까 〈새야 새야 파랑새야〉는 노래가 되는 최소 요건으로만 만들어진 셈이다. 우리가 아는 노래 중에 이런 게 또 있다. '미레도레 미미미 레레레 미미미 미레도레 미미미 레레미레도.' 무슨 노래일까. 바로 〈떴다 떴다 비행기〉다. 미, 레, 도 이렇게 세 음계로만 되어 있다. 인접한 세 음으로 이루어진 이 노래는 단조롭고, 극적인 요소가 대단히 박약하다. 그런데 마찬가지로 세 개의 음계인 솔, 도, 레로 만들어진 〈새야 새야 파랑새야〉는 세 개의 음만으로도 입체적인 드라마를 가진 희한한 노래다. 가사의 일부는 이렇다.

> 새야 새야 파랑새야
> 녹두밭에 앉지 마라
> 녹두꽃이 떨어지면
> 청포장수 울고 간다

이 노래의 화자는 남자일까, 여자일까. 아마도 여자가 불렀을 것이다. 앞에서 이야기한 〈칼노래〉가 남자가 부르는 노래라면 이 노래는 여자가 부르는 노래다. 어찌 보면 이 노래는 전봉준을 위한 만가挽歌다. 녹두는 키가 작은 전봉준의 별명이었다. 녹두만큼 작지만 단단하다고 해서 그런 별명이 붙었다. 전봉준이 봉기했을 때, 농민들은 그에게 녹두장군이라는 이름을 붙여주었다.

〈새야 새야 파랑새야〉는 고부 지역에서 불리던 기존의 민요를 바탕으로 만들어졌는데, 누가 만들었는지는 모른다. 어느 틈엔가 민중의 입에서 입으로 불리면서 온 민족의 노래가 되었고, 일본 제국주의자들의 '꼼꼼한' 탄압에도 버티고 살아남아 지금까지 전해진다. 어쩌면 이 노래는 〈칼노래〉와는 달리 민요보다는 동요의 의미로 후대에 받아들여졌기 때문일지도 모른다. 그냥 정말 알 수 없는 어떤 힘이 이 노래에 기나긴 생명력을 부여했다고밖에는 말할 수 없다. 이 당시 〈새야 새야 파랑새야〉와 비슷한 곡조의 노래들이 수없이 쏟아져 나왔다. 그중 하나는 가사가 이렇다.

새야 새야 파랑새야
너 뭣하러 나왔느냐
솔잎 댓잎 푸릇푸릇
하절인 줄 알았더니
백설이 펄펄
엄동설한이 되었구나

2차 봉기와 3차 봉기의 패배를 그대로 묘사하여 은유한 노래다. 이 노래 속의 '파랑새'는 앞의 노래와 역할이 바뀌어 있다. 앞의 노래에서 파랑새는 일본군을 의미했는데 이 노래 속에서의 파랑새는 동학농민군을 의미한다. 봉기가 성공할 줄 알고 나왔는데, 우리는 그렇게 기대를 했는데 막상 나와 보니 엄동설한嚴冬雪寒이라는 뜻이다. 농민군이 패배한 게 초겨울이니 노래의 시절도 들어맞는다. 이러한 노래들이 이거 말고도 굉장히 많이 있었다. 몇 개의 흔적이 여기저기 묻어 있다. 가령 공주의 모심기 노래 중에 이런 가사가 있다.

충청도라 하늘이 울어
지도섬엔 비 묻었네
그 비는 비가 아니라
억만 군사들의 눈물일세

그 앞에는 어야디야 어쩌고, 모심기가 어쩌고 하다가 느닷없이 이런 가사가 툭 튀어나온다. 공주가 어딘가. 동학농민군이 우금치에서 처절하게 패배한 곳이 아니던가. 이렇게 다른 노래 속에 숨어 동학농민혁명을 묘사한 노래들이 간간히 전해져오고 있다.

지금까지 이야기한 몇몇 노래들로 미루어볼 때 동학농민혁명이 한창이던 당시 이런 노래들이 수없이 등장했고, 민초들 사이에 유행했던 것으로 추정할 수 있다. 그런데 지금 우리는 추적할 수가 없다. 일본 제국주의자들이 다 없앴기 때문이다. 그러니 실제로 얼마나 많은 노래들이 없어졌을지 전혀 가늠하기 어렵다.

이런 노래가 유행한 배경에는 당시 이 노래의 주체인 민중의 염원이 자리잡고 있다. 즉 동학교도들이 주축이 된 동학농민군이 이 세상을 뒤엎어주었으면 하는 간절한 바람이 노래 안에 들어 있는 것이다.

〈칼노래〉와 〈새야 새야 파랑새야〉에는 우리가 눈여겨 봐야 할 마지막 의미가 있다. 이 노래들이 본격적인 대중문화가 도래하기 전, 봉건시대의 민요적 전통 위에서 만들어졌음은 명백하다. 하지만 이 노래의 전국적 확산은 지역적 한계를 특성으로 하는 봉건시대 민속문화의 틀을 이미 벗어난다. 이 노래들이 살아남은 것도 동학이 전국적인 조직이라는 점에 기인한다.

민요는 철저히 구전에 의존하기 때문에 지극히 로컬적이다. 그래서 지역마다 다른 가사, 다른 곡조의 '아리랑'들이 독자적으로 발전한 것이다. 하지만 경상도 경주에서 1대 교주 최제우에 의해 배태된 〈칼노래〉나 전라도 고부 지역에서 선 보인 〈새야 새야 파랑새야〉, 동학의 이 노래들은 동학의 조직과 동학농민혁명 전선의 전국적 확산을 타고 거의 한반도 전체에 보급되었다. 비록 봉건적인 생산방식으로 만들어졌지만 봉건적 한계에 머물지 않고 매스미디어의 도움 없이 전국적인 보급과 공유를 가능케 했던 거의 첫 번째 노래라고 할 수 있다. 다시 말해 이 노래들은 봉건시대의 마지막 유산이며 새로운 근대로 이행하는 문지방을 밟고 서 있는 노래들인 것이다.

서구 문화 이식의 창구, 기독교의 노래

●

우리의 근대를 구별하는 두 번째 변수는 신앙, 종교였다. 우리는 종교로 인한 전쟁은 해본 적이 없다. 종교 국가가 아니라는 말이다. 그런데 이처럼 종교가 정치적인 시절은 없었다. 민중 종교적 함의를 지녔다고 볼 수 있는 동학은 엄밀하게 보자면, 이미 창시자 최제우가 말했듯이, 수도이자 학문적인 이론이지 종교로 간주하기는 어렵다. 동학이 1905년에 와서 3대 교주 손병희에 의해 '천도교'로 옷을 바꿔 입긴 하지만 그것은 애초의 동학이 가졌던 혁명성을 자진 거세해야 했던 시대적 환경 때문이었다.

동학 초기에는 '동학을 믿는다'라고 하지 않고 '동학을 한다'라고 했다고 전한다. 이 말은 동학이 신앙이 아니라 실천의 영역이라는 의미다. 그런데 동학만큼이나 기층 민중에게 새로운 세계와 사고를 전파하고, 이를 통해 반봉건적인 새로운 질서를 적극적으로 만들어내는 데 결정적인 역할을 한 종교가 등장하니 바로 기독교였다. 예수 그리스도가 조선 땅에서 큰 역할을 한 셈이다.

우리나라에 찬송가집이 처음 나온 게 언제인지 아는가. 바로 1892년이었다. 동학농민혁명이 일어나기 2년 전에 우리말로 된 최초의 찬송가집이 나왔다. 악보는 없고 가사만 실려 있다. 우리나라에 들어온 감리교단에서 펴낸 것이다.

이 찬송가집의 서문에 굉장히 놀라운 얘기가 있다. '어차피 조선의 민중은 악보를 읽을 수 없으니 찬송가집인데 가사만 있다', '그러니 굳이 우리 교단의 선율을 꼭 따라하지 않아도 된다', '멜로디가 좀 달라져도 어쩔 수 없다', '아예 다른 멜로디에 다른 가사를 붙여서 불러도 괜찮다' 등등 대강 이런 이야기가 이 첫 번째 찬송가집에 들어 있다. 굉장히 관용적인 태도다. 당시 감리교단의 관용적인 포교의 입장을 엿볼 수 있다. 지금 우리가 생각하는 보수적인 기독교에는

○ 기독교는 기층 민중으로 하여금 반봉건적인 새로운 질서를 적극적으로 만들어내는 역할을 했다. 이들은 또한 찬송가를 통해 우리나라의 대중적인 음악 양식에 서구 문화를 이식하는 결정적인 역할을 했다.

절대로 기대할 수 없는 태도다.

조선에 들어온 선교사들은 찬송가를 민중에게 알려야 하는데, 우리말을 모르니 난감했을 것이다. 영어로 부르게 할 수는 없으니까. 그래서 우리말로 번역을 하긴 했는데, 자기들도 잘 모르는 말이라서 번역이 엉성했다. 신도들은 우리말로 부르기는 하지만 무슨 뜻인지 모를 정도로 어법이 엉터리였다. 그리고 서양식 악보를 사람들이 볼 줄 모르기 때문에 찬송가집이라고 해봐야 악보는 없는 가사집이었다. 따라서 19세기 말 찬송가를 어떻게 불렀는지는 녹음이 남아 있지 않아 알 수는 없지만, 아마도 동네마다 저마다의 독특한 가창법으로, 제각각 다르게 불렀을 것이다.

악보가 들어간 최초의 찬송가집은 그로부터 2년 뒤인 1894년에 나왔다. 이번에는 장로교단에서 펴낸 것으로, 연희전문학교延禧專門學校의 창립자인 언더우드Horace Grant Underwood, 1859~ 1916, 한국명 원두우元杜尤 박사에 의해서 만들어졌다. 이 찬송가집에는 4성부로 된 서양의 악보가 그려져 있다. 그런데 언더우드 박사가 개인적으로 만든 거라서 공식 승인을 받지 못했다. 이게 무슨 말인가.

이전의 가톨릭과 달리 새롭게 시작된 기독교의 선교 과정에서 찬송가는 전략적으로 중요한 의미를 가졌기 때문에 교파들끼리도 이 찬송가를 두고 경쟁할 수밖에 없었다. 그러나 교파가 다르다고 찬송가를 다르게 부를 수는 없는 일이므로 찬송가집을 낼 때는 교파들끼리 서로 합의를 거쳤다. 그런데 공격적으로 포교를 하던 언더우드 박사가 다른 교파들과 합의를 거치지도 않고 독단적으로 찬송가집을 펴냈으니 다른 교파들이 가만 있을 리 없다. 그래서 결국 찬송가집을 회수하는 해프닝이 일어났는데, 그럼에도 불구하고 이 찬송가집이 제일 많이 팔렸다.

언더우드 박사의 찬송가집에서 우리가 주목할 부분이 두 가지 있다. 그 이전, 즉 기독교 이전에 우리 땅에 들어온 천주교나 개신교 중 가장 먼저 포교를 시작한 감리교에서는 이때까지만 해도 '하나님'이라는 명칭을 쓰지 않았다. 우리 민간에서 쓰는 '하늘님'이라는 호칭이 있었고, 동학에서도 그 호칭을 쓰고 있었다. 그래서 천주교나 감리교단에서는 '여호와'나 '야훼' 등으로 달리 썼다. 주 예수에 대한 호칭 역시 교파들끼리 보이지 않는 경쟁과 논쟁을 벌였다. 침례교에서는 기존의 질서를 존중해서 '예수 씨'로 부르기도 했다. '저를 사랑하시는 예수 씨' 이런 식으로 말이다. 그런데 언더우드의 찬송가집에서는 신에 대한 명칭을 '하나님'으로 밀어붙여 중요한 분기점을 만들어냈다.

또 하나 언더우드의 찬송가집이 가져온 변화는 후렴구의 도입이다. 이전까지 우리나라 교회에 소개된 찬송가에는 후렴구가 없었다. 후렴이라는 개념도 없었다. 그냥 처음 시작해서 끝까지 한 번에 쭉 가고 끝나는 형식이었다. 그런데 언더우드는 매 절마다 반복적으로 후렴이 들어가는 형식을 매우 선호했다.

장로교단에 속해 있긴 하지만 젊은 언더우드는 전투적인 부흥회를 통해서 포교하는 구세군파의 포교 방식에 관심이 많았다. 그는 일종의 중독성이 있는 후렴구가 찬송가에 들어가면 매우 선동적이고 감정을 고조시킨다고 여겼고, 이게 포교에 훨씬 도움이 된다고 판단했다. 그렇게 시작한 찬송가의 후렴구는 우리나라 교회에서 일반화되었고, 그 이후에 우리나라의 창작 찬송가는 물론, 대중음악·가곡·동요에까지 후렴구가 등장함으로써 20세기 이후 우리나라의 대중적인 음악 양식에 결정적인 영향을 미치게 된다. 즉 찬송가에 도입된 '후렴'이라는 반복적 강요가 대중에게 주입되었고, 이를 통해 후렴의 사용이 우리 대중음악 작곡의 중요한 방법론으로 확장된 것이다. 그러니까 오늘날 우리에게도 익숙한 후렴구는 바로 연희전문학교의 창립자, 언더우드 박사에 의해 만들어진 찬송가에서 비롯된 것이다.

1895년에 감리교와 장로교는 연합하여 찬송가집을 펴낸다. 이 찬송가집 역시 중요한 의미가 있다. 우선 여기에서 신에 대한 호칭을 '하나님'으로 통일하기로 합의한다.

의미는 또 있다. 서양에서 유입된 기독교의 찬송가집에 최초로 우리나라 작사자가 등장한 것이다. 그전까지는 외국 선교사들이 말도 안 되는 우리말로 찬송가 가사를 썼다. 그랬던 찬송가에 작곡까지는 아니지만, 최초로 우리나라 작사가가 등장했다는 것은 대단히 중요한 변화였다. 처음에는 선교사들이 포교활동을 하면서 만난 똑똑하고 열성적인 조선인 신도들에게 찬송가의 가사 번역을 맡기기 시작했고, 이를 통해 나름대로 학습을 하게 된 신도들이 찬송가 가사를 직접 쓰게 되었다.

그렇다면 우리나라 최초의 찬송가 작사가는 누굴까. 누군지는 모른다. 작사가 이름 칸에 '코리안 네임'Korean Name이라고만 표시되어 있다. 이후에도 우리나라 찬송가 작사가들이 등장하는데 대부분 이름을 밝히지 않고, 배재학당培材學堂이나 이화학당梨花學堂 등으로 소속 학교 이름만 밝혔을 뿐이다.

1895년 찬송가집 2판에 수록된 찬송가에도 우리나라 사람이 가사를 쓴 찬송가가 실렸는데 그 가운데 〈만복근원 뉘신고〉라는 곡이 있다. 원래 제목은 〈Bless me now〉인데 이 찬송가의 우리말 가사는 대강 이렇다.

> 만복근원 뉘신고 하늘 아바지실셰
> 맛당ᄒᆞ게 구ᄒᆞ면 못 엇을 거시 업네
> 셰복을 구ᄒᆞᄂᆞᆫ 이 물욕의 죵이일셰
> ᄎᆞᆷ복이 어디 잇나 실노텬국에 잇네

아직 작곡까지는 할 수 없었으니 이런 식으로 원래 있던 노래에 우리말 가사를 붙여서 부르기 시작했다.

'그들'의 노래에서 '우리'의 노래로

●

이런 찬송가집은 얼마나 팔렸을까. 1890년대 중반에 언더우드는 1,500부를 찍어 모두 팔리자 본사에 증쇄를 요구하는 편지를 보냈

누구나 한 번 들으면 따라 부를 수 있을 정도로 쉽게 만들 것, 이것이 찬송가를 만들 때의 주안점이었다. 그렇게 획득한 대중성으로 인해 찬송가 선율은 우리의 일상 속으로 쉽게, 깊이 들어왔다. ○

다. 어마어마한 대중적 수요가 있었던 셈이다. 교회에 다니던 신도들만 샀던 게 아니다. 당시 찬송가는 그 이전까지 전혀 접해보지 못한 새로운 노래였고, 교회를 넘어 많은 사람들이 관심을 가지고 있었다. 종교적인 의미를 넘어 노래 그 자체로서 새로운 형식의 한 축을 담당했던 것이다.

이것이 의미하는 바는 단순히 기독교가 널리 확산되고 있었다는 것만이 아니다. 우리는 우리도 모르는 사이에 찬송가를 통해 20세기 우리나라를 지배하게 되는 서양 음악의 예술적 양식에 익숙해졌다는 점에 주목할 필요가 있다. 다시 말해 교회를 통해 유입된 찬송가를 교회 밖에서도 접할 수 있게 됨으로써 자연스럽게 서양 음악의 양식에 일상적으로 가까워졌고, 이러한 접점이 교회를 통해 만들어지게 되었다.

20세기에 들어와서 우리나라 기독교 교파 가운데 가장 강력한 교세를 가지게 되는 것은 장로교단이다. 이 장로교가 결정적으로 부상하게 된 데는 베어드 부인Annie Baird, 1864~1916이라는 선교사의 역할이 컸다. 그녀는 1898년에 '찬송시'라는 것을 편찬했는데 그것이 이후 찬송가의 모델이 되었고 그 모델은 지금까지도 그대로 교회에서 불리고 있을 정도로 호소력이 크다. 교회를 잠시라도 다녀본 사람은 '예수 사랑하심은 거룩하신 말일세'라는 가사로 시작하는 노래를 알 것이다. 이 노래가 그때부터 불렸다.

그렇다면 다른 교단에서는 찬송가를 어떻게 불렀는가. 감리교와 장로교 외에 침례교단도 조선에 포교하러 들어왔다. 감리교단과 장로교단에 비해 침례교단이 늦게 들어온 셈인데 그것도 처음에는 교단 차원에서 들어온 게 아니라 펜윅Malcom C. Fenwick, 1863~1935이라는 사람이 독립 선교사의 일원으로 혼자 맨몸으로 들어온 점이 특이하다. 펜윅은 우리 초기 기독교 역사에서 중요한 역할을 했던 인물로 우리식 이름은 편위익인데, 스스로를 조선인이라고 여기며, 죽을 때까지 조선인으로 살다가 세상을 떠났다. 그는 〈대한 노래〉라는 애국 찬송가와 〈God save the king〉이라는 영국 노래에 맞춘 애국가 등을 만들고, '시악시'나 '주막' 같은 우리의 토착어로 찬송가 가사까지 썼다. 그뿐만 아니라 혁명적으로 찬송가에 후렴 양식만이 아닌 문답 양식까지 도입했다.

하지만 아주 대중적이지는 않았던 듯하다. 앞에서 이야기한 '예수 사랑하심은 거룩하신 말일세'로 시작하는 찬송가를 펜윅은 침례교의 찬송가집에서 '저를 사랑하는 천부 아들 예수 씨'로 시작하도록 편집, 번역해서 소개했다. 두 개의 버전 중 어떤 노래가 살아남았겠는가. 지금 봐도 장로교의 찬송가 가사가 더 현대적으로 들린다. 우리나라에서 장로교가 대세가 된 데에는 찬송가의 역할이 꽤 컸을 것이다.

그리고 20세기가 되는 1900년에 찬송가집 5판이 나올 때, 그 책의 서문을 쓴 사람은 복정채卜正采라는 인천에 사는 조선인 신도였다. 처음으로 우리나라 사람이 찬송가집의 서문을 쓴 것이다. 점점 찬송가가 토착화되고 있음을 상징한다. 이 서문에서 복정채는 '선교사들은 단순히 복음의 전파뿐만 아니라 교육과 의료 사업을 통해서 조선 개화의 가장 중요한 역할을 중추적으로 담당하는 존재들이다'라고 선교사에 대해 서술한다. 이후 우리나라 사람이 직접 멜로디를 쓰게 되는 것은 20세기 이후의 일로 멜로디 창작까지는 시간이 좀 걸린 셈이다.

찬송가는 왜 이렇게 우리 대중의 일상 속으로 쉽게, 깊이 들어왔을까. 찬송가 포교의 가장 큰 핵심은 바로 대중성이다. 누구나 한 번 들으면 바로 따라 부를 수 있을 정도로 쉽게 만드는 데 주안점을 둔다. 많이 배운 사람이든 못 배운 사람이든 간에 누구나 한 번 들으면 따라 부를 수 있게 하는 것이 핵심이다. 가톨릭과는 매우 다르다. 가톨릭의 미사곡은 두 개 이상의 복수의 독립적인 멜로디로 이루어져 음악 형식 자체가 매우 복잡한 격식을 갖추고 있다. 3~6성부가 통상적이지만 르네상스 시대의 영국 작곡가 토마스 탈리스Thomas Tallis, 1505년경~1585의 합창곡 〈주님밖에 희망이 없네〉spem in alium처럼 여덟 개 합창단에 의한 무려 40성부로 이루어진 음악도 있다. 따라서 전문적으로 훈련을 받지 않으면 일반인은 쉽게 따라 부를 수 없다.

교회나 성당에는 으레 성가대석이 따로 있다. 성당의 성가대석은 함께 부르기보다 성가대의 노래가 아름답게 들리는 것이 중요했다. 따라서 유럽의 오래된 성당에 가보면 성가대석의 음향을 입체적으로 들리게 하기 위해 많은 고려를 한 게 보인다. 성당의 평면도를 위에서 내려다보면 십자가 형태가 많은데 성가대석이 십자가의 가로 양쪽 끝에 있는 경우가 많다. 대규모의 성가대가 십자가의 양쪽 끝에서 노래를 부르기 시작하면 천장이 높고 중앙이 돔 형태여서 양쪽의 소리가 중앙에서 울려퍼져 미사를 드리는 신도들이 듣기에 마치 노랫소리가 하늘에서 머리 위로 쏟아지는 것처럼 들린다. 그렇게 들리도록 세심하게 설계한 성당이 유럽에는 많다. 가톨릭 신도들은 따라 부를 필요 없이 성가대의 노래를 들으면서 성령을 느끼면 된다.

개신교는 다르다. 물론 개신교에도 성가대가 있긴 하지만 대부분 신도들이 성가대원이다. 신도들이 찬송가를 배워 성가대원으로서 예배 시간에 불러야 한다. 성가대원이 아니더라도 신도들이 모두 함께 찬송가를 부르는 시간이 예배 순서에 들어 있다. 교회에서만 부르는 게 아니다. 혼자 있을 때도 찬송가를 부른다. 찬송가를 부르는 것이 굉장히 중요한 종교 행위이고, 그것을 전파하는 것 또한 핵심적인 포교 행위다. 그렇기 때문에 찬송가를 부르는 행위는 구교인 가톨릭과는 완전히 다른, 새로운 대중성의 경험을 문화적으로 할 수 있게 해주었다. 이를 통해 당시 서구를 접할 길이 없던 다수의 대중은 난생처음으로 서양의 음악, 나아가 서양의 문화를 무의식적인 상태에서 접하고 수용하게 되었다.

기독교는 교회 음악, 건축, 미술, 문학에 이르기까지 문화 전반적으로 막강한 영향력을 가지고 발전해왔다. 서양의 예술사에서 기독교가 왜 중요한가. 간단하다. 교회가 오랫동안 유럽의 역사를 지배했고, 동시에 교회가 모든 예술의 '전주'錢主, 곧 제작자이자 후원자였기 때문이다. 미켈란젤로Michelangelo di Lodovico Buonarroti Simoni, 1475~1564가 교회의 지원이 아니었으면 몇 년씩 걸리는 작품을 무슨 수로 남길 수 있었겠는가. 가톨릭 교회가 돌봐주지 않았다면 유럽

곳곳에 즐비한 위대한 건축물과 예술품이 어떻게 탄생할 수 있었겠는가. 우리가 칭송하는 바흐Johann Sebastian Bach, 1685~1750 역시 라이프치히 성 토마스 교회가 아니었으면 스무 명의 자식과 함께 길바닥에서 굶어 죽었을지 모른다. 그만큼 교회는 예술 프로듀서로서 압도적인 역할을 해왔던 셈이다.

조선 땅에 모습을 드러낸 기독교는 그런 역할을 당장 하기는 힘들었지만 본능적인 예술 표현 양식인 노래를 통해서 순식간에 대중에게 새로운 음악 미학적 경험을 하게 만들었다.

우리는 왜 그토록 기독교에 열광했을까

●

우리나라에 기독교가 언제 어떻게 들어왔는지 이쯤에서 살펴볼 필요가 있겠다. 우리가 지금 이야기하고 있는 근대의 시기에 기독교의 대중적 포교가 시작되었으나, 이보다 한참 전, 그러니까 1791년정조 15에 이미 진산珍山사건으로 알려진 신해박해를 기점으로 천주교 박해의 역사가 시작되었으니 이른바 서양의 종교가 조선에 들어온 건 그 이전이다. 외부에서 새로운 종교가 들어오자 조선의 백성들은 반응했고, 이를 위험하다고 여긴 조정이 나서서 적극적으로 통제를 시작했다.

하지만 기독교의 대중적인 포교가 급속히 전개되던 조선 말기, 조정이 사상적·철학적·종교적 통제력을 상실한 이때 기독교의 대중적 포교를 앞당긴 것은 미국의 교회였다. 미국의 교회는 감리교와 장로교, 조금 뒤에는 침례교의 순서로 전략적으로 한반도에 선교사를 파견하기 시작했다.

기독교가 민중 속으로 급속히 전파된 것은 기독교에 대한 조선 민중의 열렬한 동의가 있었기에 가능했다. 이렇게 들어오기 시작한 기독교는 이후 1950년대 남북한이 대치할 무렵에 이르러서는 남과

○ 민중이 기독교를 선택한 이유는 교회가 가진 근대성에 있었다. 신 앞에서 평등하다는 메시지가 주효했다. 여기에 교회는 교육과 의료라는 두 개의 서비스를 더 제공했다.

북의 정치 지도자 모두 가계의 전통이 기독교와 밀접할 정도로 이미 우리의 역사에 깊이 들어와 있었다. 북한 김일성金日成, 1912~1994의 외할아버지는 목사였다. 남한의 김구金九, 1876~1949는 어머니가 기독교인이었으며 그 역시도 동학교도 출신이었음에도 기독교로 개종했다. 기독교는 20세기 우리의 현대사에 긍정적이든 부정적이든 굉장히 중요한 역할을 순식간에 떠안게 된다.

그러면 이 시점, 각 제국들이 앞다투어 한반도에 진출하려 하고, 동학농민혁명으로 상징되는 내부의 개혁으로 인해 굉장히 복잡한 상황에서 당시 민중은 왜 기독교를 자신의 문화적 콘텐츠로 받아들이게 되었는가.

당시 민중에게 기독교는 단순한 종교가 아니라 거대한 문화이자 새로운 삶의 방법론이었다. 따라서 기독교의 등장은 그 이전까지 형성된 우리의 문화적 판도를 단숨에 뒤엎어버린다.

새로운 종교에 우리나라 민중이 뜨겁게 반응한 것은 기독교가 처음은 아니다. 삼국 시대 후반에 이 땅에 들어온 불교 역시 열광적인 민중의 반응으로 확산되었다.

여기에는 공통점이 있다. 새로운 시대를 향한 열망이 민중 사이에 팽배해 있는 상황이었다는 점이다. 새로운 시대를 향한 열망이 특정 종교와 결합하게 되면, 새로운 변화에 대한 열망에 불이 붙어 사회적으로 엄청난 파괴력을 갖게 된다. 삼국 시대 불교가 그랬고, 19세기 말 기독교가 그랬다. 당시 조선 민중에게 기독교는 단순한 종교가 아니었다. 현재를 전복시킬 수 있는 강력하고 중요한 도화선이자 뇌관雷管이었다. 문옥배文玉培의 『한국찬송가 100년사』에 따르면 실제로 당시 조선에 왔던 선교사 중 한 사람이 1902년에 본국으로 돌아가서 제출한 보고서에 '교회가 너무 과열되어 있어 불안하다'라고 기록했을 정도다. '조선의 교회는 주 예수의 신전이 아닌, 민족주의의 불타는 신전이고 조선인들의 새로운 사회와 역사에 대한 열망이 이 교회라는 공간을 통해서 지금 실현되고 있다'라는 것이다.

동학을 통한 사회 변혁의 전망이 좌절되었을 때 민중이 선택한 것은 기독교였다. 춘원春園 이광수李光洙, 1892~1950는 열두 살 때부터 동학교도였지만 동학이 좌절되자 미션계 기독교 학교를 선택했다. 비단 이광수 같은 엘리트뿐만 아니라 대다수의 사람들이 기독교를 선택한 이유는 바로 교회가 가진 근대성에 있었다. '신 앞에서의 평등', 다시 말해 신분적 질서를 인정하지 않았던 것이 결정적이었다. 이것은 당시 민중에게 가장 중요한 화두가 바로 신분제의 철폐였음을 보여준다. '우리 모두가 평등하다'라는 것은 그 이전인 동학의 교리에서 나왔던 것으로 이미 민중에게 익숙하고 그래서 반드시 실현시키고 싶은 중요한 테마였다.

이러한 만민평등주의만으로도 기독교는 민중의 가슴에 불을 질렀는데, 교회는 다른 서비스를 두 가지나 더 제공했다. 첫 번째는 교육이었다. 교회는 많은 학교를 세우고 민중을 교육시켰다. 신분을 차별하지도 않고, 남녀를 구분하지도 않았다. 돈이 없어도 배울 수 있었다. 먹고살 게 없어서 배우지 못한 사람들이 학교로 몰려들었다. 교회에서 학교를 세우지 않았더라면 평양의 가난한 콩나물 집 딸이었던 윤심덕尹心悳, 1897~1926은 절대 도쿄 유학을 갈 수 없었을 것이다. 물론 그 이전에 동학에서도 교육을 무척 강조했다. 동학 3대 교주인 손병희가 일진회와 합하면서 천애고아인 이광수를 포함하여 약 60명의 인재들에게 유학 자금을 대기도 했다. 그러나 이것을 마지막으로 동학은 더 이상 인재 교육을 지원하지 못하게 된다.

두 번째는 의료 서비스였다. 교단에 힘이 있으면 대부분 부속 병원을 지었다. 그 덕분에 사람들은 서양의 선교사들이 지은 병원에서 서양의 의료 서비스를 받을 수 있게 되었다. 현실적인 문제를 해결하는 교육과 의료라는 두 개의 복지 서비스에 만민평등이라는 사상이 당시 대중에게 굉장한 파급력을 지닌 삶의 지지틀이 된 것이다.

1920년대 식민지 조선의 기독교에 대한 춘원 이광수의 평가는 눈여겨볼 만하다. 그는 기독교를 통해 대중이 서양을 소개받은 것에 주목하고, 기독교가 식민지 조선 사회에 끼친 여러 가지 긍정적인 요인을 언급했는데, 무엇보다도 이 신분 해체기에 위태로워진 도덕적 의식을 엄격히 주재하고, 교육을 보급하고, 여성의 지위 향상과 조혼早婚이라는 폐습의 교정에 교회가 결정적 역할을 한 것을 높이 평가했다. 그리고 무엇보다도, 역시 춘원다운 분석인데, 교회가 한글을 대중에게 널리 보급하는 데 기여했다고 평했다. 이것은 중요한 지적이다. 또한 그는 교회가 대중의 사상과 사유의 능력을 높이는 데 큰 역할을 했다고 평가했다.

그는 동시에 부정적인 측면에 대해서도 언급했다. 만민평등을 주창하면서도 교회 역시 목사, 장로와 같이 계급적 지위의 권력 놀음을 여전히 하고 있고, 신앙심이 자칫 교회 지상주의적인 태도를 부추김으로써 대중이 신에만 의존하게 하고 부국강병富國强兵을 위한 실질적 생산을 하도록 독려하지 못하는 점, 그리고 여전히 포교 방식이 근대적이지 않고 미신적이라는 점 등을 지적했다. 그러나 한 사람 한 사람이 자신의 존엄함과 가치를 일깨우는 데 기독교가 결정적인 공헌을 했다는 점에서 기독교의 영향은 절대적인 것으로 그는 보았다.

우리 근대의 대중문화를 이끈 두 개의 동력

●

비록 나는 기독교인은 아니지만 우리나라가 본격적인 대중 사회가 되는 데, 민주주의 사회가 되는 데 기독교가 국가의 학교 역할을 했음을 부인할 수 없다. 또한 동학농민혁명으로부터 받은 영향 역시 막대하다는 것을 강조하고 싶다.

우리나라의 공식 국호國號가 무엇인가. 대한민국이다. 대한민국이라는 국호는 1919년 4월 상하이임시정부上海臨時政府를 수립하면서 만든 것이다. 그러니까 우리는 상하이임시정부의 법통을 계승하고 있는 것이다.

그런데 당시를 생각해보면 이때 등장한 임시정부의 형태가 의

○ 우리가 왕정의 역사와 결별하는 데는 두 개의 동력이 존재했다. 동학은 핵심적 동력이며, 기독교는 결정적 동력이었다. 이 두 개의 긴장된 힘이야말로 근대의 대중문화를 만든 핵심 축이었다.

아하긴 하다. 일본 제국주의가 우리나라를 집어삼키기 전에 우리는 왕조 국가였다. 조선에서 대한제국으로 바뀌긴 했지만 황제가 엄연히 존재하고 있었다. 상하이임시정부가 세워진 것은 대한제국이 망한 지 10년이 채 안 된 때였다. 그런데 새로운 국호를 공화정을 전제로 한 대한민국이라고 지은 것이다. 국민투표를 한 것도 아닌데 조선 왕조의 정통성을 계승하거나 황제가 존재하는 대한제국을 잇겠다는 것이 아닌, 공화정을 새로운 국가 체제로 받아들인 것이다.

나는 이 사실이 너무나 놀랍다. 지금의 관점에서 보면 지극히 당연한 것 같지만 사실 그 시절 왕정의 경험밖에 없는 나라에서, 혁명을 한 것도 아니고 한 번도 공화정을 경험해본 적도 없는 상황에서 모두의 합의에 의해 공화정을 채택했다는 것이 아닌가.

그러더니 1945년 8월 해방이 되자, 등록한 정당 및 단체만 3천 개가 넘었다. '어른 세 명만 모이면 당을 만든다'는 자조적인 지적이 있었을 정도로 다이내믹 코리아의 특성이 그대로 드러난다. 더 놀라운 사실은 그런 대로 세력을 지닌 주요 정당과 단체 중에 조선의 마지막 왕족을 어디에서 찾아와 다시 왕정을 이어가자고 주장한 정당은 없었다는 것이다. 소수파일지언정 한두 집단은 그런 주장을 펼칠 법도 한데, 우리는 머릿속에서 임금 · 황제 · 조선 왕조 · 왕정 이런 것을 완전히 삭제해버린 것이다.

우리보다 훨씬 앞서서 서양의 문물을 받아들이면서 끊임없이 개화와 개방을 추구했던 제국주의 일본만 해도 우파는 물론 좌파까지도 천황을 배제하는 국가 형태를 시도하지 않았다. 그들은 천황 없는 새로운 국가의 비전을 제시하는 것을 너무나 두려워했다. 그러나 우리는 달랐다. 우리는 너무나 간단하게 2천 년 왕정의 역사와 이별을 고한다.

나는 거기에는 두 개의 동력이 존재한다고 본다. 하나는 동학이고 또 하나는 기독교다. 동학은 핵심적 동력이었으며, 기독교는 결정적 동력이었다. 동학과 기독교라는 두 개의 긴장된 힘이 우리나라 근대 대중문화의 토대를 구축한 중요한 축이었다. 우리나라의 초기 대중문화를 지배하게 되는 민족주의라고 하는 새로운 사유와 사상과 행동 체계는 바로 어쩌면 이 두 개의 혁명적 혹은 종교적 교리에 많은 빚을 지고 있다고 봐야 한다.

동학의 2대 교주인 최시형이 1899년에 내놓은 〈내수도문〉內修道文 중 가장 중요한 부분만을 보겠다. 〈내수도문〉은 여성 교인의 생활규범을 기도문 형식으로 적은 글이다. 효孝를 중심으로 하는 가족관계에서 시작하여 우주만상宇宙萬像까지 광범위한 범위를 다루고 있다. 일상생활에서 지키고 실천할 규범을 일곱 개 조목으로 제시했다.

1조의 첫머리는 '집안의 모든 사람을 하늘님같이 공경하라'라는 것으로, 가족에서부터 시작한다. 두 번째는 '며느리를 사랑하라', '노예를 자식같이 사랑하라'는 것이다. 그다음이 '우마육축'牛馬六畜을 학대하지 마라'이다. 안 그러면 '하늘님이 노하신다'고 했다. 4조에 가면 '어린아이를 때리지 마라'는 내용도 나온다. '어린아이를 때리면 하늘님을 치는 것과 같다'고 했다.

이러한 〈내수도문〉의 내용을 보면 19세기 후반 동학이 며느리, 노예, 가축 등 우리 사회의 약자들을 집중적으로 주목하고 있음을 알 수 있다. 다시 말해 당시의 동학이 여성 해방과 미성년자에 대한 새로운 인식을 가지고 있었음을 보여준다.

어린아이에 대한 인식, 즉 '세이브 더 칠드런'Save the Children이라는 화두는 근대의 서구에서나 조선에서나 중요한 화두였다. 18세기 영국에서 산업혁명Industrial Revolution이 일어난 이후 제일 많이 희생된 이들이 바로 어린이들이었다. 산업혁명 초기에는 노동 인력을 고용하는 데 나이 제한이 없었다. 그랬기 때문에 공장에서 싼 임금을 주고 6~7세 아이들에게 무지막지하게 일을 시켰다. 그때 수많은 아이들이 비참하게 죽어나갔다. 아동 착취가 사회문제로 대두되자 9세 미만의 아동고용 금지를 시작으로 12세 미만의 아동고용을 금지하는 공장법이 점차적으로 개선, 제정되었다. 중국에서도 청나라 말기, 근대의 국면에 접어들면서 그제야 비로소 어린이라는 개념에 주목했지 그 이전까지 어린이는 어른의 축소판일 뿐 그 자체로 독립된 존재로 인정받지 못했다.

서구의 철학사에서도 어린이라는 존재를 자각한 것은 계몽주의 시대 루소Jean-Jacques Rousseau, 1712~1778에 의해서였다. 그 이전까지 어린이는 독립된 인격적 존재로서가 아닌 어른들의 부속품으로 치부되었고, 자본주의 시대가 도래한 후에도 한참 동안 그저 소모품에 불과했다.

이것이 19세기 말까지 사실상 전 세계의 어린이들이 갖고 있던 사회적 지위였다. 그런데 동학은 그런 어린아이들을 개별적인 귀한 존재로 못을 박았다. 동학이 이 시점에서 이미 인식하고 있던 세계가 어떤 것이었는지를 엿볼 수 있는 일면이라 할 수 있다.

아무도 모르는 그 노래, 대한제국의 〈애국가〉

●

일본의 〈기미가요〉와 흡사한 느낌의 대한제국의 〈애국가〉가 8년 동안만 불리다가 역사의 어둠 속으로 사라지게 된 것은 국가國歌의 운명으로만 보면 차라리 다행이다.

○

우리는 지금 근대 대중문화사의 첫 장면을 지배하는 키워드에 대해 이야기하고 있다. 나는 그 키워드를 동학의 노래, 찬송가, 〈애국가〉라고 말했다. 동학의 노래와 찬송가에 이어 이제 〈애국가〉에 대해 이야기할 차례다.

우리와 서구의 첫 만남은 바깥에서 안으로 들어온 기독교를 통해 이루어진 셈인데, 시간이 지나자 안에서 바깥으로 서구를 만나러 가기에 이른다. 바로 유학생의 등장이다. 최초의 유학생은 1882년 임오군란壬午軍亂이 일어나기 1년 전인 1881년에 탄생했다. 그는 음악학도였다. 당시 우리 왕실의 악대 지휘자였던 이은돌李殷乭이 그 주인공이다.

당시 일본은 서구의 군제도를 받아들이고 군악대도 함께 도입했다. 교회의 음악만큼이나 군대에서 군악대의 음악은 굉장히 중요하다. 군악대는 전쟁할 때만 등장하는 것이 아니다. 거리를 행진하고 나라에 중요한 행사가 있을 때마다 군악대가 등장해서 음악을 담당한다. 어찌 보면 우리나라 대중이 처음으로 오케스트라를 만나고 또는 처음으로 서양의 공연 양식을 경험한 것은 군악대를 통해서였다고 할 수 있다.

고종 정권 역시 나팔이나 꽹과리가 아닌 서양의 악기로 서양 스타일의 음악을 연주할 군악대를 창설할 필요성을 깨달았다. 그래서 서구의 군악을 배워오라며 당시 왕실의 악대 지휘자였던 이은돌을 도쿄로 보냈다. 그는 7개월짜리 코스를 단 4개월 만에 우수한 성적으로 졸업하고 돌아와서 신식 군악대의 창설을 주도하게 된다.

1897년 대한제국을 선포한 이후 1901년 대한제국 황실의 군악대는 본격적으로 아예 서양인 군악대장을 맞이하게 되는데, 그가 바로 독일의 작곡가이자 군악대장인 에케르트Franz von Eckert, 1852~1916다. 그는 황실의 군악대장으로 있으면서 우리의 음악 문화에 중요한 영향을 미치는데 그가 한 일 중 빼놓을 수 없는 것이 우리 역사상 최초로 만들어진 〈애국가〉의 작곡이다.

대한제국 애국가

프란츠 에케르트, 1902

위의 악보 역시 노동은의 『한국근대음악사 1』에 실려 있는 것이다.

에케르트가 만든 대한제국의 〈애국가〉는 어떤 노래였을까. 이 노래는 딱 8년 동안만 공식적으로 유효했다. 뭔가 범동양적이며 우리의 전통적인 아악雅樂적 요소를 어떻게든 현대화하려고 애쓴 모습이 역력하다. 그리고 우리가 잘 아는 어떤 노래랑 분위기가 매우 비슷하다. 우리가 잘 아는 어떤 노래란 바로 일본의 국가인 〈기미가요〉다. 세계 주요 국가의 국가國歌 중에 불안정 종지로 끝나는 노래는 아마 〈기미가요〉밖에 없을 것이다.

대한제국의 〈애국가〉는 분명히 〈기미가요〉를 표절한 것은 아닌데 분위기가 정말 비슷하다. 이것은 어찌 보면 매우 당연한 일이다. 두 노래를 작곡한 사람이 같기 때문이다. 우리나라로 건너오기 전에 에케르트는 일본 왕실의 음악대장이었다. 〈기미가요〉는 공식적으로 일본 궁내성의 하야시 히로모리林廣守, 1831~1896가 작곡을 하고 일본 시 모음집인 『만엽집』萬葉集에 있는 하이쿠俳句(일본 전통시)를 가사로 했다고 되어 있지만 사실은 당시 일본 왕실의 음악대장이었던 에케르트가 이 노래의 작곡과 편곡을 거의 대부분 담당했다. 당시 일본에서는 이런 서양 악기를 위한 작곡이나 편곡을 할 수 있는 사람이 없었다. 물론 〈기미가요〉를 만든 사람이 에케르트라는 사실은 일본에서도 공식적으로 발표한 바 있다.

독일인 에케르트가 어쩌다 보니 일본에서 〈기미가요〉를 만들고 나서 다음 부임지인 우리나라로 건너와서 바로 뒤이어 대한제국의 〈애국가〉를 만들어야 하는 상황에 처했던 것이다. 우리와 일본의 음악적인 느낌이 완전히 다른 데도 불구하고, 이방인 에케르트의 관점에서 보자면, 두 나라는 같은 동양권의 나라였을 테니, 대한제국과 일본의 두 나라 국가가 한 사람의 독일인에 의해 비슷한 느낌으로 탄생하게 된 셈이다. 결국 독일인이 만든 〈애국가〉는 대한제국의 운명과 함께 역사 속으로 사라졌다. 역설적으로 우리나라가 일본의 식민지가 되면서 〈기미가요〉와 비슷한 대한제국의 〈애국가〉가 어둠 속으로 사라지게 된 것은 국가의 운명으로만 보면 다행이라고 할 수도 있겠다.

새로운 애국가는 〈임을 위한 행진곡〉으로

●

이 대목에서 현재의 〈애국가〉에 대한 나의 생각을 말하고 싶다. 나는 대한민국의 새로운 국가를 제정하자는 주장을 오래전부터 해왔다.

잘 알려져 있듯 〈애국가〉를 작곡한 안익태安益泰, 1906~1965는 2009년에 발간된 『친일인명사전』에 수록된 친일파다. 일본 천황에게 충성을 맹세한 자가 작곡한 노래를 이 나라의 국가로 대우한다는 것은 진짜 자존심 상하는 일이다. 그 곡에 대한 호불호를 떠나서 한마디로 나라의 기강이 제대로 서지 않았음을 방증하는 일이다. 언제까지 이 비참한 역사를 이어갈 것인가.

따지고 보면 우리나라에는 공식적인 국가가 없다. 해방 후 권력을 잡은 친일파의 후예들도 안익태의 전력이 찝찝했는지 그가 만든 노래를 공식적인 국가로 지정하지는 않았다. 그저 〈애국가〉라는 노래가 국가의 역할을 대신하고 있는 것뿐이다.

그래서 나는 빨리 국가를 제정하자는 주장을 줄기차게 해오고 있다. 새로 국가를 제정하는 데는 두 가지 길이 있다. 하나는 새로 작곡하는 것이고, 또 하나는 기존의 노래 중 하나를 국가로 채택하는 것이다. 나는 말 많고 탈 많은 생소한 신곡보다는 지난 우리 현대사 과정에서 역사적으로 검증된 노래를 채택하는 것이 훨씬 의미있고 현실적이라고 본다.

그렇다면 무슨 노래를 국가로 삼을 것인가. 우리에게는 이미 근사한 노래가 있다. 바로 〈임을 위한 행진곡〉이다. 1981년에 만들어진 이 노래는 백기완白基玩, 1932~의 시 〈묏비나리〉를 바탕으로 소설가 황석영黃晳暎, 1943~이 가사를 만들고, 전남대생 김종률金鍾律, 1962~2013이 작곡했다. 일종의 뮤지컬이라고 할 수 있는 노래극 〈넋풀이-빛의 결혼식〉에서 불린 것인데, 이 노래극은 5·18광주민주화운동 중 계엄군에게 사살된 시민군 윤상원과 1979년 노동 현장에서 야학을 운영하다 세상을 떠난 노동운동가 박기순의 영혼결혼식에 헌정의 의미

○ 친일파 노래가 국가 대우를 받다니! 나는 제안한다.
우리 현대사에서 가장 의미 있는 순간을 상징하는 동시에,
세계적으로 보편타당한 호소력을 가진 이 노래를 국가로 삼자고.

로 만들어진 것이다. 〈임을 위한 행진곡〉은 바로 이 노래극의 마지막에 합창으로 지어졌다.

이 노래를 국가로 삼자는 데는 그럴 만한 합리적인 근거가 있다. 첫째, 이 노래는 우리나라의 헌법 정신을 구현하는 민주주의의 대표적인 노래다. 둘째, 이 노래는 단조이긴 하지만 4박자 행진곡이기 때문에 국가로 불리기에 어울린다. 셋째, 많은 사람들이 수없이 불러왔기 때문에 부르기도 쉽고 따라서 새로운 노래를 가르치고 배우느라 힘을 쓸 필요가 없다. 넷째, 우리나라의 노래 중에 민주주의 투쟁을 가장 잘 상징하는 노래이면서 지금까지도 대중이 일상적으로 이 노래를 부르고 있다.

게다가 이 노래는 어떤 의미에서 세계적인 히트곡이기도 하다. 중국의 시위대, 필리핀의 노동자, 태국의 빈민들, 볼리비아나 페루 등의 남미 국가의 대중, 심지어 일본의 좌파들도 자신들의 언어로 이 노래를 바꿔 부르고 있다. 중국어·영어·스페인어·일본어·태국어 등등 약 스무 개의 언어로 불리고 있는 우리의 노래인 것이다. 우리 노래 중에서 이렇게 세계적인 보편성을 가지고 있으면서, 이런 훌륭한 뜻을 담은 노래가 또 있을까.

우리 현대사에서 가장 중요한 역사적 사건의 하나인 5·18광주민주화운동을 상징하면서 동시에 이렇게 보편타당한 코스모폴리타닉한 호소력을 가진 노래가 또 어디 있는가. 이런 노래를 국가로 안 만들면 어떤 노래를 국가로 만들겠는가.

하지만 〈임을 위한 행진곡〉을 애국가로 지정하자는 나의 주장 이전에 이 노래 자체를 불편해하고 폄하하는 사람들이 너무나 많다. 새누리당의 어느 국회의원은 이렇게 말한 바 있다. 이 노래가 폭력적인 집회를 연상하게 하므로 공식적인 자리에선 적합하지 않다고. 나는 여기에 동의하지 않는다. 미국의 국가 〈성조기여 영원하라〉The Star-Spangled Banner나 프랑스 국가 〈마르세유 행진곡〉La Marseillaise의 가사를 들어보면 내가 왜 그러는지 명확해진다.

그들의 피로 사악한 발자국들을 씻어냈도다!

〈성조기여 영원하라〉의 가사 일부다.

무장하라 시민들이여
행진하자 행진하자
적들의 더러운 피로
우리의 밭을 적실 때까지

이것은 〈마르세유 행진곡〉의 가사 일부다. 미국과 중국, 프랑스를 위시하여 우리가 알 만한 대부분의 나라는 공화제와 민주주의 수립, 혹은 식민지로부터 벗어나려는 독립투쟁의 피 어린 정신을 담은 노래를 국가로 삼고 있다.

미국 국가는 널리 알려졌다시피 1812년 영국군과 치른 메릴랜드 매켄리 요새 전투의 모습을 담은, 변호사 스코트 키Francis Scott Key, 1779~1843의 시로부터 탄생했고, 프랑스의 국가는 프랑스 혁명 직후 오스트리아와의 전쟁이 발발하자 조국을 수호하기 위해 800킬로미터를 행군해온 마르세유 의용군이 부른 노래로, 공병대 대위 루제 드 릴Claude Joseph Rouget de Lisle, 1760~1836이 쓴 곡이다. 이들 노래에 비한다면 우리의 〈임을 위한 행진곡〉의 가사는 너무나 문학적이다. 차라리 시에 가깝다.

그럼에도 〈임을 위한 행진곡〉이 폭력적이라고 하는 주장은 레드 콤플렉스Red Complex가 아직도 그들의 무의식에 남아 있음을 보여줄 뿐이다. 앞서 말했듯 이 노래는 황석영과 백기완이 노랫말을 만들고, 당시 전남대 재학생이던 김종률이 작곡을 했다. 어느 쪽도 소위 '빨갱이'는 한 명도 없다. 그런데 왜 우리는 이 노래에 빨간색을 칠해서 보는 것일까.

1997년 5·18광주민주화운동 기념일이 정부의 기념일로 지정된 이후 2008년까지 멀쩡하게 참석자들이 경건한 마음으로 함께 부르던 이 노래는 2009년부터 느닷없이 본 행사에서 제외되더니 식전 행사에서 합창단이 부르는 것으로 대체되었다. 2013년 국회에서 여야 합의로 이 노래를 5·18광주민주화운동의 공식 기념곡으로 지정하는 데 합의했음에도 국가보훈처나 재향군인회 그리고 또 다른 새누리당 국회의원의 입장은 한결같다.

즉, 이 노래가 1991년 북한이 대남 공작용으로 제작한 5·18 영화 〈님을 위한 교향시〉의 주제곡이며, 작사자가 불법으로 북한을 방문하여 복역한 바 있는 반체제 인사라는 점, 그리고 친북·종북 단체들이 각종 의식에서 〈애국가〉를 대신해 이 노래를 부르고 있다는 사실을 들어 이 노래를 부정한다. 친북·종북의 선전 수단인 이 노래가 자유 민주주의 대한민국 정부의 공식 행사에서 기념곡으로 불린다는 것은 수많은 순국선열과 호국영령의 숭고한 정신을 훼손하고 대한민국의 체제와 정통성을 부정하는 행위로서, 굳이 필요하다면 5·18광주민주화운동의 정신에 부합되고 온 국민이 받아들일 수 있는 새로운 곡을 만들자는 것이다.

하지만 이들의 주장은 전혀 사실과 다르며 한마디로 억지에 가깝다. 작사를 맡았던 소설가 황석영이 북한을 방문하고 돌아와 국가보안법 위반으로 투옥되었음을 누구나 알고 있고, 그가 종북이어서가 아니라 작가적 양심으로 평화적인 민족통일의 길을 열기 위해 수난을 선택했던 것도 알 만큼 아는 사실이다. 그들의 대통령인 박근혜도 대통령에 당선되기 전에 평양에 가서 김정일을 만나지 않았나. 자기들이 하는 짓만 민족통일의 길인가?

그리고 북한 영화 〈님을 위한 교향시〉에서 이 노래의 선율이 마지막에 잠깐 등장하는 것은 사실이지만, 그것은 윤이상이라는 세계적인 작곡가가 이 영화의 음악을 맡았어도 5·18광주민주화운동 정신을 가장 숭고하게 대변하는 노래는 바로 〈임을 위한 행진곡〉이라는 사실을 우회적으로 증명하고 있다고 보아야 한다. 어느 탈북자의 증언대로 북한에서 이 노래를 부르면 정치범으로 몰리기 십상이다.

이 노래를 공식적인 기념곡으로 부른다면 순국선열과 호국영령들의 숭고한 정신을 훼손한다는 주장은 한마디로 철면피들의 생떼다. 자신들이 민주주의를 모욕하고 같은 국민에게 총부리를 겨눈 민족반역자들의 후예라는 것을 스스로 증명하는 꼴이다. 박승춘 국가보훈처장이나 새누리당의 극렬 보수 의원들은 같은 당의 하태경

의원의 말이라도 경청했으면 좋겠다. 하태경은 〈임을 위한 행진곡〉의 '임'이 김일성을 의미한다는 유언비어를 국가보훈처가 오히려 유포하고 있다며, 그렇다면 기념식장에서 합창도 금지시켜야 되는 것 아니냐고 반문하면서 이것은 국정조사감이라고 단호하게 지적했다. 물론 국정조사는 이루어지지 않았다.

〈임을 위한 행진곡〉을 본 행사에서 제외하자 5·18광주민주화운동 유가족회를 비롯한 여러 시민단체들이 당연히 반발하고 나섰고, 그 이후 2016년 올해까지 제창이냐, 합창이냐를 놓고 해마다 5월만 되면 시끌시끌하다. 행사장에서 노래가 울려퍼지는 동안 어떤 참석자는 주먹을 불끈 쥐고 큰 소리로 따라 부르고, 또 어떤 참석자는 묵묵부답으로 하늘만 멍 하니 쳐다보고 있다. 이걸 또 방송국 카메라들이 클로즈업을 해서 이러니저러니 말들이 많다.

이게 무슨 코미디인가. 부르는 데 3분도 채 걸리지 않는 이 짧은 노래 하나에 대한민국 현대사의 전선이 선명하게 그어진다. 이명박 정부와 박근혜 정부는 35년 전에 군부 쿠데타 세력이 총칼로 강행하며 권력을 손에 넣었던 '광주 고립 전략'을 옹졸하게 계승하며 자신들의 지지층을 집결시킨다.

이 노래를 다 함께 부르지 못하게 하려는 이들, 행사장에 참석해서 앞줄에 앉아 애써 부르지 않으려는 이들은 자신들의 정치적 고향이 어디에서 비롯되었는지를 스스로 말하고 있는 건 아닌가. 5·18광주민주화운동은 전두환 보안사령관을 비롯한 신군부 세력의 퇴진 및 계엄령 철폐 등을 요구하다가 무지막지하게 진압당한, 우리 민주주의 역사의 상징적 사건이다. 이 당시 광주 시민들에게 총을 겨눈 전두환 보안사령관은 현재 새누리당의 조상 격인 민정당 출신의 대통령을 지낸 바 있다.

쏟아져나오는 '애국'과 '계몽'의 노래

●

에케르트가 취임한 1901년부터 한일강제병합이 일어난 1910년까지는 애국계몽기라고 불리는, 불타는 계몽의 백가쟁명百家爭鳴이 일어날 때였다. 만민공동회를 위시해서 엄청난 계몽과 개화의 열풍이 이 나라에 뜨겁게 불고 있었다. 그런 사회적 분위기와 맞물려 대중은 이러한 서양의 군악대로 인해 그동안 경험하고 학습해왔던 것과는 전혀 다른, 교회 음악인 찬송가와도 또 다른 종류의 음악을 접하고 경험하게 된다.

근대 자본주의, 이른바 산업혁명의 가장 중요한 인프라는 말할 것도 없이 유통이다. 유통이 없는 생산은 아무 의미가 없다. 그래서 일본은 조선을 병합하기 11년 전부터 대륙 침략의 교두보로 삼기 위해 철도를 한반도 곳곳에 건설하고 그 권리를 가진다. 1899년에 이미 경인선을 개통하고 러일전쟁 중인 1905년 1월 1일에 경부선을 개통한다. 그리고 한일강제병합 이후 1914년에 경원선과 호남선을 개통함으로써, 한반도의 철도 수송 라인을 완성했다.

이 당시 철도와 기차는 새로운 경제 체제인 자본주의라는 이름으로 대변되는 산업혁명의 중요한 상징이 된다. 또한 이 당시는 초기 언론의 시대로, 이미 1880년대부터 『독립신문』, 『황성신문』 같은 민족주의적인 신문과 잡지 들이 쏟아져나왔고, 이후 많은 매체들이 폐간과 창간을 거듭하고 있었다.

이들이 다룬 아이템 중 가장 대중의 인기를 끌었던 것이 바로 계몽과 독립에 대한 열망을 담은, 이른바 '개화창가', '계몽창가'였다. 1900~1910년대의 가장 중요한 이슈는 철도로 상징되는 새로운 산업혁명의 문물들에 대한 호기심 그리고 계몽과 독립을 향한 열망이었고, 이는 신문물을 노래하는 창가들과 애국가로 대변되는 창가들이 수없이 쏟아지는 기폭제가 되었다. 신문물에 관한 노래 중에서 가장 대표적인 것이 육당 최남선崔南善, 1890~1957의 〈경부철도

이 당시 수많은 애국가들이 쏟아져나왔다.
당시 나온 노래들과 흡사한 안익태의 〈애국가〉 가사는
집단적 대중 지성의 결과물임을 미루어 짐작할 수 있다.
○

가〉다. '우렁차게 토하는 기적 소리'로 시작하는 이 노래는 전형적인 7·5조의 운율을 가지고 있고, 멜로디는 스코틀랜드 민요인 〈Coming through the rye〉였다. 가사는 이렇다.

우렁차게 토하는 기적 소리에
남대문을 등지고 떠나 나가서
빨리 부는 바람의 형세 같으니
날개 가진 새라도 못 따르겠네

그리고 개화창가, 계몽창가의 가장 인기 있는 주제이자 키워드는 바로 애국이었다. 예를 들면 『독립신문』의 학부 주사였던 이필균이 만든 〈애국하는 노래〉라는 창가가 있다. 아쉽게도 녹음된 것이 없으니 어떤 선율이었는지는 알 수 없다. 어쩌면 그냥 가사로만 끝났을 수도 있다. 전해져오는 가사는 이렇다.

아세아의 대조선이 자주독립 분명하다
에야에야 애국하세 나라 위해 죽어보세
합심하고 일심되어 서세동점 막아보세
사농공상 진력하여 사람마다 자유하세
남녀 없이 입학하여 세계학식 배워보자
교육해야 개화되고 개화해야 사람 되네

이런 '애국가'류의 노래들이 하루에 한 개씩 만들어졌다. 애국 경쟁이 치열하게 벌어졌고, 지금 우리 대중가요의 사랑타령만큼이나 나라 사랑을 부르짖는 애국가들이 엄청나게 쏟아져나왔다. 물론 이런 현상은 한일강제병합이 되면서 전부 금지되었고, 이로 인해 끝이 나고 만다. 이때 쏟아진 수많은 애국가들 중에 1903년 이전에 만들어진 것으로 추정되는 〈애국충성가〉라는 창가가 있는데 가사를 보면 이렇다.

동해수와 백두산에 해 돋고 달 뜨니
신민이 보호하사 우리나라 만세
무궁화 삼천리 화려강산
대한사람 대한에서 길이 충성하세

당시에는 익명으로 투고하는 사람이 워낙 많아서 가사를 누가 지었는지는 모른다. 그런데 많이 들어본 가사 아닌가. 이것은 나중에 1936년 안익태에 의해 만들어져 우리가 지금 부르는 〈애국가〉의 1절 가사와 거의 비슷하다.

이게 무슨 말이냐. 그러니까 내가 보기에는 우리가 지금 부르는 〈애국가〉의 가사라는 것이 애초에 안익태가 쓴 것도 아니고, 무슨 유학생이 쓴 것도 아니라는 말이다. 다시 말해 우리 〈애국가〉 가사는 이미 오래전부터 수많은 사람들에 의해 불리고 쓰였던, 집단적 대중 지성의 결과물이라는 것이다. 이런 사실을 〈애국충성가〉라는 창가의 노랫말을 통해서 분명히 알 수 있다.

〈경부철도가〉의 7·5조의 리듬은 많은 노래에 쓰이게 되었고, 서양의 곡조에 우리말 가사를 붙여서 부르는 것 역시 익숙해졌다. 이렇게 아무렇지도 않게 서양의 곡조에 우리말 가사를 붙여 부르는 것이 대중적으로 확산된 데에는 20세기의 첫 10년 동안 우리 대중이 교회와 군악대 그리고 학교라는 이 세 개의 축을 통해서 서양의 선율을 익숙하게 수용하고 있었던 것이 크게 작용했다. 다시 말해 이미 우리 대중은 서양의 멜로디에 익숙해져 있었고, 거기에 우리의 의제議題를 노래 가사로 얹어서 부르는 것에 거부감이 없었다.

창가와 민요의 공존, 두 개의 문화가 함께 있던 시대

●

그렇다면 최남선의 〈경부철도가〉가 나오는 이런 새로운 순간에 우리의 전통문화 영역은 어떤 모습이었는가. 완전히 소멸했을까. 그렇지는 않다. 조선의 문화 지형도에서 여전히 다수를 차지하고 있던 것은 바로 우리의 전통적인 영역이었다. 한반도 곳곳에 철도가 깔릴 때 최남선의 〈경부철도가〉 같은 창가만 나온 것은 아니었다.

누가 만들었는지는 모르지만 새로운 주제를 다룬 우리 민요들도 등장했다. 철도를 다룬 대표적인 노래로는 함경남도 원산 근처에서 만들어진 〈어랑타령〉이 있다. 〈신고산타령〉이라고 불리기도 하고, 지금도 〈국악 한마당〉 같은 TV방송 프로그램에서 단골로 나오는 레퍼토리이기도 하다. 그리고 1970년대의 조영남趙英男, 1945~이 리메이크한 이래 로커들도 즐겨 레퍼토리로 채택하는 노래 중 하나다. 가사는 우리에게도 익숙하다.

> 신고산新高山이 우루루 함흥차咸興車 떠나는 소리에
> 구고산舊高山 큰애기 반봇짐만 싼다네

바로 이 노래다. 가사의 신고산은 원산역 앞에 있는, 경원선의 역 이름이다. 그런데 '신고산이 우루루 함흥차 떠나는 소리'에 왜 '큰애기가 반봇짐을' 쌀까? 이 노래에는 이른바 기차를 통한 노동력의 재편성, 노동 인구의 이동과 같은 당시 사회적 환경이 담겨 있다.

철도가 생기기 전에는 대부분 많은 사람들이 자신이 태어난 곳을 중심으로 그 언저리에서 살다가 죽었다. 그런데 철도가 생긴 후에는 기차를 타고 이동할 수 있게 되면서 일자리를 찾아 수많은 노동력이 거주지를 떠나 다른 곳으로 갔다. 이른바 '계절노동자'seasonal labor라는 집단이 등장한 것이다. 여름에는 남쪽에서 일하던 노

○
서양의 문화 콘텐츠와 전통문화가 양립하는 이때,
이를 바탕으로 새로운 문화 영역을 만들어낼 수도 있었을 텐데,
우리는 그럴 기회를 갖지 못한다. 뭘 어찌 해볼 틈도 없이 식민지가 되어버렸기 때문이다.

동자들이 겨울에는 벌목 작업의 현장을 찾아 기차를 타고 북쪽으로 갔다. 경상도 · 전라도의 노동자들이 계절에 따라 함경도에 가서 노동을 하고, 또 계절이 바뀌면 경기도나 강원도 등 전 지역으로 흩어져 일하는 일이 빈번해지면서 노동력의 이동이 계절마다 일어나게 된다.

노동력이 움직이면 그 당사자들만 움직이는 게 아니다. 젊은 노동자들이 일하러 간 곳에서 젊은 처자를 만나 사랑에 빠지는 일도 있었을 테고, 눈이 맞은 처녀 총각이 같이 야반도주하는 일도 마구 일어났을 것이다. 함흥차 떠나는 소리를 들은 구고산 큰애기가 반봇짐을 싸는 데도 다 그런 사정이 있는 것이다. 〈어랑타령〉의 배경에는 그런 당대의 풍속이 담겨 있다.

이렇게 최남선의 〈경부철도가〉와 〈어랑타령〉으로 상징되는 개화기 서양의 문화적인 콘텐츠와, 전통적인 문화 세력이 양립하는 이때 우리는 이 두 개의 문화 영역을 독창적으로 결합하여 새로운 문화 영역을 만들어낼 수도 있었을 것이다. 만일 이때 한일강제병합이 이루어지지 않았다면 우리는 굉장히 새로운 문화적 영역을 확보했을 것이다. 하지만 우리는 그럴 기회를 갖지 못한다. 뭘 어찌 해볼 틈도 없이 일본의 식민지가 되어버렸기 때문이다.

서양의 문화와 전통문화의 결합을 통한 새로운 영역을 확보하지 못한 탓에 우리는 오늘날까지도 여러 한계 속에 있다. 예를 들면 이런 거다. 지금 우리에게 음악은 국악과 양악洋樂으로 나뉜다. 대학교에 진학할 때도 이런 구분이 명확하다. 가야금과 바이올린은 똑같은 현악기다. 그런데 음대에서 학생을 뽑을 때 가야금과 바이올린이 같은 현악기니까 같이 시험을 치게 하는가? 아니다. 판소리와 테너도 마찬가지다. 음악만 그런 게 아니다. 서양 회화와 동양 회화로 나뉘어 있다. 똑같은 음악이고 그림인데 그림도 음악도 서양과 동양, 이렇게 둘로 분명히 나뉘어 있다. 그런데 문학은 다르다. 문학은 근대 시기 새로운 사조가 들어왔다고 해서 서양 문학, 전통문학으로 나뉘지 않았다. 이건 왜 그럴까. 이에 대해서는 다음 장에서 이야기하겠다.

이렇게 서양의 문화와 전통문화 사이에 분명한 간극이 생긴 것은 바로 우리가 두 개의 문화 영역이 양립하던 그때, 이 두 개의 문화가 충분히 숙성해서 새로운 하나의 근대적 모델로 자리잡을 만한, 즉 독자성을 지닌 창조적인 문화 영역을 만들어낼 역사적 시간을 갖지 못했기 때문이다. 그래서 우리 문화사 안에서 소위 '서양의 예술'과 '동양의 예술'은 같은 예술적 표현 안에 있음에도 불구하고 하나가 되지 못하고 겉도는, 겉돌 뿐만 아니라 서로가 서로를 배척하며 나아가 영원히 대립하는 가슴 아픈 상황을 남기고 역사를 다음으로 넘기게 된 것이다.

우리 근대와 일본, 그리고 엔카와의 상관 관계

●

지금까지 우리 근대 문화의 시발점을 이야기했다. 그런데 진짜는 이제부터다. 우리에게 근대라는 시대의 문을 열어준 것은, 근대로 들어서는 데 결정적인 역할을 한 것은 바로 조만간 우리의 지배자가 될 일본의 문화였다.

일본 제국주의자들이 우리를 집어삼키려고 호시탐탐 노리고 있을 당시, 우리나라 사람들 대부분은 우리가 힘이 없어 당장 일본에게 먹힐지언정 일본에서 배울 것은 없다고 생각했다. 도산 안창호安昌浩, 1878~1938 선생도 백범 김구 선생도 마찬가지였다. 우리가 얻을 게 있다면 서구에서 얻을 게 있지, 일본에서 뭘 얻겠느냐고 여겼다. 그때까지만 해도 우리는 일본보다 문화적으로 앞선다는 우월감을 가지고 섬나라 일본을 얕보았다. 그런데 그런 일본에게 나라를 빼앗겼으니 정말 '황당의 극치'를 달리고 집단적 패닉에 빠질 수밖에 없었을 것이다.

그런 면에서 일본은 치밀하게 대응했다. 일본은 한반도의 외교

○ 우리에게 근대의 문을 열어준 것은 일본이었다. 그들이 처음으로 밀어붙인 문화의 첨병, 그것이 곧 엔카였다. 한반도에 상륙한 엔카는 곧 선풍적인 인기를 끌었고, 순식간에 우리는 일본 대중문화의 자장권 안에 유입되었다.

권을 가로챈 을사늑약乙巳勒約, 1905을 맺기 전까지는 문화적 충돌을 일으킬 만한 사안을 만들지 않도록 신중하게 통제했다. 하지만 조선의 병합이 거의 확실시되자, 그들은 치밀하게 준비한 계획들을 폭발적으로 밀어붙이기 시작한다.

첫 주자는 엔카演歌였다. 창가와 엔카를 구별하는 것은 꽤 어렵고도 간단하다. 그냥 두 개가 서로 다른 게 아니라 같은 노래라고 생각하면 된다. 둘 다 일본에서 건너온 것이다. 창가는 쉽게 말하면 동요부터 시작해서 어른들 노래까지, 기독교 찬송가부터 정치적 주제나 남녀상열지사의 내용까지 다 아우른 근대 일본의 노래다. 엄밀히 말해 일본 고유의 문화는 아니고 메이지유신 이후에 받아들인 서양의 음악과 만나면서 만들어진 근대 일본의 음악이다.

그럼 엔카는 무엇인가. 일본은 위로부터의 개혁을 굉장히 폭력적으로 단행했다. 메이지유신이 그것이다. 1860년경에 일어난 메이지유신 이후 얼마 지나지 않은 1885년부터 일본은 풍금을 생산하기 시작한다. 이 이야기가 뜻하는 바는 무엇인가. 일본 내에 있는 모든 교육기관, 즉 학교에서 풍금으로 반주를 시작했다는 것이다. 서양의 음악, 즉 평균율에 의한, 도레미파솔라시도에 의거한 음악 교육을 실시하겠다는 것이다. 이것은 일본이 자신들의 전통적인 음악을 버렸음을 뜻한다.

'부국강병의 세계인이 되자'라는 이상을 품은 것이 메이지유신인데 이 말은 곧 근대화를 위해 모든 사유 체계와 국가 체계를 변혁하겠다는 의미다. 이러한 메이지유신의 이상을 일본의 민중에게 주입할 필요가 있었다. 위에서부터 아래로의 변혁이었기 때문에 일반 민중은 여전히 봉건시대의 질서에 머물러 있었고, 글을 모르는 사람도 많았다. 이들을 계몽하기 위해, 계몽적인 내용을 담은 노래를 끝없이 만들어서 보급했는데 그렇게 등장한 것이 엔카였다. 엔카라는 일본어의 한자를 자세히 보라. 흔히 생각하듯 연애할 때의 연戀자가 아니다. 노래 이름에 연설할 때의 연演자를 썼다. 엔카란 본래 무슨 사랑 노래나 이런 게 아니고 연설을 하듯이 부르는 노래였던 것이다. 이름에서 알 수 있듯 엔카는 특별한 정치적 목적을 가지고 만들어진 노래다.

이 메이지유신의 이상은 채 30년이 되기도 전에 퇴색한다. 메이지유신만으로는 나라를 지킬 수 없었기 때문이다. 나라가 더 강해져야 했다. 제국주의화되어야 했다. 그래서 이른바 일본의 리버럴들은 급격한 군국주의, 나아가 제국주의를 선택하게 된다.

그렇게 하다보니 오히려 메이지유신의 자유민권사상이 몹시 불편한 개념이 되었다. 그래서 새롭게 변절한 제국주의자들은 바로 이 엔카로 상징되는 메이지유신의 계몽주의를 탄압하고 금지한다. 그 결과 엔카는 20세기 들어와서 검열과 통제 속에 급격히 소멸하면서, 세속적이고 퇴폐적인 것으로 변질하게 된다. 왜 그렇게 되었을까. 동서고금을 막론하고 검열에 안 걸리는 건 간단하다. 사랑을 노래하면 된다. 그래서 메이지유신의 계몽주의를 노래하던 엔카는 사랑 노래가 되었다. 진보적인 정치 노래가 가장 애상적인 사랑의 노래로, 장조의 밝은 노래가 단조의 음침하고 청승맞은 노래로 바뀐 것이다. 엔카의 숙명이다.

그렇게 스러져가는 듯했던 엔카는 1910년대가 되면서 일본의 가장 대중적인 음악 양식으로 각광을 받는다. 계기는 러시아의 작가 톨스토이Lev Tolstoy, 1828~1910의 죽음이었다. 1910년에 세계적인 문호인 톨스토이가 세상을 떠나자 전 세계에 톨스토이 열풍이 불어닥친다. 이때 일본의 한 악단이 톨스토이의 〈부활〉을 다룬 신파극을 무대에 올렸다. 이 신파극의 주제가 중 하나인 〈카츄사의 노래〉라는 엔카를 마쓰이 스마코松井須磨子, 1886~1919라는 여가수가 불렀는데, 이 노래가 빅히트를 친다. 2만 장의 음반이 팔리고 공연은 연일 매진이었다. 이 신파극은 나중에 우리말로 번안되어 1926년에 박승희朴勝喜, 1901~1964가 이끌던 극단에서 상연을 하게 되는데, 이때 윤심덕이 여주인공을 맡았다. 그런데 여주인공의 키가 너무 커서 우리나라에서는 쫄딱 망한다.

마쓰이 스마코가 부른 〈카츄사의 노래〉가 폭발적인 인기를 끌면서 엔카는 대중적인 장르로 급부상했다. 이후에 엔카의 초대 천황이라 불리는 나카야마 신페이中山晋平, 1887~1952가 직접 곡도 만들고 노래도 부르는, 요즘말로 하면 싱어송라이터이자 연기까지 하면서 엄청난 인기를 얻게 되고, 이로써 엔카는 철저하게 대중적인 음악으로서 1910년대의 일본을 지배했다. 그 후 신파극은 일본의 속국이 된 식민지 조선 땅에 진출하면서, 그 주제가 엔카 역시 함께 한반도에 상륙하여 큰 인기를 얻는다. 엔카에 대해서는 뒤에서 더 집중적으로 살펴보기로 하자.

여기에서 우리는 그러니까 엔카가 아직 한반도에 들어오기 전에 우리가 불렀던 노래, 창가에 대해 한번 더 살피고 가야 한다. 앞에서 살펴보았듯 우리는 동학의 노래에 이어 기독교의 찬송가를 거쳐 애국을 강조하고 신문물에 대한 호기심을 담은 계몽적인 가사의 창가를 듣고 불렀다. 창가 중에서도 빼놓을 수 없는 노래가 〈학도가〉學徒歌다. 1904년에 나온 이 노래는 창가 중 가장 인기를 끌었던 불멸의 곡이다. 작사가와 작곡가는 모두 미상인데, 나 역시 무슨 노래인지도 모르고 어릴 때 동네에서 부르고 다녔던 기억이 있다.

청산속에 무친 옥도 닥가야만 광치ᄂᆞ네
낙낙장송 큰 나무도 싹이야만 동량되네
공부하ᄂᆞᆫ 청년들아 너의 직분 잇지ᄆᆞ라
새벽 달은 넘어가고 동텬죠일 비최온다.

1904년이니까 우리나라가 일본의 식민지가 되기 전에 나온 노래인데, 장조이면서 도레미솔라의 5음계로 만들어졌다. 그런데 이 음계는 근대 일본의 음계인 엔카의 음계다. 찬송가든 창가든 아직 독자적으로 서양의 음계를 토대로 한 노래를 만들어낼 수 없는 상태에서 우리가 참조할 수 있던 교재는 일본의 엔카였던 것이다.

아직 일본이 문화적 마각馬脚을 본격적으로 드러내기 전임에도 불구하고 우리는 우리가 스스로 만들어냈다고 여기는 것조차도 사실상 지리적으로 가까운, 그러면서도 우리보다 몇 발짝 앞서가던 일본의 방법론을 취할 수밖에 없었음을 이 노래 선율에서 알 수 있다.

계몽적 창가의 마지막 히트곡은 한일강제병합 이후 도산 안창호가 망명을 하면서 남긴 〈거국가〉去國歌다. 그 유명한 '간다 간다 나는 간다 너를 두고 나는 간다'로 시작하는 그 노래다. 가사는 이렇다.

> 간다 간다 나는 간다 너를 두고 나는 간다
> 잠시 뜻을 얻었노라 까불대는 이 시운이
> 나의 등을 더밀어서 너를 떠나가게 하니
> 이로부터 여러 해를 너를 보지 못할지나
> 그동안에 나는 오직 너를 위해 일할지니
> 나 간다고 슬퍼 마라 나의 사랑 한반도야

도산 안창호는 비록 이 땅을 떠나 망명했지만, 이 노래로 민중의 뇌리에 민족의 지도자로 계속 남게 되었다.

못다 부른 한 곡의 노래, 우리 대중음악의 역사를 열다

●

마지막 창가는 1921년 혹은 1922년경에 녹음된 것으로 추정되는, 우리가 다 아는, 〈이 풍진 세월〉이라고도 하고, 〈희망가〉로도 부르는 노래다. 이후 수많은 트로트 가수들, 한대수韓大洙, 1948~와 전인권全仁權, 1954~ 같은 로커, 김정호1952~1985 같은 포크 뮤지션과 수많은 남녀 가수들이 리메이크했고 장사익張思翼, 1949~도 〈국밥집에서〉라는 노래에 삽입하기도 해서 우리에게 낯설지 않은 노래다. 결과적으로 이 마지막 창가는 우리 대중음악의 역사를 열어젖히는 역할을 했다.

1919년 일어난 3·1운동이 좌절된 이후 발표된 이 노래의 원본 녹음은 박채선朴彩仙, 1902~?과 이류색李柳嗇이라는 여자 두 명이 불렀

○ 도쿄 유학생 그룹이 쓴 것으로 추정되는 〈이 풍진 세월〉은 1920년대 최초로 대중적인 영향력을 획득한 노래였다. 담고 있는 건 추상적인 개념의 계몽뿐이었다. 겨우 이 정도의 메시지를 담은 노래가 당시 우리 민중이 취할 수 있는 민족의 노래였다.

다. 빛날 '채彩', 버드나무 '류柳', 담장 '색嗇' 같은 한자가 들어간 이름으로 봐서 이들의 직업이 기생이었음을 짐작할 수 있다. 두 명의 기생이 부른 〈희망가〉의 가사에 나오는 '이 풍진 세월에'의 '풍진'이란 바람 풍風자에 티끌 진塵으로, 이렇게 '바람 불고 티끌 날리는 어지러운 세월에'라는 뜻이다.

노래는 매우 단순한 구조로 되어 있는데 이 가수들은 노래를 엄청 빠르게 불렀다. 전혀 여백이 없이 질주하듯이 부른다. 그런데 이 두 사람이 부르는 노래의 음은 서로 어떤 관계인가? 아무 관계도 없다. 흔히 하는 말로 '음정音程적 관계'라는 게 존재하지 않는다. 같은 음을 둘이서 똑같이 부른다. 화음 없이 제창을 한 셈이다. 반주도 없다. 말하자면 아카펠라 형식이다. 그러면 왜 둘이서 부른 것일까. 그냥 둘이서 부른 거다.

이 이야기는 무슨 말인가. 이 두 사람에게는 서구적 의미에서의 화성학和聲學적 관계가 존재하지 않았다는 뜻이다. 이들에게는 이렇게 노래를 부르는 게 당연했다. 따라서 이들이 서양의 음악 교육을 전혀 받지 않았다는 것을 알 수 있다. 특히 가창에 있어서는 화성적 관계가 없는, 전통적인 음악적 의식으로 새로운 시대의 노래를 부른 것이다.

그런데 이 노래의 장단은 우리의 전통적인 음악과 전혀 관계가 없는 굉장히 메마르고 기계적인 4분의 3박자 음악이다. 이것은 굉장히 모순적이다. 이 노래를 부른 사람들의 예술적 자의식이나 생각은 19세기 이전인데, 노래는 20세기로 달려가는 그런 구조인 것이다. 게다가 이 노래에서 가장 중요한 첫 번째 멜로디 라인도 이전의 밭 매는 소리, 나물 캐는 소리, 모심기 놀이, 판소리, 앞서 이야기한 〈어랑타령〉 등 당시에 불리던 노래와 아무 관계가 없는, 오히려 듣기에는 지금 우리에게 더 가까울 정도로 매우 현대적이다. 전체 4절 중 1절의 가사는 이러하다.

이 풍진風塵 세상을 만났으니 너의 희망이 무엇인가
부귀富貴와 영화榮華를 누렸으면 희망이 족할까

푸른 하늘 밝은 달 아래 곰곰이 생각하면
세상만사가 춘몽春夢 중에 다시 꿈 같구나

절망적인 상황의 감성을 얘기하는 이 1절의 가사에는 3·1운동의 좌절의 그림자가 짙게 배어 있다. 그런데 2절은 분위기가 완전히 달라진다.

담소화락談笑和樂에 엄벙덤벙 주색잡기酒色雜技에 심몰하야
전정 사업을 벌였으면 희망이 족할까
반 공중에 둥근 달 아래 갈 길 모르는 저 청년아
부패 사업을 개량改良토록 인도하소서

여기에는 부패에서 빨리 벗어나서 제대로 살아보자는 애국창가愛國唱歌시대의 계몽적 요소가 있고 찬송가적인 세계관도 있다. 그런데 3절에 이르면 1절과 2절의 분위기가 묘하게 혼재된다.

나의 할 바는 태산泰山 같고 가는 세월은 살 같으니
어느 누구 도와주면 희망이 족할까
솟는 달과 지는 해는 그뿐 그 끝은 가지 마라
전정 사업에 전후사前後事를 분변키 어려워

어떻게 하라는 말인가. 1절은 좌절의 그림자가 짙게 배어 있다가 2절은 갈 길 모르고 헤매지 말고 뭔가 미래를 향해 빨리 인도해서 나아가라고 이렇게 씩씩하게 분위기가 바뀌었는데, 3절에서 또 다시 뭘 어찌해야 할지 모르는 분위기다.

분열적이기도 한 이 노래 가사를 누가 썼을까? 작사자에 대해서는 정확히 알 수는 없지만 많은 증언을 토대로 추정하자면 집단 창작으로 보인다. 이 음반이 만들어지기 2년 전, 그러니까 1919년 3·1운동이 일어나기 직전에, 식민지 조선의 유학생들이 도쿄 기독교 청년회관에 모여 이광수의 주도 아래 2·8독립선언을 했다. 바로 그때 〈2·8독립선언서〉를 썼던 도쿄 유학생 그룹이 이 가사를 쓴 것으로 추정하고 있다.

3·1운동 이후 한반도로 건너와서 기생이 음반으로 취입할 정도로 많이 불린 이 노래는 본격적인 대중문화의 시대가 등장하기 직전에 가장 대중적인 영향력을 가진 1920년대 최초의 노래가 된다. 그렇다면 이 노래는 왜 식민지 대중에게 입에서 입으로 전해지며 불리게 되었을까? 일단 작사자로 추정되는 그룹으로 미루어볼 때 이 노래는 나라를 빼앗기자 도탄에 빠진 젊은이들이 절망적인 현실을 극복하기 위해 내놓은 대안의 성격을 지녔다고 볼 수 있다. 그런 그들이 내놓은 대안이라는 것은 고작 추상적인 개념의 계몽뿐이었다. 1919년에 일어난 3·1운동은 이후 지구촌의 많은 지역에 영향을 미쳤다. 동아시아의 작은 식민지 국가가 민족주의에 대한 새로운 분기점을 만들어낸 매우 중요한 사건이었지만, 정작 그 사회의 미래를 책임질 지식인들의 인식 수준이 지금 본 1, 2, 3절 가사의 수준을 넘지 못했다는 것이다.

겨우 이 정도의 메시지를 담은 노래가 당시 우리 대중이 취한 민족의 노래였다. 그럼에도 이런 정도의 전망도 가질 수 없었던 기층基層 대중에게는 이 노래가 선망할 만한 감각과 식견을 가진 관점으로 비쳤다. 참고로 4절의 가사는 이렇다.

밝고도 또 밝은 이 세계를 혼돈천지로 아는 자야
무슨 연고로 이때까지 꿈속에 살았나
이제부터 원수 마음의 낙담을 저버리고
문명의 학문을 배우기를 시급히 지어라

〈이 풍진 세상〉, 조선·일본·서구의 문화가 섞여 탄생한 노래

●

노래 가사는 그렇다 치고 멜로디는 어떻게 만들었을까. 가사는 한글이니까 우리가 쓸 수 있었지만 음악 전문 집단이 아닌 도쿄 유학생 그룹이 멜로디를 직접 만들 수는 없었다. 그래서 기존에 있던 노래의 선율을 가져올 수밖에 없었는데 바로 당시 지배자였던 일본의 노래에서 멜로디를 가져왔다. 그런데 그 일본의 노래라는 것은 당시 일본에 와 있던 영국인 선교사의 작품이라고 알려져 있다.

이 노래의 원 작곡자는 미국인 제레미아 잉갈스Jeremiah Ingalls, 1764~1838로, 이 노래는 1850년 영국 춤곡을 바탕으로 새롭게 편곡한 〈우리가 집으로 돌아올 때〉When we arrive at home라는 찬송가였다. 그런데 20세기 초 일본에서 우리의 세월호 침몰 같은 사고가 일어났다. 수학여행 가던 배가 전복되어 어린 학생들이 떼죽음을 당한 것이다. 당시 여학교 교사였던 미쓰미 요코가 그 아이들의 넋을 기리기 위해 19세기 말에 이미 일본식 창가로 번안되어 있던 이 노래에 노랫말을 붙여서 불렀다. 일본에서 이 노래는 굉장히 슬픈 노래로 각인이 되었다. 이후 누군지는 알 수 없는 일본인이 그 곡조를 바탕으로 〈새하얀 후지산의 기슭〉이라는 제목의 엔카를 만들었고, 식민지 조선의 도쿄 유학생들이 그 엔카의 선율에 우리말 가사를 붙여 부른 것이 〈이 풍진 세월〉이다.

즉 〈이 풍진 세월〉이라는 한 곡의 노래 안에 식민지 조선과 식민지 조선의 지배자인 제국주의 일본, 그리고 제국주의 일본을 낳은 서구라는 세 개의 문화권이 섞여 있는 셈이니 이 노래의 족보가 참으로 복잡하지 않은가. 서양의 찬송가가 일본으로 건너가서 엔카가 되고, 일본에서 유학하던 식민지 조선 청년에 의해 그 엔카는 조선의 노랫말로 덧입혀진 것이다. 세 개의 문화권이 시간차를 두고 하

ㅇ 한 곡의 노래 안에 식민지 조선과 식민지 조선의 지배자인 제국주의 일본, 그리고 제국주의 일본을 낳은 서구라는 세 개의 문화권이 섞여 있는 셈이니, 이 노래의 족보가 참으로 복잡하지 않은가.

나의 조준선상에 정렬해 있는 셈이다. 즉 얼핏 보면 일본 노래이고, 자세히 알고 보니 서양인의 노래인 것이다.

엔카 자체도 근대 서구화를 꿈꾸던 일본이 평균율로 무장한 서양의 음악을 받아들이면서 만들어진 근대 일본의 음악 체계이기에 그 안에는 서양 음악의 유전자와 근대 일본의 유전자가 혼재된 셈이다. 그리고 그것이 다시 그대로 식민지 조선에 이식된 꼴이 된 것이다. 이 한 곡의 노래로 우리가 알 수 있는 것은 본격적인 한일 강제병합 이후 식민지 상황에서 이루어진 우리 문화 콘셉트의 이동 양상이다. 간단히 말해 〈이 풍진 세월〉은 우리의 문화가 우리만의 것에서 일본과 서양이 혼재된 것으로 이동하고 있음을 여실히 보여준다.

그러니까 이때만 하더라도 이런 음악들은, 지금 보기에는 허술하기 이를 데 없는 것으로 느껴지지만, 선진 제국주의 국가의 문화로서 굉장히 인기 있는 문화 신상품이었던 것이다.

복잡하고도 미묘한 우리 근대의 특수성

●

도대체 이 모순을 어떻게 설명할 수 있을까. 식민 상황을 극복하려는 사람이 그 극복의 메시지를 바로 그 극복 대상의 선율에 담아서 부른 것, 이런 내면적 착종錯綜이야말로 우리의 근대를 설명하는 굉장히 중요한 무의식의 질서라고 할 수 있겠다. 나는 내 인생의 첫 책 『전복과 반전의 순간』에서 우리 근대의 특수성에 대해 이야기를 한 적이 있다.

요약하자면 우리의 식민 경험이 다른 식민지 국가에 비해 조금 다른 독특함을 갖고 있다는 것인데, 전 세계 약 208개국의 독립국가 중에서 식민지를 거치지 않고 독립국가가 된 나라는 얼마 되지 않는다. 대부분의 나라가 근대로 넘어오는 과정에서 식민지의 경험이나

착종의 식민지 시대에 근대를 향해 나아가면서 우리에게 서구는 그저 동경의 대상이었다. 서구는 거대한 환상의 이념이었으며, 이러한 유전자는 지금 이 순간까지도 이어져 오고 있다.

독립 투쟁 등의 과정을 공통적으로 겪어왔다. 따라서 식민지 경험이라는 것은 세계사적 보편성을 갖고 있으므로 우리가 식민지 시절을 겪었음을 낯부끄러워해서는 안 된다.

그런데 우리를 제외한 약 200개 가까운 나라들은 전부 어느 나라의 식민지였는가. 미국·영국·프랑스·독일·이탈리아 등 주로 백인 서구 국가들에 의해 식민화가 되었다. 유일하게 우리나라만 이웃 아시아 국가의 식민지가 되었다. 이게 무슨 의미일까. 식민화 자체는 보편적이라고 할 수 있지만 일본에 의해 식민화가 되었다는 것은 세계사적으로 매우 예외적인, 독특한 상황이라는 것이다.

이 보편과 특수에서 비롯한 결정적 차이가 있다. 바로 서구에 대한 입장의 차이다. 우리가 일본을 지금도 증오하고, 친일파라는 말이 최고의 비난이듯 서구의 식민 지배를 받은 국가들에게 그 서구는 '철천지원수'다. 따라서 대다수의 식민지 국가들에게 서구라는 개념은 오랫동안 비판적 극복의 대상이었다.

하지만 서구에 의해 식민화가 되지 않은 한반도는 서구의 정체에 대해 제대로, 객관적으로 비판할 수 있는 인식의 거리를 확보하기도 전에 무비판적으로 선망과 동경을 품게 되었다. 늘 우습게 여기던 이웃나라 일본에게 왜 나라를 뺏았겼나 생각해보니까 일본이 우리보다 먼저 서구를 받아들였더라는 것이다. 단지 그 이유 하나 때문이라고 생각한 것이다.

우리는 이 착종의 일제강점기에 근대를 향해 나아가면서 서구라는 질문을 받고, 서구라는 의제를 안게 되었는데, 일본에 의해 식민지가 되면서 서구에 대해서는 무의식적인 호의를 가지고 바라보기 시작했다는 것이다. 그래서 우리에게 서구는 그 정체가 뭔지도 모르면서 거대한 이상주의적 모델이 된다.

이러한 유전자는 지금 이 순간까지도 우리에게 이어진다. 만약에 월드컵에서 일본하고 미국이 붙으면 우리는 누구를 응원하겠는가? 당연히 미국을 응원한다. 우리는 증빙할 만한 역사적 사례가 없음에도 불구하고 미국은 말할 것도 없고 서유럽 국가에 대해서 호의적인 입장을 취해왔다. 가장 가고 싶은 신혼여행지는 단연 프랑스, 이탈리아, 스페인이다. 우리가 만약 베트남처럼 프랑스의 식민지였다면 지금처럼 프랑스를 좋아했을까? 이런 사실로 볼 때 '이 풍진 세월'이라는 가사로 시작하는 이 노래는 우리에게 복잡한 화두를 던져준다. 드디어 본격적인 대중문화의 시대를 열어가는 바로 그 여명의 첫 순간에 이렇게 무의식적으로 서구에 대한 개념이 찬송가와 군악대를 통해서 사실상 무혈입성無血入城을 하고 있었고, 우리는 눈앞에서 국권을 침탈하는 일본 제국주의에만 시선을 두었을 뿐, 그러는 사이 침투하고 있던 서구의 모든 요소들에 대해서는 객관적으로 바라볼 만한 역사적·사회적 거리를 가지지 못했다. 결국 서구에 대한 무비판적인 수용은 그 이후 우리 현대사에 많은 여파를 남기게 된다.

1장은 이 노래를 끝으로 마무리하자. 다음 2장에서는 근대의 슈퍼스타가 등장한다. 1910년대의 천재, 춘원 이광수가 주인공이다. 『무정』을 다시 읽어보면 춘원은 정말 천재로구나, 하고 느끼게 하는 대목이 매 페이지마다 폭죽 터지듯이 나온다. 시간이 된다면 집 한 구석에서 먼지를 뒤집어쓰고 있는 '한국문학전집' 속에 꼭 끼어 있는 『무정』을 판본에 상관없이 꼭 한번 읽어보기 바란다. 진짜 재밌다.

2

근대의 출발선에 선 문학의 풍경

상상할 수 없는 탈문맹률, 이후 우리의 저력이 되다

●

1980년대 후반기까지만 해도 장편소설은 우리 문화계 전체에서 압도적인 지분을 차지했다. 1969년 1부 연재를 시작으로 무려 25년에 걸쳐 5부 16권을 1994년에 완간한 박경리朴景利, 1926~2008의 『토지』, 그리고 1980년대를 뒤흔들었던 조정래趙廷來, 1943~의 『태백산맥』(1989년 완간) 같은 책들은 우리 사회에 엄청난 영향을 끼쳤다.

소설은 기본적으로 허구의 세상이다. 그것을 뻔히 알면서도 우리는 그 '거짓말'을 좋아한다. 소설만 거짓말을 하는 것은 아니다. 영화, TV드라마, 연극, 뮤지컬, 애니메이션 등등의 장르도 대개 허구를 바탕으로 만들어진다. 이 모든 것들은 이야기 구조, 즉 스토리를 기반으로 해서 만들어지는 장르이고, 스토리텔링이 얼마나 흥미로우냐에 따라 재미가 좌우된다. 여기에 거대한 자본의 힘이 더해지면 어마어마한 시장이 순식간에 형성된다. 이런 거대한 시장에 가장 기본적인 원천 콘텐츠 역할을 하는 것이 바로 소설이다.

그런데 최근 1년 동안 우리나라 소설책을 두 권 이상 산 사람이 얼마나 될까. 이 책을 읽고 있는 독자 중에서도 그리 많지 않을 거라고 생각한다. 그런데 영화 기획자들이나 드라마 제작사들은 소설책이 나오면 인기를 불문하고 엄청나게 사서 본다. 우리가 생각하기에는 1만 부는 고사하고, 3천 부도 안 팔렸을 것 같은 작품들도 영화 판권을 알아보면 어느새 다 팔리고 없다. 왜일까. 한 인간이 서사 구조를 갖춘 이야기 한 편을 만들어낸다는 게 쉬운 일이 아니기 때문이다. 그래서 좀 읽을 만한 이야기다 싶으면 충무로 영화 제작자들이 잽싸게 판권을 확보해두고 본다.

미국도 마찬가지다. 할리우드 기획자들 사이에서도 뭔가 소설이 나왔다 하면 일단 판권을 확보하고 보는 것이 당연한 추세다. 대표적인 소설을 꼽자면 외국에는 『해리포터』·『반지의 제왕』·『트와

일라잇』 등등이 있고, 국내에는 『서편제』·『태백산맥』·『겨울여자』·『바보들의 행진』·『별들의 고향』·『우리들의 행복한 시간』·『도가니』 등등 셀 수 없이 많다. 웹툰 역시 영화로 만들어지는 세상이다. 그러다 보니 소설의 영화 판권을 둘러싸고 흥망성쇠가 비일비재하다. 브래드 피트와 레오나르도 디카프리오도 판권 경쟁에 뛰어든 적이 있다. 맥스 브룩스Max Brooks, 1972~ 의 소설 『세계대전 Z』를 두고 둘이 서로 영화 판권을 사려고 처절하게 경쟁했고, 결과는 브래드 피트의 승리. 그렇게 차지한 판권의 소설로 브래드 피트가 제작한 영화가 2013년에 개봉한 〈월드워 Z〉World War Z다. 세계 종말 공포영화인데, 정작 만들고 나서는 그다지 재미를 보지 못했다.

영상매체와 인터넷 나아가 스마트폰이 콘텐츠 시장의 주역이 되면서 출판은 사양 산업으로 전락했으며, 이 종이 매체의 강력한 주역이었던 장편소설 분야 또한 예전의 위용은 많이 무너졌다. 교보문고 집계 기준으로 2011년만 해도 신경숙의 『엄마를 부탁해』와 공지영의 『도가니』, 그리고 정유정의 『7년의 밤』 등 다섯 편의 장편소설이 선전하며 연간 판매순위 50위 안에 들었지만 2015년 집계에선 김진명의 『글자전쟁』 한 편만이 겨우 50위 안에 꼽혔을 뿐이다.

장편소설의 퇴조는 분명하지만, 소설은 이야기 구조를 바탕으로 하는, 문화 콘텐츠가 지배하는 21세기 문화산업의 시대에서도 그 영향력이 여전히 유효하다. 그것은 원소스 멀티유즈One Source Multi Use 사회에서 소설이 여전히 중요한 콘텐츠이기 때문이다. 그러니 소설을 쓰는 분들은 좌절하지 마시라. 그대들이 기다리는 응답은 어쩌면 대형 서점이 아니라 영화 제작사 쪽에서 올지도 모르니 말이다.

이제, 우리는 다시 근대의 여명으로 돌아간다. 1895년부터 1905년 사이, 즉 이 애국계몽기에 한반도에는 사립학교들이 세워지기 시작했다. 우리에게는 배워야 한다는 절박함이 있었다. 지금도 우리의 교육열이 엄청나다고들 하는데, 이런 교육의 열풍이 전국적으로 불기 시작한 것이 어쩌면 이때부터였는지도 모른다. 우리는 이 시기 이후 얼마 지나지 않아 처절한 일제강점기로 접어들게 된다.

일본 제국주의자들의 지배 아래 말도 잃고 글도 잃게 되는 상황을 목전에 두고 있었다. 그런데 그렇게 피지배국으로 전락하는 마당에 뜨거운 교육열이 한반도에 불어닥친 것이다.

1910년대만 해도 우리 국민의 문맹률은 거의 80퍼센트에 육박했다. 글을 읽을 줄 아는 사람이 거의 없었다고 보면 된다. 그런데 1930년대에 이르면 문맹률은 확 낮아졌다. 많은 사람들이 한글을 읽고 쓸 수 있게 되었다. 뜨겁게 불어닥친 교육열의 효과가 아닐 수 없다. 나는 그것이 이후 우리의 저력의 근간이 되었다고 생각한다.

전 세계 대다수의 식민지 국가들은 독립을 하고 난 뒤 많은 문제점들을 안게 되었다. 그 가운데 빼놓을 수 없는 것이 자국의 언어 사용 능력이었다. 오랜 식민지 경험으로 자국의 말과 글이 유지되지 않았고, 이들 국가의 문맹률은 상상을 초월할 정도로 높았다. 독립 이후 식민지 국가들이 어려움을 겪은 데에는 다른 이유도 많지만 문맹률 역시 밀접한 관계가 있다고 본다. 그런데 우리는 당시 경제적 여건과 사회적 환경에 비추어볼 때 상상할 수 없을 정도의 높은 탈문맹률을 보였다.

높은 학구열의 이유와 그 배경

●

식민지 이전, 그리고 그 이후에 벌어진 우리나라 특유의 교육열이 어떤 하나의 요인 때문이라고 설명하기는 쉽지 않다. 어떤 학자들은 문자 중심의 유교적 영향이 컸다고 주장한다. 그들의 말에 따르면, 신분제가 엄격했던 시절에는 양반들만 공부를 할 수 있었다. 그런데 식민지가 되고 나서 신분제가 명목상 사라지고 경제적 여건만 허락한다면 누구나 공부를 할 수 있게 되었다. 공부를 할 수 있게 되었다는 것은 출세길이 열려 있다는 뜻이기도 하다. 신분제가 존재할 때는 출세는 꿈도 꾸지 못했지만 이제는 배우기만 하면 평민이고 천민

○ 민중은 동학을 통해 자신의 존재 가치를 깨달았다. 기독교를 접하면서 기존 질서에서 벗어나야 한다고 여겼다. 그러자면 배워야 했다. '배워서 출세하고 싶다'는 유교적 출세관 또한 학구열의 배경으로 빼놓을 수 없다.

이고 간에 높은 자리를 차지할 수 있게 되었기 때문에 앞다퉈 공부를 했다는 것이다. 이런 논리로 식민지 조선의 향학열을 설명하기도 한다.

그런데 그게 그렇게 단순하지 않다. 나는 당시 시대적 특징으로까지 보이는 높은 학구열에는 매우 복합적인 이유와 배경이 있다고 생각한다. 우선, 우리 대중은 동학을 통해서 '사회적 신분, 가문의 족보와 상관없이 자기 자신이 세계에서 가장 중요하고 가치 있는 존재다'라는 인식을 하게 되었다. 설령 여성일 경우에도 마찬가지였다. 신분제뿐만 아니라 남녀의 차별 역시 서서히 초월하기 시작한 것이다. 여기에 기독교가 들어오면서 서양의 문명을 접한 많은 사람들이 신분제의 한계를 인식하고, 과학적인 사고를 하게 되면서 미신을 비롯한 불합리한 기존의 질서에서 벗어나야 한다는 생각을 갖기 시작했다. 물론 배워서 출세해야 한다는 유교적 출세관 역시 분명히 내재되어 있었을 것이다. 결국 이런 요소들이 복합적으로 작용하여, 나라는 망했어도 대중은 비상한 교육열을 가지게 되었다고 본다.

소설,
글자를 아는 이들에게
너무 가까운 예술

●

교육열이 의미하는 가장 기본적인 변화는 무엇일까. 대중의 문자 해독률이 그만큼 높아진다는 것을 뜻한다. 가장 먼저 배우는 것이 읽고 쓰는 것이 아닌가. 그렇다면 그것은 문자를 기반으로 한 예술에 가까이 가기 쉽다는 것을 뜻한다. 따라서 문자를 읽을 줄 아는 사람이 많아지면 많아질수록 읽을거리에 대한 수요는 점점 늘어나게 마련이다. 그 때문에 소설은 식민지 조선의 근대 여명기에 중요한 역할을 했다. 소설이 활자 매체, 즉 문자를 기반으로 한 예술이기 때문이다.

가장 먼저 배우는 것은 읽고 쓰기였다. 읽고 쓸 줄 아는 이들이 많아질수록 소설을 찾는 이들도 많아졌다. 소설은 글자만 읽을 줄 알면 즐길 수 있는, 누구에게나 곁에 존재하는 예술이었다.

물론 문자를 바탕으로 한 예술 말고도 음악이나 미술, 건축도 존재하기는 했다. 그러나 음악을 즐기려면 오디오 같은 게 있어야 하는데 그런 것이 가까이에 있을 리 없었다. 공연을 즐기는 방법도 있겠지만, 당시 그런 인프라가 웬 말인가. 미술, 건축 등을 대중이 무슨 수로 즐길 수 있었겠는가. 그런데, 소설은? 글자만 읽을 줄 알면 된다. 그렇기 때문에 문자를 기반으로 하는 소설은 우리 대중이 일상적으로 가장 쉽게 접할 수 있는 예술 분야였다.

문학이 근대의 시기에 대중에게 가까이 갈 수 있었던 데에는 또 다른 이유도 있다. 문학은, 특히 소설에는 음악이나 미술과는 다른 속성이 있다. 바로 새로운 문학 양식이 우리나라에 들어왔을 때 기존의 전통적인 문학 양식과 대결할 필요가 없다는 점이다. 이게 무슨 말일까. 서양의 음악이나 미술이 들어오기 이전, 우리에게는 고유의 음악과 미술이 존재했다. 서로 다른 음악, 서로 다른 미술을 하나의 음악 또는 미술이라는 이름으로 부르기는 어려웠다. 그래서 애초에 이 두 개는 분리되어 받아들여졌다. 앞에서 언급한 것처럼 그런 분리는 지금까지도 이어지고 있다.

그런데 문학은 그런 전통과 현대, 우리의 것과 서양의 것의 분리와 단절을 경험할 이유가 없었다. 그것은 대다수의 대중이 한글이라는 문자를 공유하고 있었기 때문이다. 수많은 식민지 국가에서는 제국주의자들의 언어와 식민지 국가의 언어, 즉 지배자들의 언어와 피지배자들의 언어가 구분되어 있었다. 피지배자들은 또 다시 계급으로 나뉘어 쓰는 언어가 달랐다. 예를 들어 식민 지배를 받았던 체코의 귀족이나 관료 들은 체코어를 거의 쓰지 않고, 독일어를 사용했다. 체코어는 그 나라의 하층 계급이 쓰는 말이었다.

이렇듯 식민지 국가에서 지배국인 제국주의의 언어와 피지배국인 전통적인 언어가 공존하고 있는 경우가 허다했다. 아프리카에서도 같은 현상이 나타났다. 프랑스 사람들은 자신들이 점령한 나라에 가서 프랑스어를 쓰는 것이 당연했다. 점령당한 나라의 지배 계급 역시 자신들의 언어를 버리고 프랑스어를 사용했다. 토속어를 쓰는 것은 하층민뿐이었다. 같은 나라 안에서 점령 국민과 피점령 국민 사이, 나아가 피점령 국민 사이에서 지배 계급과 피지배 계급이 사용하는 언어가 완전히 분리되어 있었다.

불행 중 다행으로 우리는 그렇지 않았다. 우리는 식민지가 되기 이전, 세종대왕이 한글을 창제한 이래로 긴 시간 동안 우리 내부의 투쟁을 통해 양반 계급이 '언문'諺文이라고 하대했던 한글이 민족 언어로 사실상 대중에게 완전히 자리를 잡고 있었고, 그 덕분에 수많은 식민지 국가에서 보이는 언어의 분리라는 위기를 맞지 않았다.

물론 일제강점기의 식민지 상류층 혹은 지식인층은 지배자인 일본의 언어를 습득하는 데 혼신의 힘을 다했다. 한일강제병합 첫해에 일본어를 읽고 쓸 수 있는 이가 전 인구의 1퍼센트 미만이었던 것이 1930년이 되면 20퍼센트가 조금 넘는 수준으로 확대되었다니 이 또한 놀라운 신장이긴 하다. 그리고 중일전쟁이 발발하던 1937년 이후부터는 교육기관에서도 조선어를 내쫓고 일본어 상용의 지침을 내렸다는 것은 아마도 알고 있을 것이다.

하지만 스물네 살이 되어서야 모국어인 체코어를 배우기 시작한 작곡가 스메타나Bedrich Smetana, 1824~1884와는 달리 식민지 조선의 지식인 혹은 예술가들은, 미나미 지로南次郎, 1874~1955 총독에게 아예 조선어를 폐기시키자는 이른바 조선어 전폐론을 건의한 악질적인 부역자 현영섭韓永燮, 1906~? 같은 이를 제외한다면(하물며 그는 젊은 시절 사회주의자인 적도 있다), 한글을 읽고 쓰는 데 아무런 장애도 없었다.

그런 연유로 문학은 근대의 시기 대중들이 접할 수 있는 문턱 낮은 예술이었고, 그런 까닭으로 오늘날까지 우리의 문학은 서구의 영향으로부터 어떤 단절 없이 지금껏 향유되어오고 있는 것이다.

근대 이전과 이후, 공동체의 스토리에서 개인의 이야기로

●

혹자는 15~16세기 우리나라에는 영국의 셰익스피어가 쓴 『햄릿』에 버금가는 문학 작품이 왜 없느냐고 한다. 이건 뭘 모르고 하는 소리다. 우리에게도 소설이 있었다. 춘원 이광수가 『무정』을, 이인직李人稙, 1862~1916이 『혈의 누』를 쓰기 이전에 말이다. 특히 한문으로 된 소설은 판타지 소설이라 할 만한 김시습金時習, 1435~1493의 『금오신화』 이후 셀 수도 없이 많이 쓰였다. 다만 한문으로 쓰여 있어서 한글로 번역되기 전에는 우리가 쉽게 접근할 수 없었을 뿐이다.

한글로 된 소설은 없었는가. 아니다. 당연히 있었다. 그런데 당시 한글은 언문이라고 해서 양반가의 여성들이, 또는 밑바닥 민중이 주로 읽고 썼다. 그래서 당시 한글 소설에는 1511년(중종 5)에 발표되었으나 조선 최초의 금서가 되는 채수蔡壽, 1449~1515의 『설공찬전』이나, 허균許筠, 1569~1618의 『홍길동전』을 제외하면 저자의 이름이 없는 경우가 많다. 이른바 전통 소설이라고 불리는 한글 소설은 전설이나 민담, 신화, 영웅담의 영역에서 완전히 분리되지 않고 그런 이야기를 토대로 살을 붙인 것이 대부분이었다. 말하자면 집단 창작에 가깝다. 예를 들면 금방 이해가 간다. 『춘향전』이나 『별주부전』 같은 판소리계 소설을 떠올려보자. 이런 것들은 누군가 이야기를 만들어내기는 했겠지만 최초의 지은이가 누구인지 우리는 모른다. 이런 이야기들은 공동체의 스토리다.

당시 기층 민중은 자기들이 받고 있는 억압과, 그 억압으로부터 벗어나려는 욕망의 공통분모를 가지고 있었다. 이들은 한글을 통해서 의사소통이 가능했고, 그런 욕망의 공통분모를 이야기를 만드는 것에 투영했다. 여기에는 개인이 존재하지 않았다. 그러니까 '춘향'은 단지 한 개인이 아니라 어쩌면 18~19세기를 흐르는 동안 가장 억압받던 여성들의 워너비wannabe 모델일 것이다. 지금은 이렇게 고

생을 하지만 춘향에게 구원자로 이도령이 찾아온 것처럼 결국은 잘생긴 도련님이 와서 나를 구원해주었으면 하는 비현실적인 소망이 이야기에 담겨 있다.

여성들뿐인가. 탐관오리에게 뜯기고 사는 일반 민중의 분노도 고스란히 반영되어 있다. '아, 정말 이몽룡 같은 암행어사가 와서 우리를 괴롭히는 저 수많은 변학도 같은 탐관오리를 물리쳐주면 좋겠다'는 꿈이 담겨 있다.

이런 비현실적인 이야기가 대중에게 인기를 얻는 현상은 지금도 똑같다. 예쁜 스턴트우먼이 잘생긴 재벌 2세와 결혼하는 드라마가 엄청나게 인기를 끌었지만, 그런 일이 현실에서는 결코 일어나지 않는다는 것을 모르고 보는 사람은 없다. 정의로운 검사가 조직의 문제점을 까발려 유력 정치인이나 언론사 간부, 상관 등을 줄줄이 옷 벗게 만드는 게 거의 허구에 가깝다는 것을 잘 알지만 그래도 그런 류의 드라마나 영화가 끝없이 만들어지는 것은 대중의 욕망이 현실의 부조리를 응징하고 싶어하기 때문이다.

옛날 한글 소설들이 그랬다. 사람들은 공통의 의사소통 도구인 한글을 통해 그런 이야기를 만들고 보태고 유포했다. 누구 한 사람을 저자로 내세우지 않았다는 차이가 있을 뿐, 옛날에 우리에게 소설이 없었다고 말할 수는 없다.

그런데 드디어 저작권자로서의 개인, 그리고 주인공으로서의 개인적 자아가 우리가 근대라고 부르는 이 시대에 서서히 출현한다.

왜 『무정』을 근대적 장편소설의 시작이라 부르는가

●

1917년 우리나라 최초의 근대 장편소설인 춘원 이광수의 『무정』이 등장했다. 공교롭게도 『무정』이 탄생한 1917년에는 러시아 혁명이

○ 이광수의 『무정』은 전통적인 봉건시대의 소설과 완벽하게 결별하고, 개인의 화법으로 이야기하기 시작했다. 개인의 특수성과 공통적 상황이 한 편의 소설 안에서 문체를 통해 하나로 완성되었다.

일어났고, 박정희朴正熙, 1917~1979가, 윤이상尹伊桑, 1917~1995이, 그리고 가장 불우했던 천재 작곡가 김순남金順男, 1917~1986이 태어났다. 세계사적으로나 우리 역사적으로나 1917년은 굉장히 흥미로운 해다.

소설 『무정』의 출현은 신선하고 새로운 일이었다. 춘원 이광수는 어쨌거나 일본 유학을 다녀온 계몽 엘리트였다. 1905년에 일진회의 배려로 메이지明治학원에 중학 3년으로 편입해서 공부했던 그는 이 무렵부터 단편소설을 발표하면서 문학 활동을 시작했다. 1910년 학교를 졸업하고, 고향인 정주에 있던 오산학교五山學校에서 학생들을 가르치다가 1915년에 다시 도쿄 와세다 대학 철학과를 다녔다. 그런 그가 1917년 1월 1일부터 『매일신보』每日申報에 『무정』을 연재함으로써 그는 우리 문학의 새로운 역사를 쓴 셈이다.

그런데 어째서 우리는 이광수의 『무정』을 근대적 장편소설의 효시라고 하는가. 그것은 그전의 이 땅의 소설에서 보지 못했던 좀 더 근본적이고 놀랄 만한 변화가 『무정』을 통해 이루어졌기 때문이다. 이광수는 『무정』을 통해 그 이전까지 개인이 존재하지 않았던 전통적인 봉건시대의 소설과 결별하고, 개인의 화법으로 이야기하기 시작한다. 그 이전의 『장화홍련전』이나 『숙영낭자전』은 그 여주인공 개인을 이야기하는 것이 아니었다. 그 여주인공을 빌려 그 시대 여성들의 희망과 욕망을 드러내는 것이었다.

그런데 『무정』에서는 '박영채'라는 독자적 개인이 자신만의 이야기를 한다. 바로 개인의 독립이 이야기 속에 등장한 것이다. 이것이 이광수의 『무정』이 그 이전의 이야기와 다른 점이다.

다른 점은 물론 더 있다. 대사와 지문의 표현의 차이 역시 『무정』을 통해 드러나기 시작했다. 대사는 철저히 캐릭터 개인의 것이며, 지문은 객관적인 상황을 전달하는 도구인데 이 대사와 지문이 완전히 분리된 것이다. 이게 무슨 말인가. 『무정』에 등장하는 개인들의 총합, 즉 각각의 캐릭터는 개별자이지만 이들은 책 전체를 관통하는 지문을 통해 하나의 시대와 상황을 만들어내고 있다. 그럼으로써 개별적 개인들이 가지고 있던 각자의 특수성의 총합과, 이들에게 공통으로 주어진 상황이라는 보편적 전제들이 한 편의 소설 안에서,

처음부터 마지막까지 일관적인 문체를 통해 하나로 완성된다.

이것은 곧 『무정』과 그 이후의 소설들이 그 이전까지 모든 것들이 마법화되거나 하나의 거대한 담론 속에서 혼융되어 있던 고대 소설의 체계로부터 벗어났음을 의미한다. 따라서 우리는 『무정』을 근대 소설의 출발이라고 말하는 것이다. 물론 그렇다고 해서 근대가 그 이전의 것에 비해 우월하다고 말하고 싶지는 않다.

『무정』의 특징은 건조하지만 구체적인 일상성을 드러내는 문체에서도 여실히 드러난다. 여기에서 번역투의 근대적 문체가 등장했다. 가령 그 이전의 소설은 '했느니라'로 문장이 끝났다면 『무정』에서는 '다'로 문장이 끝난다. '그'와 같은 3인칭 대명사의 등장도 『무정』을 통해 우리 소설의 문체로 자리잡았다. 당시 이런 변화는 엄청난 것이다. 말 그대로 익숙한 것으로부터의 결별이었다.

고대 소설에 이어 신소설을 읽다가 『무정』을 읽으면 이광수라는 작가가 달리 보인다. 그는 내가 볼 때 천재다. 이런 작품을 1927년도, 1937년도 아닌 1917년에 썼다는 것은 소설에서 일어난 천지개벽과 거의 맞먹는 수준이라고 본다. 그것도 우리 나이 스물여섯 살의 청년이 해냈으니 천재가 맞다. 그 이전에는 『무정』처럼 쓴 사람이 아무도 없었다.

『무정』을 읽다 보면 이 시대에 이렇게 새로운 소설을 쓴 이광수의 '허점'이 간혹 보여 재미있다. 잘 나가다가 갑자기 말투가 할아버지 투로 바뀌는 장면이다. 근대 소설의 새로운 문장으로 내내 써나가다가 어느 순간 '그리하여 영채는 어찌 되었던가' 하는 식의 고대 소설 문투가 툭, 튀어나온다. 당시만 해도 소설 속에서 합리적으로 시간과 공간을 설정하는 것이 어려웠다. 그런 장면에서 그는 근대적 문체를 쓰지 않고 옛날 장화홍련 식의 문체를 썼다는 것은 흥미로운 포인트다. 문장만은 아니다. 특히 영채가 자살하러 가는 기차 안에서 형식을 만났다가 다시 그 뒤에 재회하는 장면 같은 대목들은 영낙없는 『숙영낭자전』이다. 이광수도 하늘에서 뚝 떨어진 존재가 아님을 보여준다.

그가 『무정』을 쓰기 전까지 접한 이야기라는 것이 뭐였겠는가.

일반 대중과 큰 차이가 있었겠는가. 그 역시 『장화홍련전』이나 『숙영낭자전』을 읽으며 자랐을 것이다. 그러니 타고난 천재적 재능으로 새로운 문을 열어젖히긴 했지만 어딘가에서 막히면 익숙한 방식, 그동안 보고 읽어온 옛날의 표현 방식이 자기도 모르게 튀어나오는 것이다. 그런 과도기적 허점을 보여준다는 점에서도 『무정』은 매우 재미있는 소설이다.

너의 소설은 순수예술이냐, 대중예술이냐

●

1920년대 말부터 1930년대까지 식민지 조선의 예술가들은 소설을 둘러싸고 치열한 논쟁을 벌였다. 글을 쓰는 사람들은 스스로를 지식인으로 자처하기에, 자신들이 하는 예술 행위를 옹호할 수밖에 없다.

조용필 같은 한 시대를 풍미한 슈퍼스타 뮤지션은 자기 예술에 대해서 절대 말로 변호하지 않는다. 아니, 할 필요가 없다. 그의 침묵 뒤에는 수십 수백만 명의 절대적인 지지자들이 있기 때문이다. 다시 말해, 그의 존립 근거는 한줌 지식인층의 평가에 있지 않고, 시장에 있는 까닭이다. 그는 논리가 아니라 현실의 승리자인 것이다. 그러나 글을 쓰는 사람은 다르다. 아주 미세한 차이를 가지고, 정작 그걸 읽는 독자는 아무 관심도 없는데, 자기들끼리 이러니저러니 말이 많다. 다른 예술에 비해 문인은 자신이 지식인이라고 생각하는 자의식이 강한 탓이다.

1920년대 말부터 1930년대까지 식민지 조선의 예술가들은 과연 무엇 때문에 싸웠는가. 소설을 통속소설 또는 대중소설과 예술소설로 나눠놓고 서로 싸웠다. 근대적인 장편소설이 등장한 지 20년도 채 안 되었을 때인데, 어쩌다가 통속소설론 또는 대중소설론이나 예술소설론이 나와서 왜들 그렇게 싸웠을까. 이 대목이 중요하다.

○ 대중예술이냐 순수예술이냐, 하는 논쟁은 서구 부르주아 계급의 엘리트주의적 편견이 식민지 조선의 문학계를 지배하고 있었음을 보여준다. 이런 이분법은 대중문화의 범람 앞에서 주도권을 놓치지 않으려는 부르주아 계급의 인위적인 장치에서 비롯된 것이다.

우리가 중고등학교 때 배운 교과서에 실린 이 시기의 소설 중 생각나는 게 뭐가 있는가. 염상섭廉想涉, 1897~1963의 『표본실의 청개구리』, 현진건玄鎭健, 1900~1943의 『빈처』 등등이 있다. 지금은 정규 교과과정을 밟은 사람이라면 한 번쯤 들어봤을 정도로 유명한 작품과 작가들이지만 이런 류의 소설은 당시 거의 읽히지 않았다. 우리는 김동인金東仁, 1900~1951 하면 『감자』를 먼저 떠올리지만 김동인의 이름을 세간에 알린 것은 신문에 연재했던 통속적인 장편소설이었다. 무슨 말일까. 이른바 예술소설을 당시 대중은 별로 좋아하지도 않았고, 대부분 그런 게 있는 줄도 몰랐다.

이 땅의 국문과에 진학하면 전부 그런 예술소설들만 배운다. 대중소설은 아예 연구 대상에서 제외한다. 가령 김홍신金洪信, 1947~의 『인간시장』을 가지고 본격적으로 비평하는 문학평론가를 본 적이 있는가? 이런 상황이 어제오늘의 일은 아니다. 근대 소설이라는 것이 우리나라에 등장한 지 불과 20년 남짓 되었을 때부터 대중소설이냐, 예술소설이냐를 두고 편가르기를 한 것이 우리 문학계다.

그러니까 처음부터 우리에게는 그런 게 있었다. 예술이 있고, 예술의 탈을 쓴 쓰레기가 있다고 딱 나눠놓고 본 것이다. 시작 단계에서부터 엘리트주의의 못된 성질이 개입한 것이다. 그래서 실제로 우리가 그야말로 대중에 기반을 둔 대중소설이라고 말하는, 혹은 통속소설이라고 말하는 작품은 일제강점기부터 담론에서 배제되었다. 이런 문학 담론을 주도했던 것은 모더니즘 계열이거나 리얼리즘, 사회주의 계열이었다. 모두 다 대중에게 외면당하기는 마찬가지였는데, 그러면서도 자기들끼리는 대단한 예술을 하는 것처럼 대중소설을 무시했다. 그들의 눈에 대중소설은 못 배운 사람들이 열광적으로 읽는 예술 이하의 것이었다.

물론 이런 모더니즘 계열이라든지 팔봉 김기진金基鎭, 1903~1985 같은 조선프롤레타리아예술가동맹Korea Artista Proleta Federatio, 즉 카프KAPF 계열에 있던 사람들도 전술적으로 이 대중소설과의 제휴를 꿈꾼 적이 있다. 많이 팔려야 자신들이 생각하는 문학관이 증명되는 셈이니 전략적으로 '우리도 연애소설, 역사소설을 쓴다', 이런 주장을 간간히 한 적은 있었다. 그렇지만 그들이 가지고 있던 선험적인 이 기준은 영원히 버리지 못했다. 그 결과 모더니즘 또는 리얼리즘이나 사회주의 계열, 어느 쪽에도 속하지 않은 대중소설은 우리 문단에서, 우리나라의 예술 문화 담론의 영역에서 처음부터 배제되었다. 이런 배제의 폐해는 그때만으로 끝난 게 아니다. 이런 어처구니없는 엘리트주의가 오늘날에도 초중등 교육의 커리큘럼을 지배하고 있다.

우리가 중고등학교 다닐 때 밑줄을 그어가며 배웠던 김동인, 나도향羅稻香, 1902~1926, 염상섭 등의 작품들 그리고 『백조』니 『폐허』니 하는 당대 문인들이 모여서 만든 동인지同人誌, 이런 책과 잡지들은 200부도 안 팔렸다. 그럼 어떤 책이 많이 팔렸을까. 일제강점기에 제일 많이 팔린 소설은 김말봉金末峰, 1901~1962의 『찔레꽃』이라는 연애소설이었다. 일제강점기에 이미 50쇄를 찍었고, 1960년대까지도 꾸준히 팔렸다. 김말봉의 『찔레꽃』과 더불어 연애소설계의 쌍벽을 이루던 박계주朴啓周, 1913~1966의 『순애보』도 한 30년 동안 베스트셀러였다. 그런데 이런 작품들은 교과서에 나오지 않기 때문에 우리는 그런 소설이 있다는 사실조차 모른다.

그러니까 이때부터 서구 부르주아 계급의 기기묘묘한 엘리트주의적인 편견이 우리 문학계를 지배하고 있었던 셈이다. 이는 비단 우리만의 현상은 아니다. 상대적으로 진보적인 예술사학자라고 할 수 있는 아놀드 하우저Arnold hauser, 1892~1978도 여기에서 벗어나지 못했다. 그의 책 『문학과 예술의 사회사』*Sozialgeschichte der Kunst und Literatur*, 1951에서 그는 교묘하게 비엘리트 계층의 예술을 통속예술과 대중예술로 나눈다. 그러면 그가 말하는 통속예술과 대중예술은 무엇일까. 아놀드 하우저의 정리에 따르면 대중예술은 이른바 시장의 상업적 요구에 부응해서 만들어지는 예술 작품이고, 통속예술은 주로 사회의 밑바닥 계층이 어떤 도시화 또는 상위 계급의 문화를 흉내 내려는 욕망에 기인한 예술 행위를 말한다. 하우저는 은연중에 이 두 예술은 진정한 예술이 아니라 인간의 속물적인 욕망을 직접적으로 반영한 것에 불과한 쓰레기라고 본다.

그러면 도대체 어디서부터가 순수예술이고 어디서부터가 통속 혹은 대중예술인 것일까? 그렇다면 김동인이나 이광수의 작품은 어떤 부분이 순수예술의 범주에 들어가고 어떤 부분부터 통속성을 드러내고 있는가. 누구도 명쾌하게 이 질문에 답하는 걸 본 적이 없다.

예술을 두고 순수예술이냐, 통속예술 또는 대중예술이냐, 라고 구분한 뒤 특정 작품에 대중적 또는 통속적이라는 딱지를 붙여서 이른바 고급과 저급을 나누는 이분법은 문화의 향유 주체가 확산되면서 벌어진 일이다. 예전에는 문화란 있는 사람, 배운 계급에서만 즐기는 것이었다. 그런데 문화의 향유가 피지배 계급인 대중으로 확산되면서 그들이 즐기는 작품들이 가히 범람하게 되자 당혹스러운 건 대중문화 시대의 지배 계층인 부르주아 계급이었다. 문화의 주도권은 항상 자신들 차지여야 하는데, 자칫 잘못하다가는 시장에 권력을 내주어야 할 처지가 된 것이다. 어쩌면 순수예술과 대중예술의 이분법은 뜻하지 않게 등장한 대중문화의 범람 앞에서 주도권을 놓치지 않기 위해 부르주아 계급이 적용한 인위적인 장치라고 할 수 있다.

그래, 좋다. 이런 이분법이 '왜' 만들어졌는지는 이해하겠다. 그런데 '어떻게' 적용되어야 하는가는 그때나 지금이나 답이 없다. 염상섭의 『표본실의 청개구리』는 진정한 순수예술 작품이고, 반면 우리나라 최초의 성공적인 추리소설이라고 할 수 있는 김내성金來成, 1909~1957의 『마인』魔人은 소설도 아닌가? 그러면 순수예술과 통속예술을 나누는 기준은 누가 정하는가. 그런 권력은 누구로부터 부여받은 것이며, 그런 권력으로 예술 작품의 범주를 나누는 것이 과연 가능하기나 한 일인지도 나는 잘 모르겠다.

소설이란 장르는 서구에서도 대중적인 출판 시장의 성립을 전제로 만들어졌다. 여기에는 작가의 개성만큼이나 다른 취향이 존재할 뿐이므로 이것을 예술소설과 통속소설 혹은 대중소설로 나누는 것 자체가 부르주아 계급의 지적 오만이라고 생각한다. 그들은 그것을 판정할 권리가 없다.

그런데 이러한 서구 부르주아 계급의 소설관이, 소설의 시대가 도래한 지 채 20년이 되기도 전에 손바닥만 한 식민지 조선의 문단에서 등장했다는 것은 놀라운 일이 아닐 수 없다. 또한 그 이분법이 100년이 지난 지금까지도 여전히 통용되고 있다는 사실이 놀랍다.

멜로드라마의 등장

●

1930년대에 들어와서 식민지 조선 땅에는 대중이 좋아하는, 지금도 소설에서 많이 사용되는 '멜로드라마'melodrama라는 개념이 등장한다. 멜로드라마의 원래 뜻이 무엇인가? 멜로는 멜로스melos, 즉 노래를 말하고 드라마는 연극을 말하므로 멜로드라마는 글자 그대로 노래극, 그러니까 지금의 뮤지컬이란 뜻이겠다. 애초의 뜻은 고대 그리스의 공연 형식을 말하던 것인데, 오늘날 멜로드라마를 보면서 고대 그리스의 공연 형식을 떠올리는 사람은 없을 것이다. 당연히 우리가 말하는 멜로드라마는 그런 뜻이 아니다.

처음 이 단어를 사용한 것에는 다분히 비하의 의도가 들어 있었다. 드라마에 '노래'가 들어갔다는 게 무슨 말이겠는가. 치밀하게 언어로 만들어지지 않았다는 것을 의미하는데, 뮤지컬 구조를 보면 알 수 있다. 뮤지컬의 구조는 우리가 다 뻔하게 알 수 있는 것들이다. 갈등이 조금 나오는가 싶으면 대충 노래를 부르고, 왜 여기서 저 둘이 갈등에 빠진 건지 좀 더 자세히 이야기해주면 좋겠는데 노래하고 화해하고 끝난다.

물론 〈레미제라블〉Les Miserables 같은 뮤지컬도 있다. 빅토르 위고의 원작을 바탕으로 만든 이 작품은 1980년 프랑스의 체육관에서 첫 공연을 한 뒤 석 달 동안 100회 공연을 했다. 이후 매킨토시Sir Cameron Anthony Mackintosh, 1946~와 로열 셰익스피어 극단이 손을 잡고 1985년 런던에서 다시 무대에 올린 뒤 수많은 사람들을 공연장으로 불러들였다. 이후 몇 번 종영의 위기를 맞았지만 그때마다 관객들이 다시 몰려들기를 반복하여 미국 브로드웨이로 건너가 지금

○ 멜로드라마라는 용어 자체가 계급적인 시각에서 출발했다. 그것은 처음부터 누군가 위에서 아래로 내려다보면서 대중이 누리는 통속적이고 작위적인 소설의 이야기 구조를 비하하는 의미로 사용되었다.

까지 최장기 뮤지컬 기록을 보유하고 있는 작품이다. 문학성이 뛰어난 가사, 기가 막힌 음악과의 끝내주는 조화, 배우들의 뛰어난 연기, 무대장치 등등 이 작품의 성공 요인은 셀 수 없이 많다.

그렇다고 모든 뮤지컬이 다 〈레미제라블〉 같다고 생각하면 안 된다. 〈레미제라블〉은 뮤지컬 100년 역사를 통틀어, 그 이전에도 없었고 그 이후에도 없을 아주 예외적인 작품이다. 매킨토시가 이를테면 제정신 아닐 때 제작한, 극단적으로 아주 예외적인 작품이다. 본래 원작자가 프랑스어로 만들었을 때는 다섯 시간 30분짜리였다. 매킨토시가 두 시간 분량을 들어내고, 프랑스어로는 흥행에 한계가 있다고 판단해서 영어로 바꿔서 새롭게 만들어낸 것이다. 두 시간을 들어내고도 뮤지컬로는 완벽한, 있을 수 없는 내러티브를 만들어냈다. 그런 것은 가끔씩 인간의 본분을 잠시 잊을 때 나오는 것이다.

〈레미제라블〉 외에 대부분의 뮤지컬을 보면 지금도 말이 안 되는 스토리가 많다. 노래가 들어가기 때문이다. 한창 감정이 고조되다가도 노래가 나오는 순간 모든 내러티브는 멈추고 만다. 이래가지고는 이야기를 짤 수가 없다. 서사에 목숨을 거는 사람들이 보면 이야기가 엉성하다고 느낄 수밖에 없다. 이야기를 잘 짜지 못하는 사람들이 꼭 적당한 순간에 노래 한 곡 집어넣어서 슬쩍 넘어가는 것처럼 보인다. 우리나라 TV드라마도 간혹 보면 그렇다. 말도 안 되는 상황인데, 갑자기 주제가가 흐르면서 공원의 빈 벤치를 보여주고 다음 장면으로 넘어간다. 이런 장면을 소위 멜로드라마 형식에서 많이 볼 수 있다.

그러니까 멜로드라마가 처음 등장했을 때 우리는 그것이 언어로 뭔가를 제대로 설명할 능력이 안 되는 자들이 어설프게 만들어내는 서사 구조라고 인식했다. 그래서 이른바 클리셰Cliché, 그러니까 어느 날 갑자기 우연히 만나 뜨거운 사랑에 빠진 남녀가 알고 보니 남매였더라, 뭐 이런 진부한 억지 스토리를 멜로드라마라고 부르게 되었다.

이런 작법이 어릴 때부터 예술 교육을 받은 서구의 귀족들에게 통할 리 없었다. 예술에 대한 교육 기반이 적은 일반 서민들을 중심으로 수용되기 시작하면서 점점 더 그들의 교육 수준과 취향에 맞게 만들어졌다. 이런 작품을 두고 비아냥거리는 의미에서 멜로드라마라고 부르게 된 것이다.

그런 멜로드라마 중에서 사람들이 제일 좋아하는 주제가 무엇일까. 당연히 사랑, 그것도 남녀의 연애담이다. 그래서 점점 더 남녀 간의 애정사를 담은 사랑 이야기를 많이 다루게 되었다. 그 결과 멜로드라마 하면 연애담으로 인식되고 있지만, 본래 멜로드라마가 연애 이야기는 아니었다. 이렇게 계급적인 시각에서, 누군가 위에서 아래로 내려다보면서 대중이 누리는 통속적이고 작위적인 소설의 이야기 구조를 비하하는 의미에서 멜로드라마라고 부르기 시작했다는 것을 알아두어야 한다.

예술의 새로운 지배 계층, 부르주아 계급

●

대중소설이라고 하는 개념에는 새로운, 이른바 '산문적 질서'를 요구하는 계급이 등장한다. 바로 부르주아 계급이다. 귀족은 애초에 갈등할 이유가 그다지 없고, 위기에 빠질 위험도 없기 때문에 산문적 질서를 필요로 하지 않았다. 태어날 때부터 귀족이었고, 태어날 때부터 왕족이었던 자들은 살면서 어떤 갈등도 원치 않았고, 갈등에 빠져서도 안 되었다. 더구나 위기에 빠진다? 더더욱 안 될 일이었다. 그래서 그들에게는 오로지 신화적이고 영웅적인 운문의 세계만이 필요했다.

하지만 부르주아 계급은 달랐다. 부르주아 계급이 누구인가. 천부적으로 지위를 타고난 제1계급인 성직자, 제2계급인 귀족과 투쟁하면서 계급의 지위권을 획득한 이들이었다. 이런 부르주아 계급에게는 위기와 갈등이라는 속성이야말로 자신들의 계급적인 성분이었다.

○ 부르주아 계급은 투쟁을 통해 자신의 지위를 획득했다.
그들에게 위기와 갈등은 계급적 성분이었다. 가장 드라마틱한 규칙이었다.
장편소설에 이 장치가 빠져서는 안 될 말이었다.

만약 우리가 주인공이 어떠한 위기나 갈등도 겪지 않는 소설을 읽는다면 어떤 기분이 들까. 예를 들어 좋은 집안 출신의 정말 잘생기고 착한 데다가 공부도 잘하고 농구도 잘하고 학생회장이기도 한 애가 있다고 치자. 그런데 그 애가 서울대 법대를 들어가더니 사법고시를 한 번에 통과해서 유명한 변호사가 되었다. 부모가 부자라 원래도 부자인데 변호사가 되어 돈도 더 많이 벌고, 아름답고 착한 여자랑 결혼했다. 그러더니 살면서 좋은 일도 많이 하고 행복하게 아들딸과 살다가 천수를 누린 뒤에 평화롭게 죽었다. 이런 소설을 우리더러 읽으라고 하면 어떻겠는가. 벌써 우리는 그런 걸 소설이라고 생각하지 않는다.

당연히 우리는 뻔한 결론을 알면서도, 주인공은 절대 죽지 않는다는 것을 알면서도 주인공이 숱한 고난과 역경을 헤쳐 나가야 하고, 죽을 고비도 몇 번 넘겨야 한다고 생각한다. 남녀 주인공의 사랑이 결국에는 이루어질 줄 알면서도 집요하게 둘의 사랑을 방해하는 악역도 나오고 온갖 운명의 장난이 개입하는 과정이 있어야 한다고 생각한다. 우리에게는 너무나 익숙한 이 클리셰, 이 약속을 다 알고 있으면서도 주인공을 따라 좌절하고 가슴 아파하는 등 감정을 이입한다. 만약 이런 클리셰에 어긋나면 원성을 내지른다.

이런 당연한 규칙이 생긴 지 200년 정도밖에 안 되었다. 이런 규칙은 바로 부르주아 계급의 것이다. 이것이야말로 부르주아 계급이 보기에 가장 드라마틱한 규칙이었다. 그런데 이런 소설은 부르주아 계급만이 아닌 많은 사람들에게 어떤 미학적 흥분을 불러일으켰고, 그 수용자들이 엄청나게 확산되었다. 그렇게 해서 위기와 갈등이라는 장치가 장편소설에 등장하게 된 것이다.

그 반대편 관점도 있다. 소설이란 장르는 인류의 예술사에서 매우 중요한 의미를 지닌다. 모든 예술 분야를 통틀어 소설은 드디어 자기 이름으로 서명한 작가가 자신만의 힘으로 시장에서 존속할 수 있는 최초의 장르였다. 다시 말해서 소설은 그 작품의 생산자로 하여금 왕이나 교황의 후원이 아닌 익명의 독자들에 의해 먹고살 수 있게 해준 최초의 장르다.

그 이전의 화가나 작곡가 들은 왕이나 귀족의 후원을 받아야만 예술 작품을 만들 수 있었다. 시장이 형성되지 않았기 때문에 그들이 사주지 않으면 작품을 만들어도 팔 곳이 없었다. 그런데 소설은 작가가 작품을 써서 출판을 하면 익명의 대중이 그 책을 구매하고, 그로 인한 수입으로 생존이 가능해졌다. 즉 누구의 후원이나 호의에 기대지 않는 독자적인 예술가로서의 사회적 지위를 획득할 수 있게 해준 최초의 장르였던 것이다.

이런 예술에 대한 새로운 지배 계층이 된 부르주아 계급의 욕구와 예술 시장에서의 독립이라는 욕구가 만나면서 만들어진 역사적 산물이 바로 장편소설이라는 것이 소설의 탄생을 바라보는 또 하나의 관점이다.

여기에는 서구 특유의 이분법적 대립이 개입한다. 바로 선과 악, 빈과 부다. 이것은 지금 우리가 보는 모든 드라마에도 대부분 들어 있다. 물론 현실은 절대 그렇지 않다. 가난한 스턴트우먼은 재벌 2세 남자와 연애를 하기는커녕 길에서 마주칠 일도 없다. 잘생기고 친절하고 로맨틱한 특전사 대위도 만나기 힘들지만 그 장교가 엘리트 여자 의사와 사랑에 빠지는 일은 기적에 가깝다. 그런 엄연한 현실을 모르는 바 아니면서도 눈물 콧물 흘리면서 보는 것은 우리의 욕망을 드라마를 통해서라도 잠시나마 해소하려는 욕구 때문이다.

드라마를 보다 보면, 누가 봐도 주인공과 닮은 점이 하나도 없는데, 스스로를 미녀 주인공이나 '훈남' 주인공에게 투사하거나 동일시하게 된다. 이것이 드라마를 보는 우리의 자세이자, 감춰진 욕망이다. 그런 욕망의 상징적인 표현이 집약된 것이 바로 소설이다. 그래서 소설은 '낯섦'이라는 미학적 장치를 필요로 하지 않고 굉장히 익숙하고 친숙한 것을 요구한다. 그러니까 우리가 낯선 드라마투르기를 가진 소설을 읽기가 힘든 것에는 다 이유가 있는 것이다. 낯선 소설을 잘 못 읽는 건 그러니까 우리 잘못이 아니다.

사무엘 베케트Samuel Beckett, 1906~1989의 〈고도를 기다리며〉라는 연극은 상연 시간이 꽤 길다. 알다시피 이 연극에는 아무런 사건이 일어나지 않는다. 그냥 두 명의 배우가 나와서 계속 같은 말만 반복한다. '고도가 어디쯤 왔을까', '고도는 올까?' 우리는 한 번도 등장하지 않는 '고도'가 누군지도 모른다. 나는 대학교 1학년 때부터 시작해서 지금 이 순간까지 내 평생 그 연극을 끝까지 보기 위해 세 번을 도전했다. 가장 최근의 도전은 2007년이다. 세 번 다 똑같은 극장이었고 연출자도 같은 사람이었다. 어느덧 그 연출자는 백발이 되었다. 그런데 나는 세 번 다 끝까지 보지 못했다. 매번 중간에 자는 바람에 그렇게 됐다. 2007년에 보러 가면서 나는 생각했다. 그래도 젊을 때보다 아는 것도 많아졌을 테고, 세상을 보는 눈도 깊어졌을 테니 대학교 1학년 때보다는 낫겠지, 나도 이 나이쯤 됐으니 이 명작을 제대로 보면서 뭔가 인생의 깊이를 느껴볼 수도 있으려니 했다. 그런데 젊을 때보다도 더 일찍 잤다. 자다 깼을 때 나는 사람들이 어떻게 이런 명작을 보면서 잘 수 있느냐고 비난할 줄 알았다. 그런데 아무도 중간에 자버린 나를 비난하지 않았다. 왜냐하면 관객 중 3분의 1이 나처럼 중간에 자버렸기 때문이다. 코미디다.

연극이든 영화든 소설이든 그렇게 '아방가르드'한 작품이 많다. 앤디 워홀Andy Warhol, 1928~1987은 미술가로 유명하지만, 사실 이 사람은 영화감독이기도 했다. 그가 1964년에 만든 영화 중에 〈엠파이어〉Empire라는 여덟 시간짜리 영화가 있다. 이 작품은 딱 한 장소에서 엠파이어 스테이트 빌딩을 여덟 시간 동안 찍은 거다. 이 영화에서 일어나는 최대의 사건이란 낮이 밤이 되는 것이다. 감독이 그런 영화 찍고 싶으면 그래, 찍을 수도 있다고 생각한다. 단, 자기 돈으로. 그런데 몇몇 평론가들이 그 영화를 두고 영화사의 한 페이지를 장식하는 기념비적인 작품이라고 평가하는 것은 말리고 싶다. 그런 평가 자체가 특정한 계급적 시각에 바탕을 둔 것이라는 점을 간과해서는 안 된다.

근대 이전,
우리에게는
이미 소설이 있었다

●

본격적인 근대 소설이 나오기 전, 우리는 이미 소설을 접해왔다. 언문, 그러니까 한글로 쓰인 소설은 생각보다 긴 역사를 가지고 있다. 이런 소설을 방각본坊刻本 소설이라고 한다. 내 세대 사람들이 어릴 때만 하더라도 할머니 방에 가보면 한두 권씩 꼭 있었다. 알록달록한 그림이 그려져 있고 붓글씨체로 인쇄된 소설책. 방각본이라고도 하고 혹은 딱지본이라고도 불렀다.

방각본이란 조선시대 공식적인 출판 인쇄 기관이 아닌 사적인 곳에서 찍어낸 판본을 말한다. 필사본으로 전해지던 것을 영리를 목적으로 판각版刻하여 대량으로 찍어냈다. 방각본에도 판이 있다. 경판京板, 완판完板, 안성판安城板. 책을 찍어내는 업자의 소재지에 따라 나뉜다. 경판은 한양, 즉 지금의 서울에 있는 업자가 찍어낸 것, 완판은 전주에 있는 업자가 찍어낸 것, 안성판은 안성에 있는 업자가 찍어낸 것이다. 완판은 전주의 옛 이름이 완산주여서 붙은 이름이다. 똑같은 『춘향전』이라도 판본별로 이야기가 조금씩 다르다. 애초에 저자가 누군지도 정확하지 않고, 그때만 해도 저작권 개념이 없었기 때문에 일어나는 현상이었다. 그러다 보니 같은 제목의 소설이 판본에 따라 전개 과정은 물론 결말까지도 다른 경우가 있다. 그래서 어디 판본이냐가 중요하다.

방각본은 임진왜란이 일어나기 전, 선조 9년 그러니까 1576년부터 시중에 돌기 시작했다. 이때를 특정한 것은 지금까지 발견된 방각본 중 가장 오래된 것이 이때 나온 책이기 때문이다. 처음에는 소설이 아니라 주로 우리가 지켜야 하는 예절 또는 처세 등에 대한 이야기를 담은 책들이었다. 그러다 1592년 임진왜란이 일어나면서 계급 구조가 흔들리고, 18세기 말부터 조선 사회의 신분제적 혼란이 일어나는 사회 변화와 맞물려 방각본계에서 소설이 압도적인 지위

○ 우리 소설의 역사는 근대에 시작된 것이 아니다. 진정한 의미의 소설의 역사는 18세기로 거슬러 올라간다. 특히 조선이 몰락하기 시작한 순조 시대부터 이미 소설의 시대는 시작되었다.

를 차지하기 시작한다.

그때 나온 소설들은 주로 이전에 쓰인 한문 소설을 번안하거나 민담이나 영웅담에서 가져온 이야기, 판소리의 줄거리를 책으로 만든 것들이었다. 가장 인기를 끌었던 것은 역시 판소리에서 넘어온 판소리계 소설, 판소리계 방각본이었고, 이런 방각본 소설들이 19세기로 넘어오면서 민간에서 엄청난 인기를 누렸다.

그러니까 우리는 근대에 접어들어 우리 소설의 역사가 시작되었다고 말하지만, 진정한 의미의 소설의 역사는 18세기 후반에서 19세기, 특히 조선이 몰락하기 시작한 순조 시대부터 시작되었다고 보아야 한다.

방각본 소설 시대의 이데올로기는 딱 네 글자의 사자성어로 요약된다. '권선징악'. 언제나 악이 등장하고, 선은 언제나 악으로부터 핍박을 받지만 끝내는 승리한다는 뜻이다.

서구의 통속소설들도 이와 비슷한 구조를 갖고 있었다. 서구의 통속소설에도 언제나 악한이 등장하고 언제나 박해받는 미인이 등장한다. 이것이 소설 전반의 중요한 구조다. 여기에 대중을 웃기는 익살꾼이 꼭 깍두기로 등장하는데 선인, 악인, 그리고 익살꾼으로 구성된 이 삼각형의 구도는 희한하게도 동서양의 소설에서 공통적으로 보이는 구조다.

우리나라 탈춤에서도 이런 익살꾼 캐릭터가 등장한다. 바로 '말뚝이'다. 이 말뚝이가 극을 이끌어가면서 양반을 풍자도 했다가, 상황을 설명하기도 하면서 종횡무진으로 활약한다. 일종의 참여적 관찰자다. 이런 말뚝이가 서구 통속소설의 구도에서는 익살꾼에 해당한다. 이렇게 대중이 이야기를 향유하고 소비하는 문화가 저변에 깔려 있었으니, 우리 생활에서 소설이 등장한 것은 생각보다 더 오래전의 일인 셈이다.

신소설은 안 되고, 근대 소설은 가능케 했던 그 무엇

●

그렇게 18세기와 19세기를 보낸 뒤 이제 19세기 말인 구한말, 즉 개화기에 이르러 신소설이 등장한다. 아마 자동으로 튀어나오는 이름이 있을 것이다. 이인직의 『혈의 누』다. 우리가 귀가 닳도록 배운 바대로 신소설의 시대를 처음 연 사람은 이인직이다.

이인직이 어떤 사람이냐 하면 그는 1세대 친일파다. 그는 중인 계급 출신이다. 1884년에 갑신정변을 주도한 인물 중 하나인 급진개화파 박영효朴泳孝, 1861~1939가 1882년에 처음으로 수신사 사절로 일본을 다녀온 이후, 조선의 조정은 일곱 차례에 걸쳐서 일본에 국비 유학생들을 파견했는데, 첫 번째 유학생 그룹에 이인직이 있었다. 그런데 중인 계급의 출신이 어떻게 이 그룹에 낄 수 있었을까. 당시 첫 번째 유학생 그룹은 주로 고관대작의 자식들이었다. 그런데 이인직이 어찌어찌 고관대작의 꼬리를 잡고 거기에 낀 것이다. 그렇게 유학을 떠난 그는 수신사와 함께 귀국하지 않고 일본에 남아 머물렀다. 그리고 인쇄소에 다니면서 일본을 배우고 새로운 문물을 공부했다. 그런 뒤 배운 바를 토대로 삼아, 일본에서 접한 새로운 형태의 소설을 귀국 후에 발표하게 된다.

이인직은 이 소설에서 비록 짧은 분량이지만 방각본 소설의 '……했느니라'에서 벗어난 새로운 형식을 선보였다. 그렇게 형식적으로는 방각본 소설에서 벗어났지만 권선징악이라는 주제, 탈공동체화하지 못한 인물들의 비개성적 성격이라는 한계를 보여주었다. 다시 말해 작품을 통해 근대적 인간형을 보여준다거나 새로운 주제를 다루지는 못해, 근대 소설로 가는 과도기적인 형태라고 할 수 있다.

이인직이 시도한 신소설은 이후 어떻게 됐을까. 그때는 아직 우리나라에 출판문화나 본격적인 독서 시장이 형성되기 전이었다. 소설의 주 독자층인 일반 대중은 여전히 방각본 소설을 읽고 있었고,

○ 신소설은 등장하자마자 얼마 못 가 사라졌다.
근대 소설은 새로운 시대의 문을 열어젖혔다. 이 둘의 차이는 무엇인가.
근대 소설의 시대에는 있고, 신소설의 시대에는 없던 그 무엇. 바로 인프라다.

신소설의 새로운 시도를 눈여겨보는, 이른바 개화의 세례를 받은 어떤 계급이 등장하기 전이었기 때문에 신소설이라는 장르는 잠시 공중에 붕, 뜨고는 사라지고 만다.

그렇다면 근대적 소설이라는 개념이 등장한 것은 언제인가. 이광수, 김동인 같은 작가들이 등장한 이후부터다. 이들은 소설이라는 장르에서 새로운 시대의 문을 열어젖혔다. 이인직은 불가능했던 일을, 이들은 어떻게 할 수 있었는가. 이들에게는 소설을 발표하고 피드백을 받을 수 있는 인프라, 즉 물적 토대가 있었다. 바로 동인지라 불리는 잡지와 소설을 연재하는 신문이었다.

언젠가부터 신문에 연재 소설이 사라졌지만 1990년대까지만 해도 모든 신문사들은 당대의 특급 작가들을 어떻게든 엮어서 신문에 소설을 연재하게 했다. 어떤 작가의 소설을 연재하느냐가 그 신문사의 힘을 보여주는 지표이기도 했다. 신문 연재 소설이 정점에 올랐을 때가 1930년대였다. 당시에는 4면짜리 신문에 보통 세 편의 연재 소설을 실었다. 지금의 방송국이 드라마 시청률로 먹고살 듯이 1930년대 신문사들은 정치적 입장은 전혀 중요하지 않았고, 연재 소설의 인기 여부에 따라서 신문사의 주도권이 왔다 갔다 할 정도였다. 그래서 신문사마다 인기 작가의 소설을 연재하는 것이 가장 큰 영업이었다. 연재 소설을 둘러싸고 상업적으로 엄청난 경쟁이 붙으면서 소설은 폭발적인 기세를 보였다.

같은 활자 매체지만 잡지는 달랐다. 신문은 글자 그대로 거대 언론사 간의 전쟁터이기 때문에 철저히 대중적이어야만 했다. 그렇지만 잡지는 비슷한 성향의 작가들끼리 모여 만드는 동인지의 성격이 강했다. 이들은 동인지적 작가주의로, 거대 신문사가 주도하는 상업주의에 절대 수긍하지 않았고, 독자가 300명밖에 되지 않아도 상관하지 않았다. 이들은 순수예술, 작가주의, 아티스트라는 자신들의 이상을 동인지에 담아냈다. 이들은 신문에 실린 소설은 대중의 취향에 영합하는 대중소설이고, 자신들의 작품은 순수한 예술을 추구하는 작가주의의 결과물이라고 여겼다. 그렇게 형성된 문단의 권력은 지금까지도 영향을 미치고 있다. 오늘날 우리는 당시 대중의 취향과 동떨어진 채 자기 돈 내고 찍은 동인지 중심의 작가들의 작품만을 우리 문학사에서 의미 있는 작품이라고 교과서를 통해 배우고 있는 것이다.

추리소설과 연애소설, 대중소설 견인의 쌍두마차

●

춘원 이광수의 『무정』을 필두로 한 1920년대 후반부터 1930년대까지 대중소설의 시대를 지배한 장르는 크게 네 개로 볼 수 있다. 대중소설의 물꼬를 처음으로 튼 것은 놀랍게도 추리소설이다. 1920년대부터 추리작가가 등장해서 학생층을 대상으로 큰 성공을 거두었다. 1928년 이종명이라는 추리소설 작가는 '현대는 탐정소설의 시대다'라고 했다.

당시의 추리소설은 '탐정'이라는 존재를 통해서 추리를 하는 일종의 마인드 게임과도 같았다. 지적인 흥미를 자극하는 추리 요소들이 당시 대중 독자에게는 신선한 경험이었다. 생각해보라. 범인과 탐정이 있는데, 작가는 '누가 범인일까'라는 문제를 독자에게 던진다. 독자가 소설 속 탐정의 시선을 따라가면서 범인을 추리하는 방식이니 얼마나 흥미진진했겠는가. 추리소설의 전제가 무엇인가. 등장인물이 모두 범인일 가능성이 있다는 것 아닌가. 다음 회가 어떻게 전개될지, 과연 이 사건의 범인은 누구일지 궁금해하면서 사람들은 매일 연재 소설을 기다렸다. 그냥 기다리기만 한 건 아니었다. 누가 범인일지 추리해보기도 하고, 끊임없이 담화를 만들어냈다. 어떤 소설은 범인이 누구라는 힌트를 독자에게 알려주는데 정작 주인공만 그걸 모르고 있어서 독자로 하여금 긴장감으로 손에 땀을 쥐게 만든다. 이때는 관전 포인트가 범인이 누구냐가 아니라, 어떻게 범인을 잡느냐에 있다. 이 역시도 흥미진진한 일이었다.

○ 대중소설의 물꼬를 튼 것은 추리소설이다.
대중은 소설의 오락적인 환상을 처음으로 접하게 되었다.
압도적 인기는 연애소설. 연애 그 자체를 숭배하는 소설. 이광수가 단연코 선두였다.

신문사에서도 불을 붙였다. 소설 내용과 관련된 퀴즈를 내고 정답자에게는 상품도 보내주면서 독자들의 호기심과 관심을 배가시켰다. 이러한 추리소설을 통해서 대중은 소설이라는 장르가 가진 오락적인 환상을 처음으로 접하게 되었다.

한 가지 덧붙이자면, 이 시기에 김동인도 추리소설을 썼다. 『수평선 너머로』라는 작품이 그것이다. 1934년 7월 10일부터 12월 19일까지 『매일신보』에 총 158회 연재되다가 1939년에 『영창서관 명작전집』 2권으로 출간되었다. 이 소설은 그때 한창 유행하던 추리소설의 전형을 그대로 따랐다. 이를테면 범죄 조직 간의 암투, 범인이 누군지 독자는 알지만 주인공은 모르는, 그래서 범인이 어떻게 잡히는지를 흥미진진하게 다룬다. 이따금·독립군에 대한 이야기도 나온다. 독립군에 관한 이야기를 대놓고 쓰기에는 참 살벌한 시절이었다. 검열에 걸리면 연재는 끝난다고 봐야 했다. 그래서 어떤 작가들은 그렇게 민감한 내용을 추리소설이라는 형식을 빌려 살짝 비틀어 작품에 담기도 했다.

그다음은 역시 압도적인 인기를 누린 연애소설이다. 동서고금을 막론하고 대중소설의 영원한 베스트셀러는 연애소설이다. 최독견崔獨鵑, 1901~1970의 『승방비곡』僧房悲曲, 방인근方仁根, 1899~1975의 『마도의 향불』, 김말봉의 『찔레꽃』, 박계주의 『순애보』 등은 바로 이 통속 연애소설의 히트작들이다. 연애소설은 왜 이렇게 인기가 많은가. 우리가 연애를 못 하기 때문이다. 우리가 매일같이 연애를 한다면 이런 소설을 왜 읽겠나. 연애를 못 하기 때문에 우리에게는 소설을 통한 낭만적 위안이 필요하다.

뭐니 뭐니 해도 연애소설로 최고의 히트작을 낸 사람은 이광수다. 1917년에 발표한 장편 『무정』도 연애소설인데 그다음 1933년에는 그보다 하드코어한 장편소설 『유정』有情을, 1938년에는 『사랑』이라는 소설을 내서 엄청난 성공을 거두었다. 그는 『사랑』의 서문에 아래와 같이 썼다.

나는 사랑이 일체 유정물有情物의 생명 현상 중에 가장 신비하고 또 가장 숭고한 것임을 믿는다.

이게 당시 연애소설의 이데올로기였다. 이른바 연애지상주의적인 연애 그 자체에 대한 숭배. 그래서 이때의 연애소설은 육체적인 사랑과 정신적인 사랑을 분리하고, 정신적인 사랑을 훨씬 더 우위에 두는 것이 정도正道였고 육체적 쾌락에 탐닉하는 인물은 손가락질을 받았다.

역사소설의 인기를 활용하려던 신채호, 역사소설로 친일을 했던 이광수

●

세 번째는 역사소설인데, 연애소설보다 더 큰 시장을 형성했다. 시대가 시대이니 만큼 사람들이 간절히 원하던 것이 있었다. 식민지 피지배 국민으로서 안팎으로 참 절망적일 때였다. 사람은 절망이 극에 달하면 초월적인 존재가 나타나서 구원해주기를 바라게 된다. 이때도 그랬을 것이다. 개인의 힘으로는 잃어버린 나라를 찾을 수 없으니, 구원자의 등장을 꿈꾸었다. 어떤 위대한 현자가 이 더러운 세상을 구제해주지 않을까, 하는 기대를 품게 되는데 그런 구원에 대한 기대가 역사소설을 통해 충족될 수 있었다. 역사소설의 붐은 그런 역사적 열망을 반영한 것이었다. 이것이 역사소설이 연애소설보다 더 큰 시장을 형성한 배경이다. 이런 현상을 목도한 팔봉 김기진은 1935년 『신동아』에 발표한 「조선문단의 현단계」를 통해 이런 취지의 말을 했다.

현대 조선 문단의 주인 노릇을 하고 있는 것은 역사소설이다.

○ 역사소설 붐이 얼마나 컸는지 역사학자 신채호도 나섰다. 물론 실패했다.
이광수는 역사소설로 계몽도 하고, 역사소설로 친일도 했다.
그의 친일은 교묘했고, 이순신은 그에 의해 민족의 영웅으로 데뷔했다.

그래서 우리는 이른바 좌파성만을 강조할 게 아니라 그런 역사적인 소재를 통해서 자연스럽게 사람들이 보다 더 진보적인 생각을 가지는 데 기여해야 된다.

김기진이 누구인가. 카프의 대변자가 아니던가. 하지만 그의 바람과 달리 대중에게 진보적인 생각을 심어주는 데 기여한 역사소설은 나오지 않았다. 당시 그런 소설을 쓰는 사람이 거의 없었기 때문이다. 1935년 김기진이 꿈꾸던 바가 처음으로 우리나라 소설에서 실현되었다면, 그것은 1983년부터 연재하기 시작해서 1989년에 10권짜리 대하소설로 세상에 등장한 조정래의 『태백산맥』일 것이다.

그렇다면 당시 역사소설로 가장 대중적인 인기를 끈 작가는 누구일까. 1930년대 최고의 역사소설 작가이자, 가장 대중적인 인기를 누린 사람은 바로 윤백남尹白南, 1888~1954이다. 처음 들어보는 이름일 것이다. 이 사람은 소설가이면서 극작가이고, 영화감독이기도 했다. 그는 1919년에 우리나라 최초의 대중소설이라고도 하고, 최초의 무협소설이라고도 하는 『대도전』大盜傳을 발표해서 큰 인기를 끌었다. 이외에도 『수호지』水滸誌를 번역하기도 했고, 『흑두건』黑頭巾을 쓰기도 했으며, 아예 월간지 『야담』野談을 발간하기도 했던 그는 1934년에 만주로 갔다가 1945년에 귀국할 때까지 꾸준히 역사소설을 썼으나 우리 문학사에서는 거의 배제되다시피 했다.

이외에도 이름만 대면 알 만한 작가들이 역사소설을 썼다. 이광수는 『마의태자』·『단종애사』·『이순신』·『이차돈의 사死』·『원효대사』 등을 썼고, 벽초 홍명희洪命熹는 『임꺽정』을, 김동인은 『젊은 그들』과 『운현궁의 봄』 같은 작품을, 박종화朴鍾和는 『금삼錦衫의 피』와 『대춘부』待春賦·『전야』·『다정불심』多情佛心을 썼다. 이태준李泰俊의 『황진이』, 홍효민洪曉民의 『인조반정』, 현진건의 『무영탑』과 『흑치상지』黑齒常之, 『선화공주』 등도 빼놓을 수 없다.

이러한 역사소설의 붐이 얼마나 컸는지 역사학자인 신채호申采浩, 1880~1936마저도 역사소설을 썼다. 소설가들이 작품의 소재로 역사를 다루다 보니 역사학자 입장에서는 이들이 역사를 훼손하는 것으로 보였고, 이런 사실에 분통이 터진 신채호가 차라리 자신이 직접 쓰겠다고 나선 것이다. 한편으로는 역사소설의 대중성을 인정하고 이를 통해 우리의 역사를 널리 알리려는 마음도 있었을 것이다. 그가 쓴 소설은 『을지문덕』이라는 작품이다. 그 소설이 어땠을 것 같은가. 신채호가 역사소설을 썼다는 사실을 처음 알았다는 사람들이 많을 것이다. 잘 썼으면 그러지 않았을 것이다. 지극히 당연하게도, 그는 잘 못 썼다. 역사학자가 소설을 잘 쓸 리 만무했다. 망신만 당하고 한 번의 해프닝으로 끝났다. 하지만 독불장군의 역사학자였던 신채호마저도 『을지문덕』 같은 소설을 썼다는 것은 그만큼 당시에 역사소설의 영향력이 컸다는 사실을 보여준다.

역사소설에 대한 이야기가 나왔으니 이광수에 대한 이야기를 또 하고 가야 한다. 앞에서 언급한 이광수는 『무정』이나 『유정』 같은 연애소설을 쓰기도 하고, 곧 살펴볼 『흙』 같은 계몽소설을 쓰기도 했지만 역사소설 역시 그의 주 무대였다.

그런데 그는 역사소설로 계몽하고, 역사소설로 친일을 한다. 그는 『마의태자』·『단종애사』·『이순신』·『이차돈의 사』·『원효대사』 등등 다양한 역사소설을 썼지만, 그 가운데 『이순신』은 참 묘한 소설이다. 1931년 6월 26일부터 1932년 4월 3일까지 『동아일보』에 연재했는데, 이 연재가 한창 진행될 무렵인 1931년 9월은 일본이 대륙 침략을 위해 만주사변을 일으켜놓고, 사방으로 엄격한 검열의 칼을 들이밀고 있을 때였다. 그런데 이광수의 작품은 무사통과였다. 이순신이 누군가. 일본군을 바다에 수장시킨, 일본에게는 적장敵將이 아니던가. 다른 위인도 아닌 바로 일본을 무찌른 장군에 대한 소설인데 어떻게 검열을 통과할 수가 있었을까.

보일 듯 보이지 않는 이광수만의 친일 코드가 여기에 들어 있었기 때문이다. 이광수는 이 소설을 통해서 교묘하게 친일을 한다. 그렇다고 이순신을 절대 바보로 만들지는 않았다. 일본인은 강자에게 약한 속성이 있다. 때문에 일본 안에는 자기들이 자랑하는 해군력을 보잘것없는 병력으로 무찌른 이순신에 대한 존경심이 존재한다. 이광수는 바로 그 점을 꿰뚫어본 거다. 그는 자신의 작품에서 이순신을 거의 신격화했다.

박정희가 이순신을 대대적으로 신격화한 것은 널리 알려진 사실이다. 그의 이순신에 대한 신격화는 바로 『이순신』을 쓴 이광수의 태도에서 나온 것이다. 사실 이광수가 이순신을 집중적으로 조명하기 전까지, 또한 박정희가 이순신을 대대적으로 신격화하기 전까지 우리 역사에서 이순신은 그렇게 알려진 사람이 아니었다. 그런 이순신을 민족의 영웅으로 데뷔시킨 사람이 바로 이광수다.

이광수의 『이순신』에서 이순신이 어떻게 그려졌기에 일본의 검열도 피하고, 민족적 위인으로 숭앙을 받게 되었을까. 그가 그린 소설 속 이순신은 무능하고 탐욕스럽기 이를 데 없는 비천한 왕, 분열만을 일삼는 쓰레기 같은 사대부, 무지몽매하기 이를 데 없는 조선의 민중 속에서 위대한 별처럼 빛나는 인물이다. 이렇게 지리멸렬한 민족을 배경으로 삼아 이순신이라는 존재는 더욱더 위대하게 비친다. 이순신은 장렬하고도 비극적인 죽음을 맞이하는데, 단순히 일본군의 흉탄에 맞아서 죽은 게 아니다. 승리해봐야 의미 없는 비천한 조국을 위해 죽은 비극의 상징으로 묘사된다.

이순신을 미화하는 것 같지만, 사실은 조선의 비천함을 드러내고 있다. 이렇게 비천한 조선인들은 일본에 당해도 싸다는 말로도 읽힌다. 대륙 침략의 야욕을 드러내, 한창 전쟁을 벌이고 있는 일본 제국주의자들의 시선이 한참 사나운 그 시절에 일본군을 물리친 이순신을 그린 소설이 검열을 어떻게 통과할 수 있었는지 그 이유를 짐작할 수 있지 않은가. 굉장히 교묘한, 고단수의 친일이다. 이광수의 『이순신』은 문학으로 할 수 있는 최악의 친일 작품이다. 단순히 천황을 찬양하는 것만이 친일이 아니다.

계몽소설, 브나로드 운동, 그리고 『조선일보』와 『동아일보』의 전쟁

●

마지막 네 번째는 연애소설이나 역사소설만큼 시장이 크지는 않았지만 명분만은 뚜렷했던 계몽소설이다. 계몽소설은 우리나라 근대 대중소설의 내용적 핵심, 사상적 핵심을 이루고 있다. '그럼에도 불구하고 우리는 어떤 희망을 가져야 한다'라는 낙관적 전망에 대한 이야기를 다룬 소설이다.

'좀 더 가진 자들, 좀 더 배운 자들이 못 가지고 못 배운 자들을 위해서 희생함으로써 우리 모두가 좀 더 강화된 존재가 되어야 하고, 나아가 더 좋은 세상을 만들어야 한다'라는 것이 기본 테마였고, 이를 통해 식민지의 상황을 빨리 극복하고 독립국가를 향해 나아가야 한다는 것이 계몽소설의 일관된 주제였다.

계몽소설은 일제강점기에 펼쳐진 계몽운동의 연장이라고 생각할 수 있다. 3·1운동 직후, 1920년 1월 도쿄에 있던 유학생들은 도쿄조선고학생동우회東京朝鮮苦學生同友會를 만들었다. 대부분 진보적 성향을 가졌던 이들은 이 모임을 통해 유학생들끼리 서로 도우며 노동자들을 계몽시키자고 결의했다. 이른바 엘리트 유학생들이 식민지 조국의 계몽을 위해 행동에 나선 것이다.

이 동우회의 학생들은 1921년 봄에 동우회순회연극단同友會巡廻演劇團을 만들어 그해 7월 7일부터 8월 18일까지, 여름방학 동안 전국 순회공연을 했다. 지방 도시로는 부산, 마산, 김해, 경주, 대구, 목포를 찍고 경성에 올라와 단성사에서 네 번을 공연한 뒤 다시 평양, 진남포, 원산을 다녀와서 8월 18일에 YMCA회관에서 해단식을 함으로써 대장정을 마무리했다.

이 극단의 연출은 우리도 잘 아는 김우진金祐鎭, 1897~1926이 맡았다. 목포의 부잣집 아들이었던 그는 순회공연비 일체를 대기까지

○ 계몽소설은 계몽운동의 연장선상에 있었다. 브나로드 운동도 주요 배경이었다. 소설 연재로 『조선일보』와 『동아일보』는 전쟁을 치렀다. 덕분에 빛을 본 건 『흙』이 이광수와 『상록수』의 심훈이었다.

했다. 이들 연극단이 연극만 하고 다닌 것은 아니었다. 이들은 노래도 하고 연주도 했으며 강연도 곁들였다. 도쿄에서 자신들이 배우고 익힌 분야의 여러 장르들을 무대에 올린 것이다. 나중에 〈사의 찬미〉死-讚美로 유명해지는 윤심덕과 우리나라 서양 음악의 시발점이라 할 수 있는 난파蘭坡 홍영후洪永厚, 1898~1941도 멤버 중 하나였다. 공연 내용은 전체적으로 계몽적인 메시지였다.

브나로드v narod 운동 역시 계몽소설의 배경으로 빼놓을 수 없다. 브나로드 운동은 1931년부터 1934년까지 동아일보사가 주최한 전국적인 문맹퇴치운동이다.

브나로드는 러시아 말로, '민중 속으로'라는 뜻이다. 1873년부터 1875년 사이에 러시아의 귀족 및 지주 계급의 지식인과 학생들은 민중, 그러니까 인민들의 노동과 희생으로 인해 자신들이 큰 혜택을 받으며 살았다고 생각했다. 이들 학생과 지식인들은 러시아에 이상사회를 건설하기 위해서는 민중을 일깨워야 하며, 이를 위해 인민들에게 빚을 진 자신들이 헌신해야 한다고 생각했다. 그들은 앞다투어 농촌으로 갔고, 그곳에서 계몽운동을 벌였다. 브나로드는 당시 그들이 계몽운동의 캐치프레이즈로 사용한 말이다.

그것이 몇십 년 후에 우리나라에 들어와서 브나로드 운동이 되었다. 우리의 브나로드 운동 역시 배운 사람일수록 민초들의 땅인 농촌에 가서 일도 하고 그들과 함께 하면서 더 나은 삶에 대한 전망을 나누고 계몽해야 한다는 엘리트들의 계몽운동의 성격을 가졌다. 매년 여름방학이 되면 전국 방방곡곡에서 중학교 이상을 다닌 학생들이 산골 벽지를 찾아가서 농민들에게 한글도 가르치고, 여러 가지 계몽 활동을 펼쳤는데 3회까지는 브나로드 운동이라고 부르다가, 4회부터는 좀 더 쉬운 표현인 '계몽운동'이라고 불렀다. 1990년대까지 '농활'이라는 줄임말로 면면히 이어지게 되는 이 운동은 1935년에 일본 제국주의자들의 탄압으로 금지되면서 막을 내렸다.

이런 분위기 속에서 이광수는 1932년 4월 12일부터 1933년

7월 10일까지 『동아일보』에 장편소설 『흙』을 연재했다.

줄거리는 대강 이렇다. 가난한 집에서 태어났지만 악착같이 공부해서 변호사가 된 허숭이라는 사람이 주인공인데, 그는 학창 시절 여름방학 때 고향에서 야학을 하면서 만난 동네 아가씨에게 반했다. 하지만 학교를 졸업한 뒤 그는 경성의 부잣집 딸과 결혼해버린다. 그런데 결혼을 해보니 이 부잣집 딸은 사치를 일삼고 생각하는 것도 너무 달랐다. 그는 부잣집 딸과 헤어져 고향으로 돌아가서 농촌계몽에 헌신하기로 결심한다. 그 후 무지와 빈궁과 핍박으로 억눌려 있는 고향을 아름다운 이상촌으로 건설해보려는 주인공 허숭의 희생적인 노력이 전개된다. 그러면서 고향에서 만났던 유순이라는 여성, 부잣집 딸의 각성과 변화, 고향 동네에서 만나게 되는 여러 인간 군상과 이들이 겪는 우여곡절이 드라마틱하게 전개된다.

아무리 친일 작가이긴 해도 소설가로서 이광수를 평가하지 않을 수 없는 지점이 여기에서도 드러난다. 그의 소설 속 주인공 허숭은 출세한 변호사로서 깡촌 고향으로 돌아가서 헌신하고 희생하는 훌륭한 면모를 보여주지만, 한편으로는 고향에서 만난 여자 대신 예쁘고 돈 많은 집 딸과 결혼하는 속물이기도 한 것이다. 이광수는 한 인간이 가진 다양한 얼굴을 꿰뚫어볼 줄 알았고, 그것을 작품에 구현할 줄 아는 작가였다.

당시 『동아일보』 편집국장이었던 이광수가 이 작품을 연재한 것은 자신이 몸담고 있던 신문사에서 펼치고 있는 브나로드 운동을 널리 알리기 위해서였던 것으로 보인다. 『동아일보』는 이 연재 소설 덕분에 큰 인기를 끌었다.

『조선일보』도 가만히 보고만 있지 않았다. 『조선일보』는 이광수보다 진보적인, 좌파 진영의 위대한 소설가 이기영李箕永, 1895~1984을 끌어들여서 『고향』이라는 식민지 농촌 계몽운동의 위대한 걸작을 연재했다. 판은 또 뒤집혔다. 이번에는 『조선일보』가 『동아일보』를 누르고 시장의 주도권을 갖게 되었다.

『동아일보』는 새로운 칼을 뽑아 들었다. 엄청난 상금을 걸고 소설 공모를 한 것이다. 여기에서 1등으로 뽑힌 작품이 1936년에 등장한 심훈沈熏, 1901~1936의 『상록수』다.

이렇게 하여 『동아일보』와 『조선일보』의 절대 질 수 없는 자존심 싸움이 엎치락뒤치락 이어졌다. 이 싸움 덕분에 우리 한국 문학사에 빛나는 수많은 걸작들이 탄생한 셈이다. 이광수의 『흙』, 이기영의 『고향』, 심훈의 『상록수』 같은 빛나는 작품들이 이때 우르르 쏟아진다.

문제적 인간, 이광수를 생각하다

●

우리는 여기에서 이광수에 대해 좀 더 자세히 살펴보고 넘어가야 한다. 비록 친일 작가이기는 하나, 일제강점기에 등장한 모든 소설 작품 가운데 대중적으로 가장 큰 영향을 끼쳤던 그를 빼놓고는 우리 소설의 역사를 시작할 수 없기 때문이다. 따라서 근대 소설의 맨 첫머리에는 말할 것도 없이 바로 1917년 작품 『무정』이 놓여야 하며, 소설가로는 이광수가 선두여야 한다.

『무정』은 제목부터가 '무정'하다. 제목도 정말 잘 지었다. 연애 이야기인데 '정이 없다'고 지었다. 정이 넘쳐흘러야 할 것 같은 연애 소설인데 정이 없다는 것은 거꾸로 더 많은 함의를 담고 있다. 여기에는 어쩌면 이광수라는 사람의 삶 그 자체가 집약되어 있는지도 모른다. 물론 자기 이야기는 아니겠지만.

이광수는 1892년 3월 4일에 태어나서 1950년 10월 25일에 세상을 떠났다. 그의 삶은 스물다섯 살이 될 때까지 파란만장했다. 열한 살인 1902년에 콜레라로 부모를 잃고 고아가 되었다. 고아가 되기 이전의 삶은 평화로웠느냐면 그것도 아니었다. 그의 아버지는 알코올 중독자였다. 그는 자신의 아버지를 통해 인간의 비천함을 어린 나이에 깨달았던 듯하다. 그는 훗날 장백산인長白山人이라는 필명으로 발표한 장편소설 『그의 자서전』을 통해 일곱 살 먹은 어린아이의 얼

"그가 처음에 사회에 던진 문학은 반역적 선언이었다. 실로 용감한 돈키호테였다. 이 용감한 돈키호테는 재래의 옳다고 생각한 온갖 것에게 반역하였다. 춘원은 이 모든 반역적 사조를 완전한 의식하에 그의 작품에 집어넣은 것은 사실이다." _김동인

○

굴조차 화끈거리게 만든 아버지의 비천함에 관한, 참을 수 없는 기억들을 토로하고 있다.

열한 살에 부모를 잃고 고아 거렁뱅이가 된 그는 담배 행상을 하며 여러 친척 집을 떠돌다가 친척 집에서 나와 경성 근처에서 노동일을 하면서 근근히 연명을 했다. 그러던 중 우연히 한 동학교도를 만나게 되고, 그의 친절에 감명받은 것을 계기로 동학교도가 된다. 1903년 동학에 입교한 이후 그는 동학 안에서 상당히 높은 위치에 있던 박찬명朴贊明 해명대령海明大領의 집에 머물면서 그의 개인 비서 역할을 하게 된다. 해명대령은 3대 교주 손병희가 1903년에 동학 조직을 강화하기 위해 실시한 교단 제도인 대두령제大頭領制의 명칭 중 하나다. 이를테면 10만 명의 동학교도를 책임지는 자리에 있으면 수청대령水清大領, 5만 명을 책임지면 해명대령, 1만 명을 책임지면 의창대령義昌大領으로 위계질서를 세운 것이다.

박찬명 해명대령의 집에서 이광수는 주로 여기저기에서 들어오는 중요한 문서를 베끼고 배포하는 일을 했다. 동시에 서기 일까지 맡았다.

당시 동학은 한창 변화의 와중에 있었다. 애초 강력한 저항세력이었던 동학은 1898년에 최시형이 순교를 당한 뒤 조금씩 그 성격이 변화하기 시작했다. 그러더니 1904년 동학교도들이 정치 개혁을 위해 만든 진보회가 일진회와 통합되면서 점차 친일단체처럼 변해 갔다. 1905년에 이광수가 일본으로 유학을 떠날 수 있었던 것은 바로 일진회의 후원 덕분이었다. 게다가 손병희는 동학의 정치 참여를 포기하고, 종교로서의 역할만을 강조하더니 1905년에 천도교라고 아예 이름을 바꾸었다. 비천한 부모 밑에서 어린 시절을 보내다 천애고아가 되었고, 그 후 동학교도였던 박찬명을 만나 비교적 안정적인 생활을 하던 중에 다시 동학의 거친 변화 과정을 지켜보게 된 성장 배경 까닭인지 이광수는 쉽게 파악할 수 없는, 한마디로 정의할 수도 없는 그런 인물이 되었다.

『무정』의 여주인공 박영채는 바로 이런 이광수의 많은 것을 투사한 인물이라고 할 수 있다. 국문학자 김윤식이 『이광수와 그의 시대』라는 책에서 언급한 것을 빌리자면 그는 민족의 슬픔과 비극을 담고 있는 여주인공인 박영채에게 고아라는 개인적인 자의식, 나라를 잃은 민족의 고아 의식을 투사했다. 그는 그 이전 시대의 소설이 갖고 있던 공동체적인 이야기에서 벗어나서 『무정』을 통해 독자적인 개인의 목소리를 들려주지만 동시에 그 개인에게 민족이라는 어마어마한 알레고리들을 심어놓았다. 다시 말해 그는 박영채라는 주인공을 통해 한 인간에게 복잡한 몇 겹의 의미를 부여함으로써 이전에 볼 수 없던 캐릭터를 창출해낸 것이다. 이것이 이광수와 『무정』의 위대함이다.

『무정』에서 눈여겨볼 캐릭터는 또 있다. 바로 박영채의 아버지 박진사다. 그는 일본의 새로운 질서를 강요당하는 현실 앞에서 지조와 절개를 지키다 결국 옥사하게 되는 인물이다. 박진사의 모델은 이광수로 하여금 안정적인 생활을 가능하게 해주었던 박찬명 해명 대령이다. 『그의 자서전』에 인상적인 대목이 나온다. 열한 살의 어린 이광수가 동학교도들을 처음 만났을 때, 이 어른들이 자기에게 말을 높였으며, 아이라고 때리거나 욕을 하지도 않았고 하대하지도 않았다는 것이다. 그들은 집안의 노비에게도 말을 높였다고 회고했다.

어릴 때부터 술주정뱅이 아버지와 찢어지게 가난한 가정에서, 그야말로 짐승의 본능밖에 남지 않은 그런 집에서 10여 년을 성장한 이광수에게 이런 세계는 경이 그 자체였을 것이다. 그는 이 시절 약 2년 반 동안 만났던 사람들에 대해서 '이런 정성 있고 용기 있고 친절하고 겸손한 사람들'이라는 표현을 썼다.

당시만 해도 동학 또는 동학교도에 대해서 이런 표현을 한다는 것 자체가 굉장히 위험했다. 동학운동은 1894년에 끝났지만, 일본에게 그것은 끝나도 끝난 것이 아니었다. 일본은 우금치 전투 이후 한일강제병합이 되는 1910년까지 동학교도를 끝까지 추적해서 처절하게 처형했다.

그런 일본 제국주의의 본질을 생각한다면 동학에 대해서 이광수가 이렇게 표현한 것은 이례적인 일이라 할 수 있다. 그 시니컬한 이광수가 다른 집단이나 다른 사람에 대해서 존경과 겸손한 마음을 담아 표현한 것은 이 경우가 처음이자 마지막이 아니었을까 싶다.

이광수가 『무정』을 발표할 무렵에는 동학에 대한 조선총독부의 시선은 더 살벌했을 것이다. 그러니 대놓고 동학을 지지할 수도 없었을 것이고, 박찬명 해명대령에 대해 호의적인 내용을 밝힐 수도 없었을 것이다. 다른 곳에서 자신의 생각을 밝힐 수 없어서였는지 『무정』에서 박영채의 아버지인 박진사를 보는 이광수의 시선은 각별하다. 비록 소설 속 박진사는 유학자였지만 이광수는 이 유학자를 통해서 자신이 흠모해 마지않는, 완벽한 인간형을 그리고자 했다. 그 완벽한 인간형의 원형은 어린 그를 인격적으로 대우해준 동학의 수령들이었다.

이렇듯 어린 나이에 이광수는 동학으로부터 일정한 영향을 받았고, 이런 영향은 그가 적극적 친일 행위를 하는 순간에도 사고의 반을 지배하게 된다. 그러니 이광수라는 사람은 얼마나 분열된 존재인가.

그런 이광수가 세상에 발표한 『무정』은 절망밖에 남지 않았던 1910년대, 초기 식민지 조선 사회에 던져진 강력한 네이팜탄 같은 것이었다. 이것은 1929년에 김동인이 『조선일보』에 연재한 『조선근대 소설고』朝鮮近代小說考라는 비평문에서도 잘 알 수 있다.

> 그가 처음에 사회에 던진 문학은 반역적反逆的 선언宣言이었다. 실로 용감한 돈키호테였다. 그는 유교儒教와 예수교에 선전을 포고하였다. 그는 부로父老들에게 선전을 포고하였다. 그는 결혼에 선전포고하였다. 온갖 도덕, 온갖 제도, 온갖 법칙, 온갖 예의 이 용감한 돈키호테는 재래의 '옳다'고 생각한 온갖 것에게 반역하였다. 그리고 이 모든 반역적 사조는 당시 전 조선 청년의 일치되는 감정으로서, 다만 중인衆人은 차마 이를 발설發說치를 못하여 침묵을 지키던 것이었다. 중인 청년 계급은 아직껏 남아 있는 도덕성의 뿌리 때문에, 혹은 예의 때문에 이를 발설치 못하고 있을 때에 춘원의 반역적 기치는 높이 들렸다. 청년들은 모두 그 기치 아래 모여들지 않을 수가 없었다. 이런 일

> 도 가능하다. 이런 반역적 행사行事도 가능하다고 깨달을 때에, 조선의 온 청년은 장위將位를 다투려는 한 마디의 불평도 없이 춘원의 막하에 모여들었다.
> 아아! 우리는 그때 얼마나 존경하는 마음으로 그를 보았는가? 춘원이 이 모든 반역적 사조를 완전한 의식하에 그의 작품에 집어넣은 것은 사실이다.

김동인과 이광수는 숙명의 라이벌이었다. 그런데도 김동인은 이광수가 가진 작가로서의 선각자先覺者성, 선지자성에 주목했다. 이 표현이 굉장히 중요하다.

> 유교와 예수교에 선전을 포고하였다.

이광수는 유교는 말할 것도 없고 예수교, 즉 기독교까지 모두 공격한다. 그러나 동학에 대해서만큼은 절대 건드리지 않았다. 또한 이 표현이 중요하다.

> 이 모든 반역적 사조를 완전한 의식하에

대충이 아니고, 완벽하게 통제된 질서 아래, 즉 글자 그대로 '완전한 의식하에' 그의 작품에 전부 집어넣었다고 김동인은 평한 것이다. 같은 예술가로서 할 수 있는 최고의 찬사가 아닐 수 없다. 김동인의 말처럼 이광수라는 작가는 그야말로 우리 대중문화사에서 가장 중요한 르네상스적 전환을 불러온 인물이다.

춘원을 지배한 손병희와 안창호

●

이광수의 정신을 지배한 것은 동학으로 상징되는 손병희와 애국계몽사상으로 대변되는 안창호, 이 두 사람이었다. 이 두 명의 인물이야말로 청년 이광수의 슈퍼에고superego다. 손병희와 안창호의 생각이 결국 이광수의 민족개조론民族改造論의 토대가 되었다.

민족개조론은 1922년 5월에 이광수가 『개벽』에 발표한 논설문에서 비롯된 것으로, 그는 이 글에서 자신의 주장이 도산 안창호의 사상과 일맥상통하는 것임을 암시한다. 하지만 그의 민족개조론은 이후 투쟁적인 독립운동에 대한 분명한 거부의 태도를 보이고, 1910년대까지 이어져온 항일민족운동의 의미를 부정함으로써 격렬한 비판과 반론을 불러일으켰다.

그의 글과 이후의 행적에서 알 수 있듯이 그가 슈퍼에고로 삼은 손병희나 안창호에게는 명확한 한계가 있었다. 그의 이상적 모델이 된 두 명의 슈퍼에고가 가진 한계야말로 바로 이광수의 한계일 수도 있겠다. 이들은 무엇을 주장했고, 그들의 주장에는 어떤 한계가 있었는가.

손병희는 '삼전론'三戰論을, 안창호 등은 '자치론'自治論을 내세웠다. 하지만 현실적인 한계를 감안해보더라도 그들의 생각은 굉장히 옹색하고 수세적이었다. 삼전론은 1903년에 손병희가 일본에 머물면서 쓴 글로, 삼전三戰이란 도전道戰 · 재전財戰 · 언전言戰을 말한다. 도전은 국민의 정신을 계발하는 데 전력을 다하자는 것이고, 재전은 국가의 산업을 개발하여 자립할 수 있는 국력을 이루는 데 전력을 다하자는 것, 언전은 외국의 물정을 알기 위해 외국과의 의사소통이 원활하도록 전력을 다해야 한다는 것이다.

안창호의 자치론은 쉽게 말해 즉각적인 독립은 어려우니, 민족운동의 방향을 현실 가능한 정치운동으로 전환하자는 것이다. 한마디로 말하면 '열심히 공부해서 우리도 빨리 문명개화를 이루자. 또

○ 손병희의 삼전론, 안창호의 자치론. 이광수의 민족개조론은 이 둘에게서 영향을 받았다. 그러나 국가 없는 문명개화가 다 무슨 소용이란 말인가. 두 사람의 한계는 곧 이광수의 한계였다.

한 도덕적으로 개조운동을 해서 좀 사람답게 살아보자. 그렇게 함으로써 우리도 서서히 주권을 회복해나가자. 다만 무저항으로', 이것이다. 말은 좋은데, 당장 나라를 잃은 판에 어느 세월에 공부하고, 도덕적으로 살면서 주권을 되찾을 수 있겠는가.

손병희는 한 술 더 뜬다. 1904~1905년에 만주와 한반도의 지배권을 차지하기 위해 치러진 러일전쟁에 우리도 참전해야 한다고 주장하고 나선 것이다. 말하자면 '우리가 일본과 힘을 합쳐서 러시아를 물리친 후에 일본에게 공동 승전국으로서의 권리를 주장하자. 이것이 우리가 일본에 안 먹히는 유일한 길'이라는 주장이다. 이런 건 다 공염불에 가까운 말이 아닌가.

'국가 없는 문명개화'라는 것은 결국 뿌리 없는 나무와 같다. 국가가 없어졌는데 문명개화를 하면 그 개화된 문명은 누구를 위한 것인가. 결국 제국주의 국가에 이익이 되는 것이고, 궁극적으로는 친일로 흐를 수밖에 없다. 다시 말해 그런 식민 사회에서 열심히 공부해서 문명개화해야 한다는 것은 식민지 권력에 봉사한다는 의미가 되고 만다. 여기에서 모순이 발생한다. 그런데 그러한 슈퍼에고 두 사람의 영향으로 이광수 역시 그 모순에 빠져들고 만다.

이름도 무정한 그 이름, 『무정』

●

이광수는 3·1운동, 동학, 기독교 그리고 톨스토이 등에게 영향을 받았다. 3·1운동이야 말할 것도 없고, 동학은 지금까지 이야기한 바이다. 나머지를 간략히 언급하자면 '회개하라, 깨어나라' 하는 기독교의 선지자적 예언은 자기애적 기질이 강했던 이광수의 스타일에 딱 맞았을 것이다. 또한 다른 한편으로 작가이면서 진정한 인도주의적인 성서주의자였던 톨스토이의 민중론에도 큰 영향을 받았고, 이것은 청년 이광수가 가지고 있던 계몽에 대한 철학의 이정표가 되어주었다고 볼 수 있다.

이쯤에서 우리는 이야기를 마무리해야 한다. 마지막으로 이광수의 소설 『무정』이 크게 성공할 수 있었던 진짜 이유를 살펴보자. 이 작품에 아무리 근대적인 문체와 근대적인 캐릭터들이 등장했다고 할지라도 일반 대중이 그런 의미를 알고서 열광했을 리 없다. 비록 근대적인 문체와 근대적인 캐릭터가 등장하긴 했지만, 여전히 이 작품의 근원에는 고대 소설이나 방각본 소설, 신소설 등을 통해 대중에게 익숙했던 원한의 심층 구조가 있었다. 바로 이러한 구조에 대중이 반응한 것이다.

주인공 박영채는 양반 가문에서 태어났지만 불우한 시대를 만나서 아버지를 구하기 위해 기생이 되었는데, 그렇게 모은 돈마저도 사기를 당하고 만다. 게다가 그 사실을 알게 된 아버지와 오빠들은 옥중에서 다 자살을 한다. 그런 비극이 집결되어 있는 박영채에게서 보이는 원한은 당시 대중이 공감하던 원한의 감수성이었다. 상황은 다르지만, 대중은 영채에게 자신의 비극과 원한을 이입한 것이다.

『무정』이 성공을 거둘 수 있었던 또 하나의 결정적 요인은 새롭게 등장하는, 부상하는 계급의 세계관을 등장인물들을 통해 묘사하고 있다는 점이다. 그런 특징은 신우선 기자까지 포함한 다섯 명의 캐릭터를 통해서 생생하게 드러난다. 경성학교 영어 교사인 남자 주인공 이형식과 미국 유학을 앞두고 그에게 영어를 배우다 약혼하게 되는 선형, 어릴 적 형식과 정혼한 사이지만 집안의 몰락으로 기생이 된 여주인공 영채, 정절을 잃고 자살하러 가는 영채를 붙잡아 일으키는 도쿄 유학생 병욱. 이 남녀 관계가 연인이 아닌 사제 관계로 연결되어 있다는 점이 흥미롭다. 즉 인물과 인물 사이가 지식으로 매개되어 있음을 의미한다. 그렇기 때문에 자연스럽게 자신이 주장하고자 하는 주제들을 이 캐릭터들을 통해 녹여낼 수 있었다. 이광수의 천재적 발상을 엿볼 수 있는 또 하나의 대목이다.

남녀가 사랑을 나누는데 뜬금없이 계몽주의가 어떻고 하는 이야기가 나오면 '채널 돌아가는 소리'가 들리게 마련이다. 그런데 등장하는 남녀가 연인이 아니라 사제 관계라면 다르다. 이들이 계몽주의에 대해 논하는 것은 개연성이 충분한 설정이 된다. 이광수는 이런 설정을 바탕으로, 서구적인 의미 매개가 된 지식의 위대함과 동양적 의미에서의 순결한 도덕성의 회복이라는, 동서양을 가로지르는 입체적인 주제의식을 사랑스럽고 개성적인 인물들을 통해서 만들어냈고, 이것은 독자들에게 자연스럽게 스며들었다.

『무정』은 탄생한 순간부터 지금까지 우리 문학사에 두고두고 기록될 만한 역사적인 성공을 거두었고, 작게는 우리나라의 장편소설의 시대를 열게 된 작품이자 크게는 곧 일본으로 흡수될 구한말 애국계몽주의의 마지막 불꽃으로서의 역할을 다했다.

그렇다면 이 역사적 시효성을 상실해가는 계몽주의를 극복하고자 한 그다음의 노력은 무엇이었을까. 그것은 바로 민족해방투쟁이었다. 춘사 나운규와 이규환의 영화를 통해 우리는 또 다시 이광수를 넘어선 새롭고 엄청난 대중 지성을 목격하게 된다.

3

대중의 문화로

근대 시민의식의 자양분을 삼다

때는 바야흐로 1926년

●

앞에서도 말했듯이 본격적인 대중문화의 시대에 살면서도 대중문화를 정의한다는 것이 쉬운 일은 아니다. 그렇지만 일상적 차원에서 대중문화라는 이름으로, 우리에게 제일 가까운 것이 무엇이겠는가. 20세기 영상매체의 총아인 영화와 첨단매체인 대중음악, 이 두 가지를 꼽지 않을 수 없다. 영화와 대중음악이야말로 오늘날 우리가 누리는 대중문화의 견인차 역할을 한 상징적인 종목이다.

영화와 대중음악이 우리의 대중문화사에 등장한 것은 언제부터인가. 본격적인 등장의 순간은 1926년 여름에서 가을 사이다. 1926년은 동아시아의 두 나라의 분위기가 극적으로 대조적인 해였다. 일본은 히로히토裕仁, 1901~1989 천황의 즉위로, 이른바 쇼와昭和 시대가 열리면서 축제 분위기로 가득했다. 히로히토는 이후 근 60년 동안 천황으로 재위하면서 일본 제국주의 전쟁과 패망을 모두 겪게 되는데, 1926년은 일본 제국주의의 영광과 오욕이 교차하는 바로 그 쇼와 시대가 출발하는 순간이었다.

식민지 조선에서는 조선의 마지막 임금, 순종이 4월 25일에 세상을 떠났고, 6월에 국장이 치러졌다. 그해 초여름에는 비가 너무 많이 와서 수해 피해가 엄청나게 컸다. 그런 와중에 순종의 인산일因山日, 그러니까 출상일을 기해서 제2의 3·1운동이라 할 수 있는 6·10만세운동이 전국적으로 일어났다.

○ 그해는 바야흐로 일본에서는 히로히토 천황이 즉위한 때였고,
식민지 조선에서는 순종 임금이 세상을 떠난 해였다. 참으로 미묘한 타이밍.
우리 대중문화사에 영화와 대중음악이 본격적으로 등장한 것 역시 바로 그때였다.

죽은 이의 노래, 〈사의 찬미〉가 불러온 바람

●

윤심덕과 김우진의 동반 자살은 〈사의 찬미〉 신드롬으로 이어졌고, 이는 곧 한반도에 유성기 광풍을 불러일으켰다. 이 광풍은 음반 산업이라는 새로운 형태의 시장을 열어젖혔다. 바람치고는 아주 거세고 거친 것이었다.

○

1926년 8월 5일, 당시 석간이었던 『동아일보』는 부산과 시모노세키를 오가는 부관釜關연락선에서 윤심덕과 김우진이 동반 투신자살을 했다는 소식을 특종으로 내보냈다. '현해탄玄海灘의 격랑 속에 청춘남녀의 정사情死'라는 제목의 기사였다.

윤심덕은 조선 최초의 소프라노로 거의 1세대 여성 유학파, 특히 음악에서는 거의 최초의 1세대 유학파라고 할 수 있는 여성이었다. 파란만장한 삶을 살았던 그녀는 신여성으로서 자유연애론자이기도 했기 때문에 세간에 많이 오르내리던 유명한 인물이었다. 그녀와 함께 투신한 김우진은 와세다 대학 영문과에 다니던 유학생으로, 목포 갑부집의 아들이었다. 그는 가문을 이어 집안을 관리할 생각은 안 하고 연극에 빠진 연출가였는데, 이미 결혼까지 한 유부남이었다.

이렇게 일제강점기의 문화 엘리트인 두 사람이 현해탄에서 동반 자살을 한 사건은 우리 문화사 100년을 통틀어 이보다 더 큰 스캔들은 없을 정도로 충격적인 것이었다.

당시 일본에는 아리시마 다케오有島武郎, 1878~1923라는 소설가가 만들어낸 정사情死의 풍조가 만연했다. 그 이전부터 일본 지식인 사회에서는 정사가 중요한 문화 코드의 하나로 부각되었다. 말하자면, 정사는 또 다른 근대 일본의 풍경이었다. 부모가 골라주는 대로 선을 보고 결혼하는 대신 청춘남녀들이 자기들끼리 알아서 자유연애를 하기 시작했다. 부모들이 자식들의 선택을 곱게 받아들일 리가 없었다. 그러자 결혼을 할 수 없는 연인들이 동반 자살을 하는 일이 벌어지기 시작했다. 이런 걸 '정사'라고 불렀다. 이 풍조에 불을 지른 것이 바로 아리시마 다케오였다. 그 자신이 기자이자 유부녀인 여자랑 이룰 수 없는 사랑에 괴로워하다가 동반 자살을 해버린 것이다. 당시 정사는 로맨티시즘의 극치였다. 젊은 세대들은 이 새롭고 자극적인 연애 경향에 열광적인 반응을 보였다. 이런 문화적 분위기에서 만 서른 살도 안 된 식민지 조선의 예술 엘리트 두 사람의 정사 사건에 사람들이 어떤 반응을 보였을지 눈에 선하다. 실제로 식민지 조선뿐만 아니라 일본에서도 뉴스거리가 되었다.

그때도 자살은 흔했다. 당시 신문을 보면 명월관明月館 기생이 우물에 빠져 죽었다는 등의 기사가 심심치 않게 등장했으니 웬만한 자살 뉴스로는 사람들이 그렇게 놀라지 않았다. 우리가 지금 웬만한 사건 사고에는 눈 하나 깜짝하지 않을 만큼 무감각해진 것을 생각하면 되겠다. 그런데 윤심덕과 김우진의 자살 사건은 사안이 완전히 다른 것이었다. 일반 사람들이 선망하는 엘리트 남녀가 동반 자살했는데, 한 명은 유부남이고 한 명은 자유연애론자였다. 거기에다 두 사람은 음악과 연극 분야에서 촉망받는 대표 주자였다. 이런 배경이 있었기 때문에 이 동반 자살 특보가 아직까지 연약하기 이를 데 없는 식민지 조선의 문화계에 던진 파문은 말할 수 없이 컸다.

이 사건은 그것으로 끝나지 않았다. 죽음 그 자체만으로도 장안의 술집 안주로 수없이 회자될 판인데, 그로부터 약 보름 뒤에 윤심덕이 죽기 직전에 취입한 음반이 세상에 나타났다. 음반의 제목은 〈사의 찬미〉. 드라마틱해도 너무 드라마틱하지 않은가. 이는 결국 자살을 염두에 둔 윤심덕이 죽음을 찬미하는 노래를 부른 뒤에 자살을 실행에 옮겼으며, 그가 죽자마자 음반이 나왔음을 의미한다. 짜맞춘 것처럼 완벽한 시나리오다.

이 대목에서 한반도 특유의 '묻지 마 쇼핑'의 광란이 시작되었다. 윤심덕이 죽기 직전에 남긴 〈사의 찬미〉를 안 사고는 못 배기는 것이다. 도대체 무슨 노래인지 궁금해서, 어떻게 안 살 수가 있겠는가. 그런데 판만 사면 뭐하나. 그걸 틀 유성기가 있어야지.

'음반'이라는 물건은 1907년에 한반도에 처음 모습을 드러냈다. 공식적으로 미국 콜롬비아 레코드에서 〈Korean Song〉으로 제작한 것이 최초다. 하지만 일반인들은 접할 수 없었다. 소프트웨어인 음반도 그렇지만, 하드웨어인 유성기는 어지간한 집에서는 엄두를 내기 힘든 가격이었다. 그러니 유성기나 음반은 당시만 해도 아주

부유한 일본인이나 장안의 큰 다방 같은 공공장소에서나 볼 수 있었다. 개인이 음반을 사고 유성기를 살 수 있는 시대가 아니었다는 말이다.

그런데 〈사의 찬미〉에 얽힌 드라마틱한 이야기가 돌면서 너도 나도 이 음반을 사들였고, 이제 돈이 좀 있는 사람들은 값비싼 유성기를 미친 듯이 사들였다. 식민지 조선 땅에 유성기 광풍이 일었고, 유성기 수입사는 연일 '유성기 일시 품절' 안내문을 붙여놓기 바빴다. 윤심덕과 김우진의 동반 자살이, 이 죽음의 신드롬이 식민지 조선 땅에 음반 산업이라는 새로운 형태의 시장을 열어젖힌 셈이 된 것이다. 이름하여 '사의 찬미 센세이셔널리즘'이라 부르겠다.

대중문화
흥행 돌풍의 신호탄,
영화 〈아리랑〉

●

명실상부 우리나라 사람이 쓰고, 우리나라 사람이 연기하고,
우리나라 사람이 만든 최초의 영화, 우리 영화 산업의 시대를 연 작품.
우리 영화계의 기린아, 춘사 나운규가 만든 영화, 〈아리랑〉

윤심덕과 김우진의 자살 사건이 일어난 지 두 달 뒤인 1926년 10월 1일, 종로 3가 단성사團成社에서 영화 한 편이 개봉되었다. 단성사는 1907년에 문을 연, 우리나라 최초의 상설 극장이다. 비록 예전의 명성을 잃은 지 오래지만 지금도 그 자리를 지키고 있다.

단성사에서 개봉한 이 영화는 폭발적인 반향을 일으켰다. 관객이 얼마나 몰려들었는지 종로 3가에서 동대문까지 온통 아수라장이 되어 기마 경찰대가 투입되어 밀려드는 관객들을 정리할 정도였다.

사람들이 왜 이렇게 몰려들었는가. 이유는 간단하다. 그때는 예매라는 시스템이 없었기 때문이다. 오로지 현찰로 극장 매표구에서 표를 사야만 영화를 볼 수 있었다. 그 바람에 이른 아침부터 표를 사려는 사람들이 장사진을 쳤다. 대체 무슨 영화기에?

사람들이 그토록 보고 싶어 난리를 친 영화는 바로 춘사春史 나운규羅雲奎, 1902~1937의 〈아리랑〉이었다. 명실상부 감독, 대본, 배우 모

두 우리나라 사람이 맡아서 만들어진 영화였다.

우리나라에 영화가 들어온 것은 대략 1903년부터라 할 수 있다. 그때부터 경성 시내에서 암암리에 영화가 조금씩 상영되고 있었다. 그런데 당시의 영화는 러닝타임 10분 남짓으로, 사람들에게 신기한 것을 선보이는 판촉물의 성격이 강했다. 영화라고 부르기는 좀 그랬다. 본격적으로 드라마라는 것이 반영된 영화는 1919년부터 볼 수 있었고, 영화관 문화가 조금씩 자리잡기 시작했다.

그런데 이런 영화관 문화가 만들어진 지 채 10년도 안 되는 상황에서, 느닷없이 흥행 돌풍을 일으킨 영화가 등장한 것이다. 물론 우리나라 사람에 의해 만들어진 영화로만 보자면 〈아리랑〉이 최초는 아니었다. 1919년에 〈의리적 구투〉義理的仇鬪라는 작품이 이미 단성사에서 상영되었다. 그렇지만 연극 공연 사이에 들어가는 15분짜리 활동사진이었다는 점에서 엄밀하게 영화라고 보기는 힘들다. 따라서 춘사 나운규의 〈아리랑〉이야말로 우리 영화 산업의 문을 연 작품으로 꼽을 수 있다.

바로 이렇게 대중문화의 중요한 두 축인 대중음악과 영화가 한반도에 본격적인 서막을 올린 계기는 〈사의 찬미〉와 〈아리랑〉으로부터 비롯된 것이고, 공교롭게도 이 두 사건은 1926년 늦여름에서 가을 사이인 두 달여 동안에 일어났다.

이전과 전혀 다른, 새로운 시간의 등장

●

영화는 1895년 프랑스에서 탄생했다. 전 세계적으로, 인간이 만들어낸 최후의 예술 장르다. 그래서 영화를 가리켜 제7예술이라고도 한다. 다른 예술 장르에 비하자면, 갓 태어난 '신상'인 셈이다. 이런 신상의 예술 장르가 1926년 식민지 조선에서 흥행 돌풍을 일으켰다.

전 세계적으로도 아직은 낯설고 생소한 문화였던 '영화'라는 장르가 어떻게 아직까지 사회적·정치적으로, 그리고 경제적으로 불안정한 상황에 놓여 있던 식민지 조선에서 이렇듯 순식간에 대중의 승인을 받을 수 있었을까. 그것을 따져보기 전에 우리가 챙겨봐야 할 그 이전 상태의 근원적인 무엇이 있다.

20세기에 접어들면서 한반도에는 그전까지 한 번도 존재하지 않았던 새로운 근대적 시간과 공간의 개념이 유입되었다. 이렇게 유입된 시공간의 개념은 그렇지 않아도 혼란스러웠던 일제강점기 초기 20년 동안 우리의 일상 속에서 완전히 다른 새로운 감각과 새로운 관점을 만들어낸다.

'시간은 근대의 어머니'라는 말이 있다. 인간에게 시간이란 '생물'로서의 자기 존재를 증명하는 가장 근본적인 요소이면서, 나와 나를 둘러싼 세계가 생성하고 소멸하는 전 과정을 반영한다. 그런데 근대에 접어들어 우리는 그전까지 사용하던 시간의 개념과 전혀 다른 개념을 경험하게 되었다. 이게 무슨 말인가.

1910년에 대한제국이 막을 내릴 때까지 우리가 사용한 시간의 단위는 시헌력時憲曆이었다. 우리는 이를 흔히 음력이라고 부른다. 시헌력은 1653년 조선에 도입되어, 1896년 1월 1일부터 서양의 태양력으로 바꿀 때까지 243년 동안 공식력으로 사용되었다. 그런데 그때만 해도 우리는 이 시헌력을 정확하게 맞출 수가 없었기 때문에 중국의 황제가 그해의 달력, 즉 그해의 시간표를 조선의 왕에게 보내면 그것을 받아서 써야 했다. 중국은 그들의 달력을 우리에게 보내면서 중국 황실 제사의 시기도 정하고, 일상적인 생활의 질서를 자신들이 부여한 규칙에 기반하여 움직이게 했다. 권력을 가진다는 것은 시간을 지배한다는 의미였다. 내가 시간의 법칙을 정한 뒤 타인으로 하여금 그 시간에 맞춰 살게 할 수 있다면 나의 권력의 힘은 얼마나 어마어마한 것이겠는가.

물론 조선의 왕들이 이것을 그대로 수용한 것은 아니었다. 직접적으로 거부하면 중국의 심기를 건드리게 되니, 말로는 따르겠다고 하면서 조금씩 변용을 했다. 그도 그럴 것이 중국은 우리하고 시차도 많이 나고 절입일節入日이 다른데 어떻게 100퍼센트 같은 시간을 쓸 수 있었겠는가. 그래서 공식적으로는 시헌력을 쓴 걸로 치고, 실제로는 조금씩 손을 대서 수정을 했다. 중국에서 새해 달력을 받으면 조선의 왕 역시 각 부서에 달력을 보내야 했는데, 거기에 우리 실정을 반영하여 자체적으로 만든 달력을 내려보낸 것이다. 이것을 향력鄕曆이라고 한다.

그러던 것이 1896년 이후 서구 열강의 압력으로 개항이 본격화되고, 개항을 기점으로 일본을 비롯한 서구 열강들과 줄줄이 조약을 체결해야 하는 상황에서 서양과 날짜가 다른 시헌력을 계속 사용할 수 없었다. 더더군다나 청일전쟁 이후 중국보다 일본의 입김이 더 세졌는데, 일본은 서양의 태양력을 사용하고 있어, 우리 역시 서양의 태양력을 공식적으로 받아들이게 되었다.

그런데 재미있는 점이 있다. 시헌력이냐 태양력이냐 이전에 조선의 민중은 조선 후기부터 이미 조정의 정책과 별개로 다른 달력을 만들어 사용해왔다. 바로 만세력萬歲曆이다. 중국의 달력을 조선의 왕이 그대로 받아들이지 않은 것처럼 조정의 달력을 민중이 그대로 받아들이지 않은 것은 서로의 시간이 달랐기 때문이다.

조선의 민중은 농사와 관련된 사항이 시간에서 가장 중요한 요소였다. 이들은 농사를 짓는 데 가장 요긴하고 중요한 날들을 정리해놓은 만세력을 통해 시간이라는 개념을 사용하고 있었다. 이 사실은 무엇을 뜻하는가. 단순히 태양력이냐 아니냐를 넘어 시간의 체제라는 것이 우리가 생각하는 것보다 훨씬 더 복잡하게, 근대 이전에 이미 우리 민중의 삶에 깊이 착종되어 있었음을 의미한다.

시간의 공존,
태양력의 선택

태양력을 도입하기 전에 새해의 시작은 언제였을까. 태양력이 들어오기 전 새해는 지금처럼 1월 1일이 아니었다. 지금의 양력과 음력의 차이를 떠올리면 이해하기 쉬울 것이다. 따라서 태양력 도입 이후 새해의 시작을 언제로, 어떻게 볼 것인가 하는 문제가 중요해졌다. 한 해의 시작을 정해야 그다음의 시간이 정해지기 때문이다.

태양력에서는 1월 1일 0시를 새해의 시작으로 삼는다. 그런데 한 해의 시작만 정한다고 끝날 일이 아니었다. 새해의 첫 순간이라고 하는 '0'시는 대체 언제, 무엇을 기준으로 삼아야 하는가. 도쿄의 표준시인가, 아니면 한양의 표준시인가.

조선에 태양력이 도입될 당시 우리는 도쿄의 표준시를 따랐다. 그러니까 한 해가 시작되는 1월 1일 0시 0분은 우리의 시간이 아닌 도쿄의 1월 1일 0시였다. 태양의 황도黃道상으로 보면 도쿄가 0시 0분일 때 한양은 정확하게 12월 31일 밤 11시 28분이다. 즉 32분의 오차가 발생한다. 따라서 우리는 아직 새해가 밝지도 않았는데, 새해가 밝았다고 생각한다. 즉 32분간의 가짜 시간을 살게 된 것이다. 이것은 지금까지도 마찬가지다.

그에 비해 태음력은 음력 1월 1일 자시子時를 한 해의 시작으로 본다. 어느 해에 음력 1월 1일이 태양력으로 1월 28일이라면 마찬가지로 우리에게 정확한 한 해의 시작은 1월 27일 밤 11시 28분이다. 만세력은 24절기 중 입춘이 시작되는 날이 새해의 시작이니 태음력과는 또 다르다. 이렇게 미묘하게 발생하는 시간의 차이로 인해 이후의 절기는 조금씩 어긋날 수밖에 없다. 또한 절입 시간이 해마다 달라지기 때문에 어떤 역법을 적용하느냐에 따라 한 해의 시간이 달라지고, 그럴 때마다 시간의 체계가 전부 달라질 수밖에 없다.

이렇듯 태양력과 만세력이 공존하거나, 기준으로 삼는 시간대가 서로 다르다면 한 사회 안에서 근대적인 시간의 공적인 약속이

태양력과 만세력 중 단일화된 시간 개념의 적용이 필요해졌다.
식민지화가 되었다는 건 일본의 시간 체계 속으로 편입되었음을 의미한다.
그들은 태양력을 쓰고 있었다. 우리 역시 태양력을 써야 했다.

가능하겠는가. 불가능하다. 예를 들어 부산 가는 기차가 월, 화, 수, 목, 금, 토 매일 아침 여섯 시에 있다고 하자. 그런데 그 여섯 시가 어떤 시간을 기준으로 한 것이냐에 따라 어마어마한 문제가 발생할 가능성이 크다.

따라서 단일화된 시간의 개념을 적용하는 것이 중요해졌다. 어떤 것을 기준으로 삼았겠는가. 우리가 식민지가 되었다고 하는 것은 철저히 태양력에 입각한, 게다가 도쿄의 표준시에 입각한 일본의 시간 체제 속으로 편입되었음을 의미한다.

오포午砲와 시계, 그것이 상징하는 바

●

일본은 한반도를 장악하자마자 매일 낮 열두 시 정각에 대포를 쏘았다. 이것을 오포午砲라고 하는데 뻥, 하고 대포가 터지면 그 시간이 낮 열두 시 정각이었다. 식민지의 만백성은 이것을 기준으로 각자의 시간을 재정비해야 했다. 이 오포의 시작이야말로 드디어 식민지 조선이 일본이 정한 시간 단위에 맞춰 살게 된 것의 실질적 출발점인지도 모른다. 이것을 기점으로 비로소 우리는 근대의 새로운 시간 개념을 일상에 받아들이고, 그로 인해 전면적인 시간의 재구성을 경험하게 되었다.

일본을 통해 서구의 태양력이 민간에 전해지면서 여러 가지 현상이 나타났다. 가장 먼저 체감한 변화가 앞에서 말한 새해의 시작이었다. 즉 새해 첫날이 언제이냐는 것이 중요한 논쟁거리가 되었다. 태양력에 따르면 1월 1일이 새해의 첫날이자 설날이다. 그런데 우리가 지금도 음력 설을 쇠는 것처럼 태양력을 도입하기 전에 새해의 첫날은 음력 1월 1일이고, 그날이 설날이었다. 그러자 태양력이 일본에서 들어왔다고 하여, 양력 설을 쇠는 사람을 친일파 · 매국노로 치부하는 경향이 있었고 이후에도 오랫동안 식민지 치하의 대중은

○ 낮 12시 정각, 시간을 알리는 대포 소리. 근대의 새로운 시간 개념을 일상에 받아들인 기점.
근대적 시간의 산물, 시계. 새로운 시간 단위 향유자, 곧 식민지 조선 지배층의 상징물.

음력 1월 1일을 설날로 쇠는 행위를 일본 제국주의에 대한 반감의 표출로 삼았다. 그래서 일본 관헌들 몰래 음력 설을 쇠는 사람이 많았다. 생존을 위해 어쩔 수 없이 태양력을 따를 수밖에 없지만 설날만큼은 기존의 시간 개념을 지키겠다는 의미인 셈이다. 일본이 강요한 시간의 지배를 거부하겠다는 암묵적인 행위였다.

근대적 시간의 개념은 당연하게도 단순히 오포로만 그치지 않았다. 근대적 시간의 상징물인 새로운 생산물이 사람들에게 보급되기 시작했다. 바로 시계다. 오포는 하루에 한 번, 시간을 알리는 장치였다. 그러나 시계는 우리의 삶의 단위를 시간 단위로, 나아가 분 단위로 재구성하기 시작했다. 즉 삶의 근간을 완전히 재편하는 근대의 산물이었다.

시계의 초기 버전은 시간 단위로 표시되었다. 분이나 초까지는 아직 표시되지 않았다. 그러니까 당시 사람들은 이 시계를 통해 하루를 '12시간 곱하기 2'의 시간 단위로만 생각했다. 하지만 이것만으로도 엄청난 변화였다. 그 이전에 우리는 시간을 열두 개 단위로 나누었는데, 이제 스물네 개로 나뉜 것이다. 즉 하루를 스물네 개의 단위로 쪼개서 생각할 수 있으니, 열두 개 단위로 쪼갰던 이전의 생활에 비하자면 훨씬 더 정교하게 삶을 구성할 수 있게 된 셈이다. 굉장히 혁명적인 아티큘레이션articulation이었다. 시계는 곧 발전되어 열두 개를 스물네 개로 나눈 것에서 더 나아가 시간을 분과 초 단위로 쪼갰다. 하루를 스물네 개의 단위로 나눈 것에서 더 나아가 3,600분의 1로 분할한 것이다. 그럼에도 오포는 한동안 계속되었다. 시계의 보급이 시작된 초기, 시계는 자꾸 시간을 틀렸다. 분, 초의 정밀함이 떨어졌다. 그래서 오포를 쏨으로써 시간을 맞추도록 한 것이다.

시계는 무척 비싼 물건이었다. 우리 근대의 첫 번째 표정에서 가장 개인적인 사치품이 시계였다. 시계를 소유했다는 것은, 비록 일본 제국주의가 지배하는 상황이긴 하지만 식민지 조선의 지배 계층에 속하고, 이 새로운 시간 단위를 향유하고 있음을 증명하는 중요한 장치였다. 그래서 중산층 이상의 남녀가 결혼할 때는 신부 쪽에서 신랑에게 혼수로 시계를 선물했다. 이는 단순히 재력을 과시하는 의미 외에도 여러 가지 상징적인 뜻을 포함하는 행위였다. 혼수품에 시계가 들어 있다는 것의 의미는, 이 새로운 시간 단위를 사용하는 체제 안으로 빨리 편입하라는 것, 즉 얼른 출세하라는 뜻이나 진배 없었다.

그렇다면 이 '시간'이라는 것이 대중의 일상 속에 새로운 개념으로 등장했다는 것은 어떤 의미인가. 우리가 소설과 영화를 향유하는 방식을 놓고 생각해보자. 두 가지 예술 장르 모두 서사적인 미학의 구조를 가지고 있다.

가령 방각본 『춘향전』을 집에서 읽는다고 해보자. 소설은 활자 예술이지만 처음부터 끝까지 읽는 데는 일정한 시간이 걸린다. 그 시간만큼을 투자해야 이야기가 진행이 된다. 시간이 전제된 시간 예술이다. 그런데 글을 빨리 읽는 사람도 있고, 늦게 읽는 사람도 있다. 사람에 따라 소설이 제공하는 서사를 따라가는 데 시간 차이가 발생하는 것이다. 또 어떤 사람은 아침 아홉 시에 읽을 수도 있고, 어떤 사람은 밤 아홉 시에 읽을 수도 있다. 한두 페이지 읽다 말고 다른 일을 하다가 다시 읽을 수도 있고, 성질 급한 사람은 앉은 자리에서 처음부터 끝까지 한 번에 읽을 수도 있다. 개인의 취향, 선택, 능력, 조건 등에 의해서 서사 예술인 소설을 읽으며 시간을 쓰는 것은 사람마다 이렇게 자의화된다.

그런데 소설과 마찬가지로 서사 구조를 가진 영화에서 시간을 쓰는 방식은 다르다. 제아무리 영화사 사장님이라 할지라도 영화 상영 시간에 맞춰서 가야만 볼 수 있다. 정해진 시간표에 맞춰 극장에 앉아 있으면 관객이 이해를 하든 말든 영화는 돌아가고, 거기 앉은 사람들은 같은 공간, 같은 시간 동안 영화를 처음부터 끝까지 동일하게 보게 된다. 즉 소설처럼 예술의 향유자가 자신의 조건에 맞춰 시간을 사용하는 것이 아니라, 제공자가 제시하는 시간에 맞춰 따라야 한다. 그러니까 소설과 영화라는 같은 구조의 예술을 향유하고 소비하는 데 있어서 영화는 소설과 달리 전혀 다른 시간의 권력이 작동한다. 이러한 영화의 매커니즘을 근대의 우리 대중은 나운규의 〈아리랑〉 한 편을 통해 한 방에 저절로 학습하게 되었다.

도시화로 인한 공간의 재구성

●

20세기 초반 식민지 조선의 대중이 맞닥뜨린 또 하나의 새로운 개념이 공간이다. 어쩌면 공간의 재구성은 시간보다 더 직접적인 일상의 변화를 가져왔는지도 모른다. 당시 식민지 조선 공간이 재구성되는 데 중요한 화두는 도시화였다.

1910년 한일강제병합을 맞은 상황에서 당시 인구가 제일 많았던 지역은 어디일까. 경상북도가 1위였고, 그다음은 전라남도, 경성을 포함한 경기도는 3위였다. 이 순위는 아직까지 조선이 도시 단위의 발전이 이루어지지 않았던 상황임을 말해준다. 이른바 메가시티, 메트로폴리탄의 문화가 존재하지 않았던 것이다.

그런데 조선총독부가 들어서면서 일본은 '재미있는' 정책을 펴기 시작했다. '부'府라는 개념의 신설이었다. 지금으로 치면 일종의 메가시티 건설 계획이다. 일본인이 얼마나 많이 거주하는가가 부의 기준이었다. 식민지 조선인들이 뭐가 필요한지는 이들에게 하나도 중요하지 않았다. 일본인들이 많이 사는 곳에 우선적 개발이 이루어졌다. 그래서 그 이전까지 별 볼일 없는 도시였던 부산이라든가 광주, 군산, 목포 등이 모두 부로 승격했다. 일본인이 많이 사는 곳이다 보니 그들의 편의를 위해 그렇게 한 것이다.

오늘날의 서울은 '경성부'京城府라 지칭했다. 이게 또 이유가 있다. 경성은 조선시대의 한양, 즉 궁궐이 있는 곳이었다. 지금의 서울시장이라고 할 수 있는 한양의 수장은 한성판윤漢城判尹이라 하여 도 관찰사급 대우를 해줄 만큼 다른 지역과는 그 위상이 달랐다. 그런데 조선총독부는 경성을 다른 지역보다 위상을 높이면 자기네 도쿄

○ 한일강제병합 후 조선총독부는 메가시티 건설 계획을 세운다. 식민지 조선에 무엇이 필요한지는 중요하지 않았다. 일본인이 많이 사는 곳, 일본과 교역이 편리한 곳이 우선 개발되었다.

와 같은 급으로 맞먹게 될까 봐서 새로 신설된 부를 붙인 것이다. 다른 지역의 신생 부와 같은 수준으로 격하한 것이다.

부산, 광주, 군산, 목포 등 일본인들이 모여들어 살기 시작해서 그렇지 않아도 커지기 시작하던 이 지역들은 조선총독부의 부의 신설로 기하급수적으로 인구가 늘어나기 시작했다. 당연히 그 규모가 갈수록 커졌다. 이렇게 해서 전국적으로 부를 중심으로 한 도시화가 진행되면서 그전만 해도 인구 1, 2위를 차지하던 경상북도와 전라남도의 인구들이 이 부로 빠져나가게 된다. 바야흐로 도시화의 서막이 오른 것이다.

자동차가 들어오고, 전차가 다니고, 배도 다니고

●

부라고 불린 도시들에서 나타난 특징적인 변화 중에서도 눈에 띄는 것은 교통수단의 변천이다. 1910년대 이미 경성에서는 가마꾼이 사라지고 그 가마 자리에 인력거 1만 대 정도가 영업을 했다고 한다. 당시 경성의 인구가 25만 명이 되지 않았는데 인력거가 1만 대 있었다면, 인구 대비 굉장히 많은 이동이 경성 안에서 이루어지고 있었음을 의미한다.

그런데 20여 년 후인 1930년대에 들어서면 1만 대에 이르던 인력거는 자동차와 자전거로 대체되었다. 물론 순식간에 일어난 변화는 아니었다. 1922년 경성에서 256대의 택시가 이미 영업을 시작했고, 1930년대가 되면 택시가 인력거를 완전히 밀어낸다. 이것은 단순히 인력거가 자동차로 바뀌었음을 의미하지 않는다. 인력거가 사라지면서 인력거꾼도 사라졌다. 그렇다면 그 많던 인력거꾼은 다 어디로 갔을까. 도시 빈민으로 밀려났다. 그 대신 자동차 운전수가 최고의 인기 직종으로 떠올랐다. 자동차 시장은 순식간에 커졌다.

○ 도시에 교통수단이 등장하고 늘어났다는 것은
그만큼 도시 내부에서 이동의 필요성이 증대했다는 것과
그로 인해 도시 안에서의 이동 속도가 엄청나게 빨라졌음을 의미한다.

바람을 뚫고 질주하는 시보레

1929년도 신문에 실린 시보레 자동차 광고 문구다. 이미 1920년대 발에 '바람을 뚫고 질주하는' 시보레와 '믿고 찾는' 포드T 자동차가 식민지 조선의 시장 진출을 앞두고 살벌하고도 처절한 마케팅 전쟁을 시작했다.

도시에 자동차가 이렇게 늘어났다는 것은 그만큼 도시 안에서 이동의 필요성이 증대했다는 것과 그로 인해 도시 내부의 이동 속도가 엄청나게 빨라졌다는 것을 뜻한다. 물론 개인적인 이동 수단인 자동차의 확산 이전에도 대중은 도시 내부의 이동 속도의 변화를 일상 속에서 겪고 있었다. 1899년부터 한양에는 전차가 다니기 시작했다. 서대문·청량리 노선을 시작으로 1920년대가 되면 거미줄 같은 전차망이 경성 시내 전역에 깔리게 된다. 시내 한복판을 활개치던 이 전차는 1968년에 운행이 중단되고, 1969년에 철거되어 지금은 역사 속으로 사라졌다.

전차가 다니던 초기에는 웃을 수만은 없는 일이 일어나기도 했다. 전차의 철로가 뭘로 만들어졌는가. 쇠다. 사람들이 전차가 끊긴 더운 여름밤에 쇠로 만들어져 시원한 철로를 베고 자다가 그만 아침에 운행을 시작한 전차나 기차에 치어 죽는 일이 빈번하게 일어났다. 철로에서 자다가 죽은 원혼들을 위로하는 〈아리랑타령〉이 생길 정도였다. 가사의 일부는 이랬다.

철도 길 베개에 단잠인 이들이
날 밝자 집안이 울음판이라
아리랑 아리랑 아라리요

얼마나 많이 죽었으면 이런 노래가 만들어졌겠는가. 지금 보면 황당한 일이지만, 그때는 심각한 사회 문제가 되었기에 '제발 찻길에서 자지 맙시다'라는 계몽 캠페인이 몇 년 동안 이어졌다.

1928년에 등장한 버스까지 포함하여 이제 도시 안에는 전차,

버스, 그리고 개인적인 근대적 운송 수단인 자동차들이 다니기 시작했다. 이런 운송 수단들은 점차 도시 안에서만이 아니라 도시와 도시 사이로 점점 그 노선을 확장시켜나갔다.

그렇다면 국가 간의 운송 수단은 어떤 것이 있었는가. 이때만 해도 항공기는 도입되기 전이었다. 다른 나라로 떠나려면 배를 타야 했다.

부산-시모노세키 간 부관연락선이 1905년 9월 1일에 이키마루壹岐丸로 시작, 1913년 고다이마루高麗丸, 1922년 도쿠주마루德壽丸라는 이름으로 운행을 했다. 대개 1천 톤에서 3천 톤급의 대형 여객선이었다.

여수-시모노세키 간 연락선 역시 부관연락선만큼이나 중요했다. 여수-시모노세키 간 연락선은 한 달에 28회 운행했다. 일본에서 대륙으로 진입하는 통로가 부산만이 아니었음을 알 수 있다. 일본은 여수를 통해 서해안을 타고 대륙으로 들어왔다.

이 점은 염두에 두어야 한다. 부산을 통해 접근하는 경상도에서는 일본 입장에서 보면 노동력 말고는 빼앗아갈 게 별로 없었다. 그런데 여수를 통해 들어온 전라남도 지역은 해산물과 농산물의 엄청난 생산지였다. 그렇다 보니 일본 입장에서는 이쪽으로 드나드는 게 훨씬 가져갈 게 많았을 것이다. 이런 식으로 일본은 연락선을 타고 식민지 조선 땅 곳곳을 드나들었고, 그 결과 산업적 이동이 이루어졌다.

식민지 조선, 근대의 상징 기차를 타다

●

하지만 뭐니 뭐니 해도 근대의 가장 결정적 상징은 철도였다. 1905년 경부선 개통을 시작으로 1920년이 되면 경인선, 경원선, 경의선, 호남선 등이 전부 개통하게 되었다. 1930년에 철도 이용객은 연인원 2,064만 명에 달했다는 통계가 있다. 그 당시 인구가 2천 만 명이 채 되지 않았을 때이니 수치상으로만 보자면 1인당 한 번 이상씩은 철도를 이용했던 셈이다.

이 이야기는 1930년도에 이미 국가 내에서의 이동이 엄청난 속도로 일어났음을 보여준다. 전시도 아닌 상황에서 이 정도의 규모로 철도를 이용한 도시 간 이동이 일어났다는 것은 당시 대중이 굉장히 활발한 거주 유동성을 가졌음을 의미한다.

철도는 단지 도시 간의 이동을 담당한 운송 수단의 의미를 넘어선다. 철도가 도시 간 운송의 핵심이 되면서, 철도는 근대적 시간 관념을 준수해야 하는 표본이 된다. 기차의 특징이 뭔가. 정해진 시간에 출발한다는 것이다. 다시 말해 사람들이 시간이라는 개념을 받아들이든 말든, 그 시간을 알려주는 장치가 있든 없든, 시간을 알든 말든 기차는 정해진 시간에 떠난다. 이게 무슨 말일까. 식민지 조선인들이 여전히 전근대적인 시간의 습관 속에 있든 말든 일본인들은 정해진 시간이 되면 정각에 기차를 출발시켰다는 말이다. 철도를 이용하려면, 이 질서를 따르라는 말이었다. 억울한 일을 당하지 않으려면 이 질서를 따라야 했다. 기차야말로 식민지 조선인들이 이 자본주의적이고 제국주의적인 시간의 질서를 따르게 만든 결정타였던 셈이다.

기차의 중요한 의미는 또 있다. 기차표는 1등 칸부터 3등 칸까지 요금에 따라서 편의성이 달라졌다. 1등 칸에서는 승무원이 승객들에게 음료와 다과를 제공했고, 3등 칸에는 지정 좌석이 없었다고 한다. 그런데 이런 좌석이 신분이 아닌 자본에 의해 정해진다. 좌석을 사는 데는 계급과 신분의 차별이 없었다. 즉 양반이나 귀족만 1등 칸을 탈 수 있는 게 아니었다. 누구든 돈만 있으면 1등 칸을 탈 수 있었다. 또한 그 좌석의 주인이 양반인지 '상놈'인지는 아무도 알 수 없다. 신분에 의해 좌석이 결정되는 게 아니라 자본의 유무에 의해서 결정되기 때문이다. 기차는 바로 그런 새로운 질서를 반영하고 있었다. 신분에서 자본으로의 이행이 가능해진 것이다. 이것을 사람들은 어느새 자연스럽게 받아들이고 있었다.

기차의 의미는 속도에도 있다. 가격의 높고 낮음에 따라 누릴 수 있는 서비스의 차이는 있을지언정 같은 기차를 탄 사람은 1등 칸이나 3등 칸이나 모두 똑같은 속도로 목적지에 도착할 수 있다. 돈이 있든 없든, 신분이 어떻든 간에 기차에만 올라탔다면 동일한 속도를 누릴 수 있게 된 것이다. 이것 역시 상징하는 바가 있다.

조선에 상륙한 영화, 그 첫 만남의 풍경

●

근대로 접어들면서 이러한 시간과 공간이 재배치되고 재구성되는 와중에 우리는 이전에 만나본 적 없는 새로운 문화를 수용하고, 경험하게 된다. 문화 수용의 속도 역시 상상할 수 없이 빨라졌다.

파리에서 세계 최초로 영화가 상영된 것이 1895년인데 우리나라에서 처음 영화를 상영한 것이 바로 그 2년 뒤인 1897년이다. 그리고 1927년 〈재즈 싱어〉The Jazz Singer라는 세계 최초의 유성영화가 뉴욕에서 개봉되었는데, 그로부터 8년 뒤인 1935년에 우리나라에서 처음으로 유성영화가 만들어졌다. 춘원 이광수의 『일설 춘향전』을 원작으로 한 이명우 감독의 〈춘향전〉이 바로 그것이다. 일본과는 4년밖에 차이가 나지 않는다.

이 말은 무슨 뜻인가. 비록 식민지 피지배국으로 살고 있었을지언정 당시 우리가 세계적인 문화의 조류 속에서 심각한 지체 현상을 보이고 있었다고 생각하면 안 된다는 말이다. 세계적인 트렌드가 발생한 것과 거의 비슷한 시기에 식민지 조선에 상륙했다고 이해하는 게 맞다.

영화에 대한 이야기를 좀 더 해보자. 영화 이전에 우리가 먼저 접한 건 활동사진이었다. 최초의 활동사진 관람은 조선연초회사에 영국 담배를 팔아보려는 영국인 애스터 하우스Astor House라는 사람

○ 근대로 접어들면서 문화 수용 속도는 상상할 수 없이 빨라졌다.
우리는 세계적인 문화 흐름에서 제외되지 않았다.
파리에서 세계 최초로 영화가 상영된 것은 1895년, 우리는 1897년이었다.

의 마케팅 전략에서 비롯되었다. 그는 1897년 10월 상순경 지금의 충무로 지역인 진고개 근방에 있던 중국인의 가건물을 빌려서 처음으로 활동사진을 상영했다. 입장료는 당시 조선연초회사에서 판매하던 영국 담배의 빈 갑이었다. 빈 담배갑을 가지고 가면 활동사진을 볼 수 있었던 셈이다. 우리나라 최초의 활동사진 상영이 담배 회사의 마케팅에서 처음으로 시작된 것이다.

첫 번째로 영화를 본 것은 1903년이었다. 입장료는 10전. 당시 설렁탕 한 그릇 값이었다. 지금도 보통 설렁탕 한 그릇 값이 8,000~9,000원이니, 예나 지금이나 영화 값은 역시 설렁탕 값이다.

하지만 본격적인 영화의 시대는 시간이 좀 더 필요했다. 1903년부터 새문안의 협률사協律社가 상설 극장으로 운영되었다. 이 협률사는 곧 원각사圓覺社라는 이름으로 바뀌게 된다. 충무로 진고개에 일본인이 세운 송도좌라는 극장이 들어서고, 1907년에는 조선인의 자본으로 단성사가 개관한다. 하지만 이때 극장은 영화를 위한 곳이 아니라 대부분 공연을 위한 곳이었다. 영화를 위한 공간은 1910년 무렵부터 등장했다. 1910년에 일본인 자본에 의해 종로 1가 피맛골에 들어선 고등연예관은 1915년에 우미관으로 이름을 바꾸었고, 1922년에 인사동에 조선극장이 들어섰다. 이로써 1920년을 전후하여 우리나라에 극장 체제가 형성되었다.

그렇지만 1920년대 전반까지만 해도 식민지 조선의 영화 제작 환경은 매우 열악했다. 제작할 자본, 장비, 전문인력, 관련 인프라 등등 부족한 것이 100가지도 넘었지만, 일단 여배우가 없었다. 당시 연극이든 영화든 여배우는 가장 천한 직업이라고 여겨졌기 때문이다. 1920년대만 하더라도 여배우라는 직업을 천박하고 천한 일로 여기는 풍조가 강했다. 기생조차도 여배우를 하라고 하면 모욕감을 느낄 정도였다. 백조 극단의 박승필朴承弼, 1875~1932이 명월관의 어떤 기생한테 인물도 좋고 목소리도 좋으니 우리 극단에서 연극 한 편 같이 하자고 제안했다가 뺨을 맞았다는 등의 이야기가 수없이 나돌았다. 어떻게든 연예인이 되려고 온갖 의학 기술의 힘을 빌리는 요즘 세태를 생각해보면 격세지감이 드는 얘기다. 그래서 어쩔 수 없이 남자가 여배우 역을 대신하기도 했다.

이런 와중에 드디어 우리나라에도 최초의 직업적인 여배우가 등장한다. 조선 황실의 나인 출신인 그녀의 이름은 마호정馬豪政. 이때 이미 마흔이 넘은 나이였다. 청순가련형이 아니라 주로 액션 위주의 과격한 주모역 전문 여배우였다. 그녀가 출연한 영화로는 위생 홍보영화로 알려진 〈코레라(콜레라), 전염병을 막자〉를 비롯하여 〈야성〉, 〈병처〉, 〈그림엽서〉, 〈깨어진 시계〉 등이 있다.

그리고 그 뒤 1923년에서 1925년 사이에 〈월하의 맹서〉에 출연한 이월화李月華, 1904~1933나 유성영화 시대의 첫 번째 히트작 〈춘향전〉의 복혜숙1904~1982이 등장하면서 드디어 주연급 여배우의 탄생을 알렸다. 특히 복혜숙은 그 뒤로 약 10년 동안 식민지 조선의 영화계 은막銀幕의 여주인공으로 활동했다.

근대 영화가 탄생시킨 최초의 스타, 변사辯士

●

근대의 영화를 떠올리면 빠질 수 없는 존재가 있다. 바로 변사辯士다. 1935년까지는 무성영화의 시대였다. 화면 속의 배우들은 소리 없이 움직였다. 그러나 화면에 소리가 없다고 해서 영화관에 소리가 없는 것은 아니었다. 무성無聲이라고 해서 소리 없이 자막으로 흐른다고 생각하는 사람들도 간혹 있는데, 그렇지 않다. 음악도 있고 대사도 있다. 음악은 악단이 라이브로 연주를 했다. 악단이 스크린 앞에 앉아서 화면을 보면서 연주를 하는 것이다. 그래서 영화가 상영되면 악단이 상영관을 따라 곳곳으로 옮겨 다녀야 했다.

대사는 변사가 맡았다. 변사가 대사와 지문을 혼자서 전부 소화했다. 변사에 따라 영화의 느낌이 달라졌다. 그래서 은막의 우상은

○ 경성 한복판 극장에서 활약하던 변사야말로 자본주의적인 의미에서 최초의 스타였다. 변사가 지나가면 사람들이 구름 떼처럼 몰려들었다. 영화배우는? 영화배우는 아무도 알아보지 못했다.

배우지만 극장의 우상은 변사라는 말이 있었다. 이런 변사들은 어떤 대접을 받았을까. 남자 주인공이 보통 50원의 개런티를 받았는데, 단성사나 조선극장의 스타급 변사는 월급으로 보통 150원을 받았다. 주연급 배우가 편당 50원을 받으려면 두세 달 동안 꼬박 촬영을 해야 한다. 그런데 스타 변사는 극장에 앉아 한 달 월급으로 150원을 받은 것이다.

경성 한복판 극장에 있는 변사야말로 자본주의적인 의미에서 최초의 스타였다. 변사가 지나가면 사람들이 구름같이 몰려들고, 하루의 마지막 공연이 끝날 때쯤이면 명월관, 국일관國一館의 기생들이 극장 앞으로 인력거를 보냈다. 그러면 변사는 아무거나 타고 기생집으로 갔다고 한다. 그 정도로 변사는 인기가 많았다. 특히 서상호라는 단성사 주임 변사는 동생인 서상필과 함께 유명한 변사였다. 당시에는 할리우드 영화도 많이 개봉했는데 이 둘은 정확한 영어 발음으로도 유명했다. 그러니까 외국 영화도 완벽하게 재연했다는 것이다.

뛰어난 변사가 되려면 영화와 대사의 싱크sync가 정확히 맞아야 한다. 그런데 변사가 관객에게 등을 돌리고 앉아 화면을 보고 대사를 읊을 수는 없지 않은가. 눈은 객석을 바라보고 있어야 하는데, 화면은 뒤에 있으니 이게 참 쉬운 일이 아니었을 법하다. 그래서 화면과 관객 사이, 그 애매한 각도에서 관객을 향한 채 화면에 맞춰 대사와 지문을 완벽하고 실감나게 연기해야 했고, 그때그때 분위기에 맞춰 애드리브도 잘해야 했다. 관객의 나이나 성향에 따라서 영화 내용을 조금씩 바꾸기도 하고 순발력을 발휘하여 관객들이 지루하지 않게 만들기도 했다. 그래서 이 무성영화 시절의 변사는 일종의 화면의 대변인이면서 동시에 관객의 대변자이기도 했다. 영화에 소리를 담을 수 없는 한계 속에서 관객이 영화를 보며 어떤 감정 상태를 원하는지를 정확히 파악해야만 가능한 일이었다. 따라서 새로운 문화 콘텐츠로서 변사가 주목받던 시대였다.

이에 비해 영화배우의 인기는 어떠했는가. 영화 주인공이 길거리를 지나가면, 아무도 알아보지 못했다. 영화 속에서는 분장을 하는 데다가 화면도 열악하니 주인공을 알아볼 수가 없었던 것이다. 지금으로 보면 배우의 굴욕이 아닌가 싶다. 그러던 식민지 조선의 영화계에, 온갖 열악한 환경을 뛰어넘은 우리 영화 최초의 그리고 어쩌면 영원한 기린아라라고 할 수 있는 춘사 나운규가 등장한다.

오늘날, 한국 영화의 희한한 성공

●

오늘날 대한민국의 영화는 세계 시장에서도 유의미한 지위를 갖고 있다. 우리는 동네 극장에서 영화를 보는 거니까 우리나라 영화 중에 마음에 드는 게 나오면 좋아했다가, 마음에 안 드는 게 나오면 실컷 욕하고 끝난다. 이순신 장군을 그린 〈명량〉 같은 영화가 나오면 평소에 극장에 안 가던 사람들까지 우르르 가서 보다가 안 내키면 1년에 한 편도 안 보기도 한다. 우리나라 영화가 생활 속에 차고 넘친다. 맘 내키면 언제든 볼 수 있고, 안 내키면 안 보면 그만이다.

현재 전 세계에서 영화를 찍는 나라는 생각보다 적다. 다시 말해 자체적으로 영화를 제작하는 나라가 거의 없다는 것이다. 예를 들어 브라질은 '시네마 노보'cinema novo라고 하는, '새로운 영화'를 표방하는 정치적 영화 혁명을 도모했을 정도로 1960년대 세계 영화사에서 우리나라와는 비교도 안 되는, 굉장히 위대한 영화 역사를 갖고 있는 나라다. 그랬던 이 나라의 요즘 연간 영화 제작 편수가 0편, 1편, 0편 이렇다. 세상이 어떻게 돌아가도 우린 우리 식대로 한다는 '발리우드'Bollywood 인도 영화를 제외하고, 세계의 영화 영토는 할리우드로 통일된 지 오래다. 유럽 대부분의 나라들도 자신들만의 영화를 찍지 못한다. 3개국 이상의 나라들이 연합해서 간신히 영화를 찍을 정도다. 자국에서 제작한 영화를 보는 인구가 워낙 적어서 자국 시장 하나만 보고 영화를 찍을 수가 없기 때문이다. 이미 할리우드 영화와 경쟁을 할 수 없게 되어버렸다.

○ 세계 영화 영토는 할리우드로 통일된 지 오래다. 자국 영화를 찍는 곳이 거의 없다. 그런데 하수구 문화의 상징처럼 여겨지던 '우리나라 영화'가 할리우드 독점 질서에서 살아남은 저항 국가의 대표선수로 자리잡았다. 놀라울 따름이다.

그런데 희한하게도 우리는 연간 개봉작 기준으로 2006년에 100편을 넘어선 이래 꾸준히 성장하여 2012년에는 175편을 개봉했다. 할리우드 영화와 경쟁하는 영화 시장 점유율에서도 국내 영화의 점유율은 2006년에 64퍼센트를 기록했고(그해엔 〈괴물〉, 〈왕의 남자〉, 〈타짜〉 등 엄청난 히트작들이 줄을 이었다), 2008년부터 2010년까지 3년 동안 42~49퍼센트를 기록했을 뿐 평균적으로 50퍼센트를 넘는 점유율을 유지했다. 이렇게 자국 영화의 점유율이 할리우드 대비 50퍼센트가 넘는 나라는 딱 네 나라다. 우리나라, 인도, 중국, 일본이다. 2006년부터 2015년까지 유럽에서조차 자국 영화가 할리우드 영화 대비 점유율 50퍼센트를 넘는 곳이 단 한 나라도 없을 정도이니(프랑스가 34~45퍼센트, 영국이 17~36퍼센트, 독일이 15~27퍼센트의 점유율을 기록했다.) 우리나라의 영화 제작 상황은 놀랄 만하다. 정말 이해하기 어려울 정도다.

재미있는 일화가 있다. 1988년 올림픽 개최를 앞두고 우리나라도 국제 저작권 협약에 가입해야 했다. 그때까지만 해도 우리는 할리우드 영화를 굉장히 선별적으로 수입했다. 할리우드 영화사의 직접 배급(이하 직배)은 안 되고 국내 배급사를 통해야만 했다. 당시 정권이 그런 '쇄국정책'을 편 것은 서구의 자유주의적인 분위기가 영화를 통해 무분별하게 들어오는 것을 막기 위해서였다. 그런데 역설적이게도 그런 쇄국정책이 우리 영화를 지킨 꼴이 되었다.

그렇지만 올림픽을 치르려면 국제 규칙에 따르지 않을 수 없었다. 우리만 그런 건 아니었다. 중국도 베이징 올림픽을 개최하기 위해서 국제 저작권 협약에 가입해야 했다. 올림픽 개최국이 내야 하는 일종의 세금 같은 것이었던 셈이다. 그래서 우리나라에도 1986년부터 할리우드 영화의 직배가 시작되었다.

그전까지 일정한 쇄국정책 아래 우리 영화의 제작과 상영이 활발했는데, 막강한 자본을 가진 할리우드 영화가 쏟아져 들어오게 생겼으니 우리 영화 관계자들이 순순히 받아들일 리 없었다. 연일 데모를 하고 난리가 났다. 문호를 개방하고 처음으로 들여온 할리우드 직배 영화는 1988년도 〈위험한 정사〉로 할리우드 직배에 반대하는 한 영화감독이 상영 중이던 극장 안에 뱀을 풀었다고 해서 난리가 난 적이 있다. 강대국의 영화 직배에 반대하기 위해 극장 안에 뱀을 푼 나라가 우리나라다.

이와 다른 양상으로 할리우드 직배에 반발하는 움직임도 있었다. 할리우드 배급사가 우리나라에 영화를 직배하려고 보니까 극장 관람객 수를 집계할 방법이 없었다. 실제로 서울 개봉관이나 관객 수가 집계되지, 서울을 조금만 벗어나도 전혀 집계가 되지 않았다. 하루에 몇 회를 상영하는지, 회당 관객 수가 얼마나 되는지 알아낼 방법이 전혀 없었다. 방법은 창구에 앉아 팔린 표를 확인하는 것뿐이었다. 말하자면 직배사 직원이 창구에 나와 앉아서 정확하게 몇 장의 표가 팔렸는지를 확인해야 하는데, 이게 또 말처럼 쉬운 일이 아니었다. 지방 극장에 가면 동네에서 힘깨나 쓴다는 사람들이 와서 관계자라는 이름으로 보이콧을 했다.

급기야 1991년에 나온 〈터미네이터 2〉는 할리우드 배급사가 직배를 포기하고, 서울의 한 극장에 배급을 의뢰해야 했다. 그 배급사로서는 굴욕을 무릅쓰고 직배를 포기한 것이다. 그게 더 돈을 버는 방법이라고 생각했다. 그런데 결과는 그게 아니었다. 직배사는 실제 관객 수에 한참 모자라는 수입만 챙겨가고, 극장만 떼돈을 벌었다. 그런 식으로 미국으로 유출되는 외화를 줄였으니 그 극장이야말로 진정한 의미의 민족자본이라고 해야 할지도 모르겠지만, 참으로 다이내믹 코리아다.

놀랄 지점은 또 있다. 내가 대학에 다니던 1980년대만 하더라도 남학생이 우리나라 영화를 보러 간다고 하면 여학생들이 이상한 시선으로 바라보았다. 마치 지금 벌건 대낮에 '나 야동 보러 가' 하는 것과 같은 반응이었다. 당시에는 '한국 영화'라는 용어도 없었고 나라 방邦 자를 써서 방화邦畵라고 했는데 거의가 호스티스물이거나 토속 에로물이었다. 한국 영화라는 말 자체가 거의 25년 동안 우리 관객들로부터 손가락질 받는, 쓰레기 하수구 문화였다.

그러던 것이 하루아침에 전 세계적인 할리우드 독점 체제에서 살아남은, 몇 안 되는 저항 국가로 자리잡았으니 이 또한 놀랍기 그

지없는 반전이다.

우리 영화계의 기린아,
춘사 나운규의 등장

●

이렇듯 파란만장한 우리 영화사에서 단 한 명의 영웅을 뽑으라면 나는 단연코 35세의 나이에 요절한 춘사 나운규를 꼽겠다. 나운규는 주연 배우이자 감독이며, 극작가였다. 전방위적 영화인이며 가장 창의적인 예술가라고 할 수 있으니 그는 우리나라의 찰리 채플린Charles Chaplin, 1889~1977이다.

나운규는 외모로 봐서는 그렇게 주연급 배우로 보이지는 않는다. 키도 작고 살집도 있고 얼굴도 잘생겼다고 볼 수는 없다. 그런 나운규가 〈아리랑〉의 각본과 감독, 주연을 맡아 영화를 만든 때는 그의 나이 스물다섯 살이었다. 1902년생인 그가 1926년에 만든 이 영화가 우리 영화사에서 기념비적인 역작이 된 것이다.

나운규는 두만강 제일 북단인 함경북도 회령 출신이다. 이 회령에서 우리 영화사의 중요한 인물 두 명이 나오는데 한 명은 나운규이고, 다른 한 명은 그의 친구인 윤봉춘尹逢春, 1902~1975이다. 윤봉춘은 나운규의 여러 영화에 출연한 배우이자, 그 자신이 직접 영화를 만들기도 한 감독이었다. 나운규는 영화인이라기보다는 본래 독립군이라는 독특한 전력을 가진 인물이다. 나운규의 인생에 가장 큰 영향을 끼친 사람으로 두 명을 꼽을 수 있다. 한 사람은 회령의 신흥학교 담임이었던, 민족주의자이며 독립투사였던 박용운朴龍雲이다. 그는 결국 학교를 그만두고 독립군에 가담했다가 일본군에 잡혀서 처형당했다. 박용운은 나운규를 평생 지배했다. 나운규는 자신의 모든 영화에 스승이자 사표師表인 박용운의 이미지를 심어놓는다. 또 한 명은 윤봉춘의 사촌 여동생인 윤마리아다. 그녀는 당시 회령의 최고 미인으로 나운규의 첫사랑이며 첫 여자친구였다. 그런데 나운

파란만장한 우리 영화사에서 단 한 명의 영웅을 뽑으라면 단연코 나운규다.
그는 태어날 때부터 영화에 대해 모든 걸 알고 있었던 사람처럼
모든 분야에서 가장 완벽한 구조를 만들어냈다.
○

규는 이 여인을 일제 헌병의 앞잡이인 허모라는 친일파에게 빼긴다. 허모는 윤마리아를 소실로 들이기 위해서 그 걸림돌이 되는 나운규를 헌병대로 잡아들여 구타를 하는 등 괴롭혔다. 나운규는 결국 첫사랑을 잃고 회령 땅을 떠나게 된다.

이후 그는 열일곱 살이던 1919년에 3·1운동에 가담했다가 수배를 당하자 만주로 가서 홍범도洪範圖, 1868~1943 장군 밑에 있으면서 무장투쟁을 했다. 그의 친한 친구 윤봉춘은 회령에서 이미 잡혀 감옥에서 1년 6개월을 복역해야 했다.

나운규는 독립군 활동에 투신하기 위해 김좌진金佐鎭, 1889~1930 장군 휘하로 들어갈 것을 결심하고 신흥무관학교로 향했으나, 가다가 그만 병에 걸리고 만다. 그곳에서 1년여 동안 오도 가도 못 하고 요양을 할 때, 함께 있던 독립군 선배로부터 '꼭 총을 들고 싸워야만 되는 건 아니다. 지금 네 상태로 봐서는 독립군으로 활동하기에는 힘들 것 같으니, 다른 길을 찾아보라'는 충고를 듣는다. 그 말을 듣고 나운규는 다시 식민지 조선 땅으로 돌아온다.

그가 경성에 왔을 때가 1923년이었다. 그러니까 〈아리랑〉을 찍기 3년 전인데 하필이면 회령에서 윤봉춘을 잡아넣었던 형사와 길에서 마주치는 바람에 붙잡혀서 1년 6개월 동안 옥살이를 하고 나왔다. 그렇게 감옥에서 나온 뒤 나운규는 영화를 통해 독립운동을 하겠노라고 마음먹는다. 그리고 1년 동안 밑바닥에서 몸으로 뛰어다니며 영화를 배웠다.

그가 영화판에 처음 들어왔을 때 사람들은 그에게 그런 외모와 몸집으로 어떻게 영화를 만들고 주연을 하느냐며 웃었다고 한다. 나운규도 자신의 외모가 핸디캡이라는 걸 잘 알고 있었다. 그는 대신 남들이 할 수 없는 것을 했다. 바로 활극活劇이었다. 몸을 사리지 않고 촬영장에서 붕붕 날아다닌 덕에 그는 활극 배우로서 인정을 받았다. 그래서 조선의 찰리 채플린이라 불리게 되는데, 물론 찰리 채플린처럼 코미디물을 찍지는 않고 굉장히 진지한 작품을 주로 찍었다. 이처럼 열악한 영화 이력과 외모의 핸디캡에도 불구하고 그는 마치 태어날 때부터 영화에 대해 모든 걸 알고 있었던 사람처럼 연기면 연기,

연출이면 연출, 대본이면 대본에서 가장 완벽한 구조를 만들어냈다.

그는 수많은 작품을 찍었지만 그중 단 한 편의 필름도 남아 있지 않다. 영화 원본 파일 필름의 단위를 '권'reel이라고 한다. 한 권이 15분인데 1,500피트다. 나운규의 대표적인 작품인 〈아리랑〉은 총 여덟 권의 필름 롤로 이루어져 있다. 어떤 일본인 수집가가 〈아리랑〉 여덟 권 중 세 권을 가지고 있다고 하는데 이 일본인은 그 필름을 돌려주지도 않고 공개도 하지 않고 있다. 우리는 그 필름이 공개되기 전에는 〈아리랑〉을 알 수 없다. 다만 몇 장의 스틸 컷과 나운규가 남긴 대본을 통해서 영화를 재구성해볼 뿐이다.

나운규는 짧은 생애 중에 〈아리랑〉을 세 번 찍었다. 무성영화로 1편과 그 속편격인 2편을 찍었고, 유성영화로 한 번 더 찍었다. 그리고 그가 죽고 나서 오랜 세월이 흐른 뒤인 1974년에 그를 기려서 만든 신성일 주연의 리메이크작 〈아리랑〉이 있다. 스틸 컷만으로 판단하는 것은 무리이지만 이 리메이크작은 원작만큼의 아우라가 없다.

우리 영화사의 사건, 나운규의 영화 〈아리랑〉

●

나운규의 〈아리랑〉은 어떤 영화인가. 재구성해볼 필요가 있다. 일단 많은 사람들의 증언을 종합하고, 남아 있는 쪽대본으로 엮은 재구성 대본이 있다. 이걸 통해서 보면 영화의 스토리는 이렇다.

시골에 사는 가난한 소작농의 아들인 주인공 영진은 제정신이 아니다. 미친 인물로 등장한다. 영진의 아버지는 자기가 죽어서라도 아들을 고칠 수 있으면 좋겠다고 생각한다. 그런데 이 미친 주인공 영진은 원래 굉장히 똑똑한 사람이었고, 없는 살림에 경성으로 유학을 가서 모 전문학교 철학과를 다녔다. 그러던 어느 날 미쳐서 고향으로 내려온 것이다.

○ 우리는 이 영화를 볼 수 없다. 그저 가늠하고 추측할 뿐.
그러나 스틸 컷 한 컷으로 미장센, 구도, 카메라 앵글 등을 느낄 수 있다.
나운규가 천부적인 영상 감각의 소유자임을 알 수 있다.

자세한 정황은 알 수 없지만, 관객은 영진이가 독립운동 같은 것에 연루되어 고문을 받다가 정신이 나간 것으로 추정할 수 있다. 당시는 검열이 심해서 자세한 내용을 담을 수는 없었지만 관객의 입장에서는 미루어 짐작할 만한 장치들이 영화에 포진되어 있었다.

영화를 상영하려면 일본의 검열을 거쳐야 했다. 어떻게든 검열을 피해 관객들에게 전하려는 메시지를 담아내기 위해 감독들은 온갖 꼼수를 썼다. 예를 들면 이런 부분이 있다. 미친 영진이 일본인 순사의 뺨을 때리는 장면이 나오는데 이것은 무조건 삭제 대상이었다. 나운규는 주인공이 일본인 순사를 때리는 장면을 넣기 위해 미친 영진이 아무 이유도 없이 다른 사람들을 막 때리는 와중에 순사를 한 대 때리는 것으로 처리한다. 이밖에도 이 영화 속 모든 장면, 모든 캐릭터, 모든 사건들은 여러 알레고리로 둘러싸여 있다.

어느 날 영진과 서울에서 같이 공부했던 친구 철구가 영진의 집에 찾아온다. 그런데 친구인 영진은 낫을 들고 다니면서 〈아리랑〉을 부르는 정신 나간 청년이 되어 있다. 한편 영진에게는 예쁘고 순수한 영희라는 여동생이 있었다. 영희는 나운규가 한때 사랑했던 윤마리아가 투영된 인물이라고 볼 수 있다. 영진을 찾아온 철구는 여동생 영희에게 호감을 갖게 되는데, 마을의 마름 역시 영희에게 눈독을 들이고 있었다. 그는 틈만 나면 영희를 어찌 해보려고 노리고 있었다.

그러던 차에 마을에 풍년제 잔치가 벌어졌다. 마을 사람들이 모두 나와서 잔치를 즐기는데 마름이 계속해서 영희를 협박한다. 영진의 아버지가 아들의 약값을 대느라 빚이 많은 것을 알고 영희를 괴롭히는 것이다.

그런데 마름이 영희를 협박하는 장면에서 갑자기 영화는 SF풍이 된다. 담장에서 그 모습을 물끄러미 바라보는 미친 영진의 시각에서 이 장면이 아라비아의 사막으로 변하는 것이다. 아라비아 상인들에게 친구와 여동생이 목이 마르다며 물을 달라고 간청하는데도 그 상인들은 물을 주지 않는다. 이런 장면들은 여러 상징적인 의미를 구사한 것으로, 나운규는 영화 곳곳에 자신이 영화를 통해 드러내려는 의미들을 독특한 방식으로 심어놓았다.

결국 그 잔칫날 아무도 없는 영진이네 빈집에 다시 찾아온 마름은 영희를 겁탈하려 하고 이 장면을 우연히 목격한 영진이 낫으로 마름을 찔러 죽인다. 그러고 나자 영진은 정신을 차린다. 살인을 저지르고 나서 정신이 돌아온다는 설정인데, 이런 설정 자체가 의미심장한 메시지를 관객들에게 전달한다. 다시 말해서 '미친놈'이 권력자에게 저항을 하는 순간 드디어 제정신을 찾고, 제정신을 찾을 때 살인범으로 영어囹圄의 몸이 될 수밖에 없는 상황을 표현한 것이다.

이때 순사가 등장하고 영진은 체포된다. 순사에게 잡힌 영진이 마을 고갯길을 넘어가는 순간에 마을 사람들이 모여서 〈아리랑〉을 부르며 영화는 끝난다. 〈아리랑〉은 영진이 미쳤을 때 계속 불렀던 노래가 아닌가. 마을 사람들이 영화의 주제가이자 제목이기도 한 이 노래를 부르며 영진을 배웅하는 마지막 장면 역시 의미심장하다.

영화 〈아리랑〉의 한 장면

오리지널 〈아리랑〉의 한 장면을 보면, 가운데 있는 사람이 나운규가 맡은 영진이다. 미친 영진이 동네 사람들로부터 제재를 당하는 장면인지 아니면 살해 직후의 장면인지는 알 수 없으나 이 한 컷만 보더라도 이 영화의 미장센, 구도, 카메라 앵글 등이 매우 역동적이란 것을 알 수 있다. 마치 이중섭의 〈황소〉를 보는 것 같지 않은가. 구도 자체가 대각선 엑스형으로 나운규의 천부적인 영상 감각을 엿보게 하는 장면이다.

식민지 조선 땅에 울려퍼진 영화 〈아리랑〉의 주제가 〈아리랑〉

●

이 영화의 주제가인 〈아리랑〉은 기존의 민요가 아닌, 단성사 전속 감독이자 변사이면서 작곡가였던 김영환金永煥, 1898~1936이 현대적으로 편곡하고 나운규가 직접 가사를 쓴 것이다. 이 노래는 우리에게도 익숙한데, 바로 월드컵 응원가로 많이 불렀던 그 〈아리랑〉이다.

이 영화가 단성사에서 상영될 때 마지막 장면에서는 관객들이 전부 〈아리랑〉을 따라 불렀다. 영화 내내 미친 영진이 계속 불렀기 때문에 어느새 관객들도 노래를 다 알게 된 것이다. 나운규는 1937년도 『삼천리』라는 잡지에서 영화 〈아리랑〉에 나오는 노래 〈아리랑〉과 관련하여 인터뷰를 한 적이 있는데 요약하면 다음과 같다.

그가 회령에서 살 때 겨울이면 전국 각지에서 벌목 노동자들이 왔다. 그래서 전국 각지에서 모여든 노동자들이 부르는 갖가지 종류의 아리랑을 어릴 때부터 듣고 자랐다. 당시 백두산에서 노동자들이 나무를 베서 뗏목을 만들어 두만강으로 내려보내면 하구에서 그걸 받아서 목재로 썼는데 벌목 노동이 굉장히 가혹한 노동이라 사람들이 많이 죽었다. 동료를 떠나보내면서 이들은 각자 고향에서 가지고 온 아리랑을 구슬프게 불렀고, 그것이 감수성이 풍부한 소년 나운규의 가슴에 선명하게 각인되었다. 아리랑은 어릴 때부터 그렇게 들었던 노래이기도 하고, 독립군 활동을 할 때도 수없이 듣던 노래였다. 그 결과 각 지방의 아리랑이 섞이게 되었고, 자기도 모르게 흥얼거리게 된 노래가 〈아리랑〉의 주제곡이 되었다는 것이다.

따라서 우리가 통상적으로 알고 있는 〈아리랑〉 노래는 바로 함경북도 회령 출신으로 독특한 삶의 궤적을 그린 한 영화인의 감수성에서 만들어진 창작곡이다. 물론 여기에는 그가 밝혔듯이 팔도에서 몰려든 수많은 민초들의 감성이 스며들어 있는 것이지만.

이 노래는 여러 〈아리랑〉 중에서도 제일 깔끔하다. 그렇기 때문

○ 영화 〈아리랑〉의 전국 마케팅은 주제가가 했다고 과언이 아니다. 우리는 근대의 지평 첫머리에서 가장 강력한 민족주의적인 지향성을 지닌 민족의 노래를 영화를 통해서 만나게 된 셈이다.

에 대략 500개가 넘는 〈아리랑〉 중에서 대표 선수 지위를 차지하고 있는 것이다. 실제로 그 당시에 녹음을 뜬 것을 들어봐도 멜로디 라인이 요즘 우리가 부르는 것과 다르지 않다.

이 노래는 영화만큼이나 전국적으로 히트를 쳤다. 영화 〈아리랑〉의 전국 마케팅을 이 노래가 담당했다고 해도 과언이 아니다. 영화관이 없는 깡촌 마을에까지 이동 영사단이 들어와서 천막을 치고 영화를 틀었다. 트럭에 영화 장비와 영사 시설을 싣고 악단까지 태우고 온 이들 이동 영사단은 영화 상영을 알리기 위해 시골 곳곳을 다니면서 〈아리랑〉을 불렀다. 이 자체가 마케팅이었다. 이 노래가 지역이나 향토성을 넘어서서 전국 단위의 〈아리랑〉이 될 수 있었던 것도 영화 흥행으로 인한 전국적인 배급의 결과였다.

다시 말해 우리는 근대의 지평 첫머리에서 가장 강력한 민족주의적인 지향성을 지닌 민족의 노래를 영화를 통해서 만나게 된 셈이다. 민요도 아니고 그렇다고 대중음악이라고 할 수도 없는 노래를 말이다. 시간이 흘러 이 노래는 2000년 시드니 올림픽 때 남북한이 공동으로 입장할 때 사용되면서 한반도의 통합을 상징하는 노래가 되기도 했다.

〈아리랑〉 이후 영화 주제가는 그 인기가 급부상하며 대중문화의 한 장르로 대두된다. 영화의 흥행과 더불어 영화 주제가들이 큰 인기를 끌게 된 것인데, 1926년 최고의 흥행작 〈아리랑〉 이후 1927년에 개봉한 영화 〈낙화유수〉落花流水의 주제가인 〈강남달〉은 대중음악사 최초의 창작 주제가라고 일컬어진다.

물론 그 이전에 나운규의 〈아리랑〉이 있긴 하지만 〈아리랑〉은 선율 자체를 새롭게 만들었다고 보기는 어렵기 때문에 〈낙화유수〉의 〈강남달〉을 최초의 창작 주제가로 보는 것이다. 이 노래는 영화보다 주제가가 더 성공을 거두면서 본격적으로 식민지 조선인에 의한 창작 대중음악 시대를 여는 데 중요한 역할을 한다. 이 노래를 부른 가수 이정숙李貞淑은 〈아리랑〉의 주제가를 불러서 히트를 쳤는데, 〈강남달〉로 다시 한 번 대성공을 거두게 된다.

제작부터 촬영까지, 검열부터 배급까지 〈아리랑〉을 둘러싼 풍경

●

나운규가 각본 및 감독뿐만 아니라 주인공 영진 역을 맡아서 광기의 연기를 보여준 〈아리랑〉에는 캐릭터와 사건, 그리고 모든 디테일한 설정들이 요즘의 영화 못지않게 정교하게 짜여 있다. 더군다나 이런 장치들이 일제의 검열을 피할 수 있었다는 것 자체가 기적이었다.

〈아리랑〉은 약 3개월에 걸쳐서 촬영되었다. 당시는 사이토 마코토齋藤實, 1858~1936 총독이 지배하고 있던 소위 '문화통치의 시대'였다. 그렇다고는 해도 이런 영화가 식민지 조선 전역에서 상영될 수 있었던 것은 신기한 일이다. 일본 입장에서는 영화 내용이, 이를테면 심증은 있는데 물증이 정확하지 않아 상영을 금지하기에는 좀 애매했다.

그럼에도 구실을 붙여 상영 금지를 할 수도 있었을 텐데 검열을 통과한 이유는 제작자가 일본인이었기 때문일 것이다. 〈아리랑〉의 제작자는 요도 도라조淀虎藏라는 일본인이었다. 〈아리랑〉은 요도 도라조가 설립한 조선 키네마 프로덕션의 두 번째 작품이었다. 그의 첫 번째 작품에서 나운규는 배우로 등장해서 사람들의 주목을 받았고, 그 신뢰를 바탕으로 꺼낸 카드가 그해의 대망의 역작 〈아리랑〉이었다.

나운규는 〈아리랑〉을 찍은 뒤 일본인 제작자를 내세워서 조선총독부에 가서 협상을 하게 했다. 그 결과 100피트 정도를 가위질하는 것으로 피해를 최소화했다. 어찌 보면 나운규가 머리를 잘 쓴 것인데, 그는 자신의 신분에 대해서도 의심을 당할까봐 극본 역시 조선 키네마 프로덕션 소속의 일본인의 조선 이름을 써서 올렸다. 어떻게든 이 영화를 최대한 온전하게 상영하기 위해 온갖 공을 들인 것이다.

그런데 〈아리랑〉은 엉뚱한 곳에서 검열에 걸리고 만다. 바로

○ 사이토 총독의 문화통치 시절이었다.
〈아리랑〉이 만들어진 때는. 나운규는 검열을 피하기 위해 온갖 방법을 고안했다.
누구는 이 영화로 떼돈을 벌었고, 촬영장에는 때 아닌 막걸리 파티가 벌어지기도 했다.

영화 홍보 전단지가 문제였다. 영화 〈아리랑〉의 주제가인 〈아리랑〉은 전체 5절로 이루어졌는데, 1절은 '나를 버리고 가시는 님은 십리도 못 가서 발병 난다'이고, 2절은 '청천하늘에 별도 많고 우리네 가슴에 수심도 많다'이다. 그런데 5절 가사가 문제가 되어 삭제된 채로 상영이 되었는데, 영화 전단지에 5절의 가사를 슬그머니 넣었다가 검열에 걸린 것이다. 하필이면 '독사' 같은 헌병이 발견해서 전단지는 물론, 영화조차도 상영 금지가 될 뻔했다. 5절 가사가 어떻기에 그런가 궁금했는데 별 내용도 없다.

문전에 옥답은 다 어디로 가고 쪽박에 신세가 웬일인가

이거였다. 특별히 트집 잡을 것도 없어 보인다. 그런데 정도의 표현도 검열에 걸리던 시대였다.

이 영화는 개봉하자마자 엄청나게 흥행을 했고, 1차 상영에서 제작비의 열 배가 넘는 돈을 회수했다. 제작자인 요도 도라조는 그 정도 수익에 만족했는지 굉장히 비싼 가격으로 판권을 내놓았다. 이때 단성사의 젊은 흥행사인 스물여덟 살의 임수호林守浩가 〈아리랑〉의 판권을 사들여서 그 이듬해 봄부터 전국에서 재상영을 했다. 그 결과 요도 도라조가 챙긴 것보다 훨씬 더 많은 수익을 거둬들인다. 그 후 약 2년간 이 영화는 식민지 조선 전역을 휩쓴 베스트셀러가 되었고, 그것으로 멈추지 않고 약간 손질을 해서 일본 영화관에서도 개봉하게 된다. 단성사 직원이었던 임수호는 〈아리랑〉 한 편으로 식민지 조선의 최고 영화 제작자로 급부상했고, 해방 이후에도 그 아성이 흔들리지 않을 만큼 〈아리랑〉 상영으로 어마어마한 돈을 손에 쥐게 되었다.

재미있는 얘기를 하나만 더 하자. 나운규는 〈아리랑〉의 마을 잔치 장면을 제대로 찍어보려고 1천 명의 엑스트라를 동원할 계획을 세운다. 이런 거대한 군중 신을 찍으려면 여러 대의 카메라가 필요하다. 하지만 당시 식민지 조선을 통틀어 카메라는 두 대밖에 없었고, 그중 한 대로 나운규가 영화를 찍고 있었다.

그런데 나운규는 조선 대중이 엄청난 축제를 벌이는 장면을 찍고 싶었다. 수백 명이 집단으로 춤추는 장면을 찍고 싶었던 것이다. 그래서 그는 신문에 '하루 일당 1원, 1천 명을 모집합니다'라는 광고를 낸다. 그러자 경성 근교에서 800명이 모였다고 한다.

사람이 모인 건 그렇다 쳐도 이들을 데리고 어떻게 영화를 찍느냐가 문제였다. 그 당시에 엑스트라라는 개념이 어디 있었겠는가. 그들은 평생 영화를 본 적도 없는 경우가 대부분이었고, 언제 어떻게 시작을 해야 하는지도 몰랐다. 실제로 술을 먹고 노는 장면을 찍으려고 막걸리를 준비했는데 정작 촬영도 하기 전에 사람들이 취해서 통제가 되지 않았다고 한다. 난장판이 되어버린 현장에서 결국 촬영을 포기하고, 800명의 엑스트라를 모집했다는 광고 문구만을 남긴 채 수포로 돌아갔다.

〈아리랑〉 그 후, 우리가 주목할 영화 〈임자 없는 나룻배〉

나운규는 1926년 그해에만 세 편의 영화를 찍었다. 〈아리랑〉 한 편만으로도 춘사 나운규의 위대함은 사실상 더 말할 필요가 없는데 〈아리랑〉 직후에 찍은 〈풍운아〉도 문제작이다. 〈풍운아〉에서도 제작·주연·감독을 겸했는데, 이 영화에서는 니콜라이 박이라는 아나키스트 역할을 맡았다.

나운규가 감독이 아닌 배우와 대본으로만 참여했던 영화도 있었다. 1932년 나운규가 주연과 대본을 맡고 이규환李圭煥, 1904~1982이 감독한 〈임자 없는 나룻배〉는 우리 영화사에서 주목할 만한 또 하나

○ 나운규가 배우와 대본으로 참여한 〈임자 없는 나룻배〉는 일제강점기 최고의 민족적 리얼리즘의 대표작으로 꼽힌다. 이것이 일제강점기에 우리 영화가 도달할 수 있는 최전선이었다.

의 걸작 민족 영화다. 구조적으로는 〈임자 없는 나룻배〉가 〈아리랑〉보다 좀 더 진일보한 형태인데 1962년에 엄심호嚴心湖, 1924~ 감독이 리메이크를 한 이래로 이 영화를 다시 리메이크하는 감독이 왜 없는지 모르겠다. 리얼리즘을 놀라울 정도로 잘 구현한 이 영화는 오리지널 대본이 그대로 남아 있다.

이 영화에서 주인공인 춘삼 역할을 맡은 나운규는 인생 최고의 연기를 보여준다. 극심한 가뭄과 수해로 시골에서 더욱 살기 어려워진 소작농인 춘삼은 어떻게든 먹고살려고 대도시로 가서 인력거꾼이 된다. 이 첫 대목은 현진건의 소설 『운수 좋은 날』과도 비슷하다. 그런데 도시에 택시가 등장하면서 점점 인력거꾼이 사라졌고, 일거리가 없어진 춘삼은 도시 빈민으로 전락하고 만다. 그런 와중에 임신한 아내가 갑자기 쇼크가 오게 되자 아내를 인력거에 싣고 병원에 가는데 병원에서는 돈을 갖고 오라며 받아주지 않는다.

눈이 뒤집힌 춘삼은 아무 집에나 들어가서 돈을 훔쳐서 나오다, 형사에게 잡혀서 감옥에 가게 된다. 그러는 사이 아내는 길거리에서 아이를 낳는다. 그렇게 춘삼이 2년 동안 감옥살이를 하고 나온 뒤 아내를 찾으러 갔더니 아내는 택시 운전사랑 눈이 맞아서 잘 살고 있는 것이다. 춘삼은 옛날로 돌아가고 싶어하지만 도시 중산층이 된 아내는 그를 외면한다. 결국 그는 딸만 데리고 고향으로 돌아간다.

고향에 돌아온 그는 나룻배의 사공이 되어 사람들을 강을 건네주는 삯으로 딸과 함께 살면서 늙어간다. 그런데 딸이 열여섯 살쯤 되었을 때 청천벽력 같은 일이 벌어진다. 강 위로 철교가 놓인다는 것이다. 그러면 누가 돈을 내고 배를 타겠나. 시대의 흐름을 늙은 사공의 힘으로는 막을 수가 없다. 좌절과 분노에 찬 춘삼은 그 철교를 부수기 위해서 도끼로 내려찍다가 달려오는 기차에 치여 죽는다.

그런데 그 죽는 장면이 다른 장면과 동시에 몽타주가 된다. 바로 철교를 도끼로 부수려고 집에서 막 나올 때, 그 서슬에 등잔불이 떨어져 바닥에 불이 붙는다. 방에서 자고 있던 딸은 그 불에 타죽고 그는 기차에 치여 죽는다. 영화는 철교 아래 매어놓은, 주인을 잃은 나룻배를 보여주면서 끝난다.

인력거와 나룻배로 상징되는 전근대적인 주인공은 공간의 패배자다. 새로운 사회 질서가 만들어내는 이 공간의 새로운 권력에 패배한 것이다. 다시 말해서 자본주의적인 공간의 질서로부터 끊임없이 패했고 도시 밖으로 밀려나고 다시 시골로 밀려났는데 그 시골에서조차 밀려남으로써 그는 더 이상 삶을 이어갈 수단을 잃어버렸다.

늙은 아버지 역을 맡은 나운규는 한때 독립운동에 투신했던 탓인지 취미가 변장이었을 정도로 변장하는 걸 그렇게 좋아했다고 한다. 찰리 채플린은 어떤 영화에 나와도 딱 찰리 채플린인데 나운규는 나오는 영화마다 이미지와 캐릭터가 다르다. 그래서인지 그가 길을 걸어가도 아무도 알아보는 사람이 없었다고 한다. 이 영화에서도 〈풍운아〉나 〈아리랑〉에 나왔던 나운규를 떠올리기 힘든 이미지를 보여준다.

한편 딸로 나온 여배우는 문예봉文藝峰, 1917~1999이다. 이 영화를 통해 혜성과 같이 데뷔해서 일제강점기 최고의 스타로 부상했다. 해방 후 월북한 뒤 1960년대까지 북한 최고의 여배우로 정상의 자리를 지켰다. 말하자면 이 작품은 문예봉의 출세작이라 할 수 있다.

〈임자 없는 나룻배〉는 〈아리랑〉의 뒤를 잇는, 일제강점기 최고의 민족적 리얼리즘의 대표적인 작품으로 〈아리랑〉만큼은 아니지만 흥행과 비평 모두에서 큰 성공을 거두었다. 이것이 일제강점기에 우리 영화가 도달할 수 있는 최전선이었던 듯하다.

대중음악은
이제 창가에서
유행가의 시대로

●

○ 〈이 풍진 세월〉이 열풍 뒤에 찾아온 것은 〈사의 찬미〉였다.
두 곡의 노래는 '너무나 먼 그대'였으나 대중은 자연스럽게 받아들였다.
창가에서 유행가로 넘어가던 그때, 다양한 표정의 음악들이 대중의 주변을 배회하고 있었다.

영화사에서 나운규를 위시한 엄청난 변화가 일어나고 있던 이 순간에 한쪽에서는 유행가의 시대가 열리고 있었다. 창가 시대의 막이 내리고, 유행가 시대의 문을 열어젖힌 것은, 바로 현해탄의 정사라 이름 붙여진 윤심덕과 김우진의 동반 자살이었다. 〈사의 찬미〉의 멜로디는 알다시피 루마니아의 클래식 작곡가인 이바노비치Josif Ivanovici, 1845년경~1902의 〈도나우 강의 잔물결〉이라는 왈츠에서 가져온 것으로, 우리가 흔히 말하는 서양 음악 클래식 오케스트라곡의 선율이다.

〈사의 찬미〉에서 우리가 주목해야 할 점은 윤심덕과 김우진이라는 유명 인사의 동반 자살로 인해서 그 음반이 많이 팔렸다는 것만이 아니다. 당시 식민지 조선의 대중이 서양 음악의 이질적인 질서를 아무런 저항 없이, 마치 오랫동안 알아왔던 것처럼 너무나 자연스럽게 받아들였다는 점에 주목해야 한다. 서양 음악의 자연스러운 수용을 우리는 〈사의 찬미〉를 통해 확인할 수 있는 것이다.

우리는 창가의 마지막 곡인 〈이 풍진 세월〉을 알고 있다. 〈이 풍진 세월〉이 휩쓸고 간 자리에 들어선 노래가 〈사의 찬미〉다. 그런데 〈이 풍진 세월〉과 〈사의 찬미〉는 음악적 거리가 참 멀다. 음계적으로도 그렇고, 리듬 패턴 차원에서도 그렇다. 특히 무엇보다도 발성법에서도 서로 '너무나 먼 그대'인데, 그럼에도 당시 대중이 아무런 위화감 없이 〈이 풍진 세월〉에 이어 〈사의 찬미〉를 받아들인 것은 서구에 대한 그야말로 선험적인 동경 없이는 불가능한 일이다.

무슨 말인가. 만일 우리에게 어떤 대상에 대한 집단적인 낯섦이 존재했다면 그렇게 쉽게 그 음악의 질서를 받아들일 수 없다. 만약 어쩌다 우연히 아프가니스탄의 선율을 듣게 된다면, 처음 듣는 사람이 대부분일 것이다. 그런 음악을 들으면, 우리 중 절반은 듣도 보도 못 한 그 음악의 질서에 당연히 익숙하지 않기 때문에 듣는 것 자체가 매우 불편하다. 지금 같은 글로벌 시대에도 그러할진대 서양 음악에 대한 학습의 경험이 전혀 없던 그 시대에 식민지 조선인들은 그런 음악을 있는 그대로, 전격적으로, 통째로 받아들인 것이다. 이상하지 않은가. 여기에서 우리는 굉장히 미묘한 또 하나의 요소를 감안하지 않으면 안 된다.

창가의 시대에서 서양 음악에 바탕을 둔 유행가의 시대로 이행할 당시, 대중들이 향유한 노래는 창가 끝, 유행가 시작, 이렇게 단선적으로 변화하지 않았다. 이 시점에서 영화와는 달리 많은 음악적 요소들이 그야말로 다양한 표정을 가지고 등장하게 된다.

여전히 유효했던 우리의 전통가락, 판소리와 민요

●

20세기의 산물인 영화는 전통적 양식이 있을 리가 없었지만 음악은 다르다. 당시 대중들에게는 가깝게는 판소리에서 멀게는 민요에 대한 경험이 있었다. 판소리와 판소리의 현대적 진화물인 창극을 비교해보자면, 기존의 판소리가 한 명이 여러 역을 맡아서 했다면 창극은 서양 연극처럼 캐릭터마다 각각 배역을 맡아 불렀다. 그리고 판소리에는 한 면이 열려 있는 3차원 무대가 존재하지 않는다. 객석과 사각형 무대가 없는 열린 무대인데 이것을 3차원 무대로 옮겨놓은 것이 창극이다.

1930년대에도 판소리의 스타들이 있었는데 이들은 강력한 대중성을 갖고 있었다. 일제강점기에 단일 음반으로 가장 많이 팔린 음반은 이난영李蘭影, 1916~1965의 〈목포의 눈물〉도, 우리나라 음반 사상 최초로 10만 장을 돌파했다고 하는 백년설白年雪, 1914~1980의 〈나그네 설움〉도 아니다. 서편제의 기수였던 임방울林芳蔚, 1904~1961이 부른 판소리 〈춘향가〉 중 옥중 대목 〈쑥대머리 귀신형용〉이다. 판소리의 한 대목인 3분 30초짜리 〈쑥대머리 귀신형용〉을 녹음한 이 음반은 우리나라 음반 사상 최초로 100만 장이 팔렸다고 하는데 창극도 아니고 오리지널 판소리다.

흔히 식민 통치가 전통문화의 제도적 단절을 불러왔다고 이야기한다. 꼭 그렇지만은 않다. 오히려 우리가 전통문화와 결별하게 된 결정적인 배경은 공업화와 도시화였다. 다시 말해서 전통문화가 단절된 데에는 박정희 시대에 이루어진 공업화와 도시화 및 농촌 공동

○ 일제강점기에 단일 음반으로 가장 많이 팔린 건 판소리였다.
우리는 일제의 식민 통치가 전통문화를 단절시켰다고 알고 있다.
아니다. 오히려 전통문화 단절은 박정희 시대에 이루어졌다.

체의 붕괴가 더 큰 역할을 했다. 전통의 단절이 일제강점기에 일어난 일이 아니라는 의미다.

1960년대에 『동아일보』에서 실시한 설문 조사에 따르면 당시 판소리나 민요에 대한 취향은 트로트에 대한 취향과 거의 오차 범위 내에 있었다. 그러니까 1960년대까지만 해도 한반도 다수의 대중에게는 판소리와 민요가 어제의 것이 아니고 여전히 유효한 당대의 것이었다는 얘기다.

따라서 판소리와 민요 역시 일제강점기에도 대중이 여전히 즐겼던 문화의 영역 안에서 검토되어야 한다.

신종 하이브리드, 신민요 그리고 만요漫謠

●

1930년대 전통적 민요의 질서가 엔카와 만나 한일 하이브리드 장르가 탄생했다. 신민요가 그것이다. 이전에 없던 변종이다. 이것은 이어 만요漫謠라는, 1930년대판 랩 음악을 낳았다.

○

그런데 나는 판소리와 민요보다는 이 시기에 등장한 새로운 음악에 대해 말하고 싶다. 그게 뭐냐. 1930년대에 등장한 신민요新民謠라는 새로운 장르다. 신민요는 판소리와 민요가 일본의 엔카와 만나면서 탄생한 것인데, 이전에 없던 변종이다. 우리의 전통적인 민요의 질서가 엔카와 만나서 진정한 의미의 한일 하이브리드 상품이 나온 것이다. 중요한 지점이 아닐 수 없다.

판소리는 너무 길어서 상품화되기 어려웠던 반면 이때 등장한 창작 신민요들은 3분짜리 상품으로 제공된다. 당시 SP판standard playing record의 한 면은 약 3분 30초에서 4분 정도 담을 수 있었다. 3분짜리 신민요는 SP판 한 면에 딱 담을 수 있는 길이였다. 즉 대중화와 상품화가 가능해졌다는 말이다.

이렇게 대중가요 곡으로 만들어진 신민요 중에는 아직까지도 우리가 민요로 알고 있는 곡이 많다. 일례로 〈노들강변〉을 경기 민요로 생각하는 사람이 많다. 아니다. 이것은 1930년대 최고의 만담가였던 신불출申不出, 1905~?이 작사하고 문호월文湖月, 1908~1952이 작곡한 신민요다.

이런 노래를 부른 가수들은 대부분 기생 출신이었다. 기생들은 전통적인 민요뿐만 아니라 신상품인 일본의 엔카도 불렀다. 그런 그들이 신민요를 부르는 건 자연스러웠다. 1930~1940년대의 스타 왕수복王壽福, 1917~2003이라든지, 〈노들강변〉이라는 대히트곡을 부른 박부용朴芙蓉, 1901~ ?, 신민요의 여왕이라 불린 선우일선鮮于一扇, 1919~1989은 모두 기생 출신이다.

신민요의 여왕이라 불리며 선우일선과 함께 쌍벽을 이룬 이화자李花子는 〈꼴망태 목동〉이라는 노래를 불렀는데, 가짜 이화자가 몇 명씩 출몰할 정도로 신민요 열풍이 불었다. 우리 민요와는 전혀 관계없는 국적 불명의 이 전통은 1970년대까지 이어졌다. 김세레나본명 김희숙, 1947~를 기억하는가? 설날이나 추석만 되면 가요 프로그램에 단골로 나오던 가수였는데 그녀 역시 신민요 가수였다. 이렇게 1970년대 주류 미디어인 TV에까지도 영향을 미친 이 변종 장르는 생각보다 수명이 길었다.

1930년대 후반이 되면, 신민요 계열이긴 하지만 독특한 장르가 또 다시 등장한다. 만화의 만漫자를 쓰는 '만요'漫謠가 그것이다. 잘 들어보지 못한 이름이겠지만, 1930년대판 랩 음악이라고 생각하면 된다. '비단이 장사 왕서방'으로 시작하는 〈왕서방 연서〉라든지 〈오빠는 풍각쟁이야〉 같은, 빠른 템포에 산문적 세태 풍자의 내용을 담은 노래다. 이 만요도 따지고 보면 신민요의 계열에서 만들어졌고 실제로 신민요 출신 가수들이 신민요의 인기가 떨어지자 만요를 부르며 재기를 꿈꾸기도 했다. 〈눈물 젖은 두만강〉을 불러 민족의 가수라 불리던 김정구金貞九, 1916~1998도 만요 가수 출신이다.

음악 안에서 예술도 통속도 없던 시절

●

민요와 엔카가 만나 신민요가 만들어지고, 그것이 만요에 이르는 동안 다른 한편에서는 윤심덕 같은 유학파 출신의 음악 엘리트들이 창가와 결별하고 본격적으로 예술 가곡이라는 이름의 작품을 써내기 시작한다.

하지만 당시만 해도 예술 가곡과 유행가를 크게 구분하지는 않았다. 만든 사람들이 구분되지 않았기 때문이다. 트로트, 속칭 '뽕짝'의 유명한 작곡가인 손목인孫牧人, 1913~1999 · 이재호李在鎬, 1914~1960 등도 일본에 유학을 다녀왔고, 최초의 직업가수라 불리는 채규엽도 일본 유학생 출신이다. 그러니까 일본 유학을 다녀온 엘리트들은 예술 가곡을 만들고, 그렇지 않은 사람은 유행가를 만든다는 이분법이 적용되지 않았다는 말이다. 어떤 가수가 어떤 노래를 부르는데 딱히 신분의 구별이 없었다고 봐야 한다. 내가 볼 때는 대중적으로 유명한 사람의 노래는 대중음악, 즉 유행가로, 대중적으로 유명하지 않은 사람의 노래는 예술 가곡으로 분류되었던 것 같다.

당시 모름지기 예술 가곡이라고 알고 있는 노래를 만든 대표적 인물 중에 우리가 다 아는 난파 홍영후가 있다. 우리나라 최초의 예술 가곡 작곡가라 할 수 있는 홍난파 역시 돈을 벌기 위해 나소운羅素雲이라는 필명으로 〈내가 만일 남자라면〉 같은 트로트곡을 제법 썼다. 성공한 노래는 별로 없다. 뽕짝 수준으로만 보면 박시춘朴是春, 1913~1996의 '발가락'에도 미치지 못한다.

그는 또한 〈봉선화〉, 〈봄처녀〉 등 오늘날 가곡이라 불리는 많은 노래를 작곡했는데, 〈봄처녀〉를 발표한 1933년 작품집의 제목은 〈조선가요 작곡집〉이다. 그는 이에 앞서 1928년 〈조선동요 백곡집〉을 발표했는데 여기에 '국민 동요'로 나중에 부상하게 되는 〈고향의 봄〉과 〈퐁당퐁당〉, 〈달마중〉, 〈낮에 나온 반달〉 등이 수록되어 있다.

술한 유행가가 대중의 사랑을 받았다.
예술 가곡과 유행가라는 이분법이 존재하지 않았던 시절,
홍난파도 박시춘도 손목인도 윤심덕도 채규엽도 모두 그저 노래를 만들고 부를 뿐이었다.
○

아이들이 부르는 동요를 구분하는 것 말고는 유행가니 예술 가곡이니 하는 구분이 당시에는 그다지 중요하지 않았던 것이다.

홍난파, 그리고 〈봉선화〉를 둘러싼 가짜 신화

●

이쯤에서 한 가지 짚고 넘어갈 것이 있다. 홍난파의 대표적 작품으로 보통 〈봉선화〉라는 가곡을 꼽는다. 이 노래는 그가 1918년에 일본으로 유학을 떠났다가 2년 후 돌아와서 얼마 지나지 않아 만든 곡이다. 원래 제목은 '애수'였다. 하지만 이 노래는 1940년대가 되어서야 알려졌다. 20여 년 동안 책상에서 잠자고 있었던 셈이다. 나는 〈봉선화〉가 마치 민족 저항을 노래하는 작품으로 이야기되는 것이 불편하기 그지없다.

홍난파는 친일파였다. 당시 음악계의 대표 인물이었던 그는 이광수가 작사한 〈희망의 아침〉에 곡을 붙여 일본 군가조의 국민가요를 작곡한다.

물론 굳이 비교하자면 이광수나 친일 단체인 조선음악협회朝鮮音樂協會를 결성한 현제명玄濟明, 1902~1960에 비해 그의 친일 수준이 그리 심한 건 아니다. 게다가 홍난파는 1941년에 늑막염으로 병사하는 바람에 친일을 한 기간도 그리 길지 않았다.

하지만 그가 1938년에 일명 '수양동우회修養同友會 사건'으로 일본 경찰에게 검거되어서 혹독한 고문을 당한 뒤에 '매 앞에 장사 없는' 양으로 조선총독부의 요구에 순순히 응한 것은 분명한 사실이다.

수양동우회는 홍사단의 자매 단체로 도산 안창호 등이 1926년에 결성한 단체였다. 1937년경 일본은 중일전쟁을 치르면서 식민지 지식인들을 자기들 손아귀에 넣으려고 수양동우회를 표적 수사했다. 여기에 관련된 여러 분야의 지식인들이 1937년부터 1938년 사

○ 홍난파는 친일파다. 우리나라 서양 음악파는 이 사실을 은폐하려 했다. 등장한 것이 〈봉선화〉를 둘러싼 소설. 노래를 부를 때마다 일본 경찰이 잡아갔다나? 이 노래로 누군가 잡혀갔다는 기록은 어디에도 없다.

이에 잡혀 들어갔고, 이들은 강제 전향을 한 뒤 일제에 협력하게 되었다. 이것이 사실이다.

반민족문제연구소가 1993년 펴낸 『친일파 99인』에 따르면, 이 사건 이후 홍난파는 〈장성의 파수〉(최남선 작사)와 〈공군의 노래〉 같은 친일 음악을 작곡했고 공연의 지휘를 맡았으며, 모리카와 준森川潤이라는 이름으로 창씨개명했고, 조선 최대의 친일 음악단체인 조선음악협회(회장은 조선총독부 학무국장 시오하라鹽原時三郎, 1896~1964)의 23명의 평의원 중에 일곱 명밖에 안 되는 조선인 평의원이 되었다.

그런데 우리나라의 서양 음악파들은 홍난파의 친일 행적을 은폐하기 위해서 한 편의 소설을 썼다. 〈봉선화〉가 민족 저항가였고, 사람들이 그 노래를 부를 때마다 일본 경찰이 잡아갔다는 스토리다. 이런 식으로 날조를 하는 건 오버다. 당시 일본 경찰의 기록에는 〈봉선화〉를 부른 사람들을 검거했다는 내용이 전혀 없다. 다만, 이 노래를 취입하여 널리 알린 소프라노 김천애金天愛, 1919~1995가 1943년 경상남도 삼천포(지금의 사천) 공연에서 이 노래를 부를 예정이었는데 일본 경찰의 금지 처분으로 부르지 못했다는 기록이 있을 뿐이다.

그렇다고 그가 뛰어난 작곡가라는 사실까지 부인할 필요는 없다. 그가 작곡한 〈고향의 봄〉이라든가 '한국형 가곡' 시대의 시작인 〈봄처녀〉나 〈금강에 살어리랏다〉를 들으면 그가 재능 있는 멜로디 메이커라는 것은 분명하다.

동요, 아이들을 위한 문화의 등장

동요는 아이들에게 즐길 거리를 주자는 차원이 아니었다.
나라를 빼앗긴 우리가 힘을 길러서 먼 훗날에는
반드시 나라를 되찾아야 한다는 어른들의 염원이 투영된 것이기도 했다.

●

일제강점기 이전까지 노래는 어른을 위한 것이었다. 그런데 이 시기에 주목할 만한 또 하나의 장르가 탄생했으니 바로 아이들을 위한 노래, 동요다. 아동문학가이자 '어린이'라는 말을 처음 만들어낸 소파小波 방정환方定煥, 1899~1931이 심혈을 기울여 주도한 어린이 운동의 결과물이다.

당시 동요는 단순히 아이들에게 즐길 거리를 주는 차원이 아니었다. 나라를 빼앗긴 우리가 반드시 힘을 길러서, 지금 당장은 아니더라도 다음 세대, 즉 지금의 아이들이 어른이 되었을 때는 꼭 빼앗긴 나라를 되찾아야 한다는 의식이 형성되고 있었다. 그러기 위해서는 아이들에게 이런 인식을 갖게 해야 한다는 준비론적인 관점에서 동요는 굉장히 중요했다.

그런 이유로 사회주의 성향의 좌파나 온건 민족주의 성향의 우파 가릴 것 없이 모두들 동요에 대한 전략적 접근을 하게 된다. 걸작 동요는 홍난파를 위시한 우파 쪽에서 많이 나온다.

지식인적 성향이 강한 문학과 달리, 그리고 애당초 대중적인 성격이 강한 영화와 달리 1920년대의 식민지 조선에서 진보적인 사상을 가진 음악가의 출현을 기대하는 것은 망상에 가까운 일이었다. 실제로 카프의 내부 조직도에서도 음악부는 유일하게 '결원'이다.

하지만 프롤레타리아 음악운동을 주창했던 그룹이 없었던 것은 결코 아니다. 이주홍李周洪, 1906~1987과 신고송申鼓頌, 1907~?, 양창준梁昌俊, 1905~? 등이 주동한 『음악과 시』 동인이 바로 이들인데 이들은 1930년 일본의 『프롤레타리아 음악과 시』를 모방한 것이 분명한 『음악과 시』라는 음악운동 잡지를 창간한다. 비록 창간호가 마지막호가 되고 말았지만.

이 잡지는 50여 쪽에 불과하지만 당시 노동자 · 농민의 울분과 애환을 이들의 노래를 통해 알 수 있으며, 이들은 (민족해방)운동의 가장 효과적인 예술적 기제로서의 노래에 주목한다. 그리고 기존의 '민요'에서의 '민'民을 '민족'이나 '국민'의 뜻으로가 아니라 '민중' 혹은 '평민'의 '민'으로 해석해야 한다고 주장하는 한편 일본의 엔카와 결합한 당시의 창작 신민요들을 격렬하게 공격했다. 이들 중 신고송은 이듬해에 서양 음악파의 선두주자인 홍난파와 『조선일보』 지상에서 계급 음악 논쟁을 벌이게 된다. 게다가 〈편싸움 놀이〉(이주홍 작사 · 작곡)와 〈거머리〉(손풍산孫楓山, 1907~1972 작사 · 이일권李一權 작곡)를 위시한 네 곡의 창작 동요 악보를 선보였다. 동요의 악보지만 노래 가사는 이들의 이념적 지향점을 엿보는 데 충분하다.

> 굶은 애도 나오라 벗은 애도 나오라
> 한데 엉켜 가지고 편쌈하러 나가자
> –〈편싸움 놀이〉 1절

> 부자 영감 논에서 놀고먹는 거머리
> 거머리 배를 찔러라 찔러라 찔러라
> –〈거머리〉 1절

노랫말의 노골성보다 더욱 안타까운 것은 습작의 수준에도 못 미치는 초보적인 악곡 기법이다. 당연하게도 이들은 음악 전문가가 아니었고, 그것을 전문적으로 습득할 의향도 없었다. 게다가 이들이 소속된 개성지부가 카프 내부의 종파 투쟁에 휩쓸려 카프로부터 제명됨으로써 더 이상 진전하지도 못하고 말았다. 이들의 문제의식은 미국 유학을 마치고 돌아온 안기영安基永, 1900~1980과 그다음 세대인 해방공간의 조선음악가동맹에 이르러서야 그 꽃을 피우게 될 것이다.

동요는 당연히 어린이들이 불러야 하기에 단순하고 쉬워야 했다. 일제강점기의 최고 인기 동요는 친일파 박태준朴泰俊, 1900~1986이 작곡한 〈오빠 생각〉이었고, 중도파에 속하는 윤극영尹克榮, 1903~1988의 〈반달〉도 손에 꼽힌다.

하지만 나는 이 시기 동요 가운데 '찌르릉 찌르릉 비켜나세요'로 시작하는 〈자전거〉를 중요한 곡으로 꼽는다. 국민 동요가 된 〈자전거〉는 전라남도 고흥 출신의, 독립운동가의 아들이자 자신도 광주학생운동으로 투옥되는 고초를 겪었던 목일신睦一新, 1913~1986이 고흥공립보통학교 5학년이던 열세 살 때 지은 동시로 1932년에 발표되었다가 이듬해 함경남도 홍남의 음악도이던 열여섯 살 중학생 김대현金大賢, 1917~1985이 생애 처음으로 곡을 붙인, 그야말로 '초등학생

작사-중학생 작곡'의 진정한 동요다.

한반도 남쪽 끝의 소년과 동북 지방의 소년은 얼굴도 본 적 없는 사이였겠지만 『아이 생활』이라는 잡지가 이들의 어린 영감을 맺어주었다. 〈사의 찬미〉와 〈아리랑〉이 모습을 드러내던 바로 그해인 1926년에 이 동시가 쓰였다는 것은 단순히 우연이다. 하지만 애국계몽기부터 시작된 민족주의적인 교육열은 10대 초반 소년들에게도 순수한 창작욕을 진작시켰으며 이 〈자전거〉와 같은 미래를 향한 역작을 분만하게 했다.

찌르릉 찌르릉 비켜나셔요
자전거가 나갑니다 찌르르르릉
저기 가는 저 영감 꼬부랑 영감
어물어물하다가는 큰일납니다

이 노래는 시작부터 도발적이다. 〈반달〉이나 〈고향의 봄〉 같은 목가적인 서정성 대신 반복적으로 상승하는 선율과 수평을 이루며 하강하는 선율이 대조를 이루면서 극적인 긴장감을 짧은 시간 안에 일구어낸다. 대단히 역동적이고 도전적이고 익살스럽다.

하지만 이 노래의 핵심 소재인 '자전거'는 일제강점기의 개막과 함께 들어온 수많은 근대적 문물의 하나가 아니다. 다음 장에서 상세히 다루겠지만 이 동요의 작사자와 작곡가가 의식했는지의 여부와 상관없이 자전거는 1913년 조선 스포츠의 영웅 엄복동嚴福童, 1892~1951이 처음으로 공식 경기에서 일본을 이긴 바로 그 자전거라는 사실이 이 노래의 함의를 다시 생각하게 만든다. 따라서 '저기 가는 저 영감'은 제국주의 일본이기도 하고 하루 빨리 극복해야 하는 봉건적 유물이기도 하다. 그리하여 그 시기 다른 동요에선 결코 느낄 수 없는 이 노래의 다이내믹한 에너지는 자전거라는 표상으로 1920년대 식민지 조선의 비극적 한계를 넘어서려는 순수한 소년의 열망에서 기인하는 것이다.

당시 동요는 말만 동요지, 어린이들만 부르는 게 아니었다. 아이 어른 할 것 없이 모두가 부르면서 입에서 입으로 전해졌다. 때문에 1920~1930년대 동요가 갖고 있던 대중성은 문화 전반에서 중요한 역할을 했다. 이런 창작 동요들은 〈새야 새야〉나, 〈두껍아 두껍아〉 같은 전래 동요들이 차지했던 자리를 대체했고, 소박한 형식 속에 직설적이고 혹은 은유적인 민족의 열망을 담았다.

대중문화, 우리의 민족주의를 반복 학습시키다

●

1926년에 등장한 〈사의 찬미〉라는 노래와 〈아리랑〉이라는 영화의 연착륙은 모순적인 두 개의 문화사적인 의미가 식민지 조선에 성립되었음을 알리는 거대한 상징이다. 하나는 서구 문화에 대한 무조건적 동경이고, 다른 하나는 〈아리랑〉과 그 이후의 수많은 작품에서 나타나는 일관된 민족주의적 열망이다.

식민지 조선의 민족주의적 열망은 세계사에서 유례를 찾아볼 수 없다. 민족주의는 기본적으로 근대 국가를 전제로 성립하는 개념인데 우리는 그런 근대 국가에 대한 경험이 없는 상황에서, 추상적인 수준에서 존재하지 않는 국가의 민족주의를 강력한 에너지를 가지고 추동해왔다. 이것은 매우 독특한 양상으로 볼 수 있다.

이런 양상이 강화될 수 있었던 데는 단순히 반제국주의적 독립 투쟁뿐만 아니라 비록 그런 근대 국가에 대한 경험은 없다 하더라도 영화, 소설, 그리고 다양한 문화적 경험과 학습의 역할이 컸다. 국가 없는 민족주의가 다양한 방식으로 끊임없이 대중적으로 반복 학습되었기 때문에 민족주의적 열망의 표출이 가능했다. 또한 이것이야말로 훗날 일제가 패망한 이후 우리로 하여금 왕조 시대로 돌아가지 않고 공화국으로 이행하게 해준 가장 강력한 동력이 되었다. 그렇게 형성된 동력은 그 자체로 멈추지 않고, 근대적인 시민의식의

식민지 조선의 민족주의적 열망은 세계사에서 유례를 찾을 수 없다.
국가는 없었으나 민족주의는 끊임없이 대중적으로 반복 학습되었다.
당시 대중문화는 근대 시민의식의 자양분이었다.
○

성장으로 이어졌다는 점 역시 잊어서는 안 된다. 즉 이 시대의 대중문화가 우리 대중의 근대적 시민의식을 키우는 자양분의 역할을 한 것이다.

4

국가 없는 민족에게 스포츠는 어떤 의미였는가

한국 영화,
무성영화와 유성영화의
갈림길에 서다

●

20세기 대중문화의 쌍두마차라 할 수 있는 영화와 대중음악의 흥행 시대가 드디어 1920년대에 시작되었다. 그리고 이 흥행 시대의 서막을 관통하는 핵심은 〈아리랑〉이라는 영화로 시작되는 민족주의와, 〈사의 찬미〉로 상징되는 서구 문화에 대한 동경이라는 서로 화해할 수 없는 모순적인 힘이 작용한 결과다. 당시의 영화는 곧 무성영화였고, 무성영화의 시대는 이로부터 약 10년 동안 지속된다.

그런데 무성영화는 영화라고 보기가 좀 애매하다. 유성영화는 그냥 영화다. 유성영화라고 따로 부를 필요가 없다. 반면 무성영화는 엄밀히 말해 영화라기보다 화면이 있는 공연이다. 변사라는 존재 때문이다.

변사는 당연히 살아 있는 사람이다. 사전에 녹음된 것을 틀어놓는 것이 아니라 영화가 상영되는 동안 변사가 관객을 바라보며, 같은 공간에서 대사를 연기한다. 그러니까 변사가 그날그날 무슨 얘기를 할지는 아무도 모른다. 아마 본인도 모를지 모른다. 물론 대사와 지문이 정해져 있긴 하지만, 관객의 분위기에 따라 애드리브도 쳐야 하고, 상황에 따라 임기응변으로 대처도 해야 한다. 뛰어난 변사일수록 그때그때 관객들의 분위기를 봐서 애드리브를 많이 구사했다. 그러느라고 그 영화와 전혀 상관없는 이야기를 중간중간 섞어도 큰 줄거리만 따라가면 문제 될 것이 없었다.

하지만 이건 변사 입장이고, 일제강점기에 이런 상황은 일본이나 순사들 입장에서는 골치가 아팠을 거다.

유성영화라면 완성된 필름을 사전에 검열해서 문제가 있는지 없는지 살핀 다음에 상영 여부를 결정하면 된다. 그렇게 검열을 마친 영화는 극장에서 내릴 때까지 바뀔 여지가 없지 않은가. 그러니 한 번 검열로 모든 게 끝이다.

○ 1920년대 〈아리랑〉 이후 1930년대 〈춘향전〉의 등장으로 유성영화 시대가 막이 올랐다.
변사들은 새 직장을 찾아 떠났다. 서른여섯 살의 나운규는 세상을 떠났다.
우리나라 영화사 첫 번째 장의 막이 내렸다.

그런데 무성영화 시대에는 그게 그렇게 간단하지가 않았다. 무성영화가 상영되는 동안 변사가 무슨 말을 할지 모르기 때문이다. 그날 변사의 스타일과 기분에 따라서 어떤 이야기가 나올지 모르는 거다. 일본이나 순사들 입장에서는 사전검열로 간단히 해결할 수가 없는 근본적인 '어려움'이 있는 것이다.

그래서 어떻게 했느냐. 매번 상영 때마다 감시를 했다. 무성영화 시대에는 모든 극장에 순사가 임석하는 것이 의무화되었다. 극장의 1층과 2층 사이에는 늘 순사가 앉아 있었다. 그러니 변사가 말 한마디 잘못했다간 그대로 끌려갈지도 모르는 상황이었다. 이런 무성영화의 시대가 1926년 〈아리랑〉이 개봉된 이후 약 10년을 갔다.

우리에게 유성영화의 시대가 열린 것은 바야흐로 1935년의 일이다. 우리나라 최초의 유성영화는 〈춘향전〉春香傳이다. 역시 우리는 새로운 뭔가를 시도할 때마다 〈춘향전〉에서 벗어날 수가 없다. 1935년에 만들어진 최초의 유성영화도 〈춘향전〉이고, 1950년에 발표된 우리나라 최초의 창작 오페라도 〈춘향전〉이더니, '두 번째 달'이라는 밴드는 21세기인 2016년에 새로운 음반을 국악 프로젝트로 꾸몄는데, 음반 자체가 판소리 〈춘향가〉로 되어 있다. 정말 놀라운 일이다. 〈춘향전〉이야말로 대한민국 대중문화의 현대사에서 끝도 없이 재생산multi use되는 전통문화의 아이템이라 볼 수 있겠다.

유성영화의 첫 자리를 차지한 〈춘향전〉은 이광수의 『일설춘향전』을 원작으로 한 것이다. 이 영화를 촬영한 것은 이필우李弼雨, 1899~1978였다. 우리나라 최초의 촬영감독으로 알려진 그는 〈아리랑〉을 찍었던 인물이다. 그의 동생은 1930년대의 대표적인 영화감독이자 촬영기사였던 이명우李明雨, 1901~?였다. 이필우, 이명우 형제는 〈아리랑〉을 찍고 난 뒤에 일본에 가서 공부를 하고 돌아와서 와케지마 슈지로分島周次郎라는 일본인과 함께 경성촬영소를 차렸고, 여기에서 우리나라 최초의 유성영화인 〈춘향전〉이 탄생했다.

생각해보라. 그동안 변사가 아무리 맛깔나게 대사와 지문을 연기한다 해도, 물소리 바람소리까지 재현할 수는 없었을 것이다. 그런데 유성영화의 시대가 처음 열리는 순간, 영화에서 온갖 소리가 생생하게 들리는 것을 경험한 관객들이 어땠겠는가. 순식간에 무성영화의 시대가 끝나고 유성영화가 극장을 점령했다. 그 많던 변사들은 어떻게 됐을까. 아마도 새로운 직장을 찾아 극장을 떠나야 했을 것이다. 그런데 아쉽게도 〈춘향전〉의 필름은 볼 수가 없다.

이렇게 무성영화와 유성영화의 갈림길에서 우리나라 영화의 새로운 시대가 열리고 있을 때, 나운규는 1937년 〈오몽녀〉五夢女라는 작품을 마지막으로 남기고, 36세라는 젊은 나이에 세상을 떠나고 만다.

1930년대가 되면서 일본은 무늬만 남아 있던 기만적인 문화통치를 포기하고 본격적인 제국주의 체제로 들어섰다. 그동안 내보이던 손톱만큼의 제스처도 거둬들이고 본색을 드러낸다.

그런 속에서 나운규는 계속해서 흥행에 실패하게 된다. 조금만 이상하다 싶으면 검열에 걸려 내용이 잘리는 바람에 무슨 얘긴지 알 수 없을 정도로 영화는 만신창이가 되었다. 계속되는 흥행의 실패가 나운규의 삶을 좀먹게 되고, 그는 결국 그가 꿈꾸던 진정한 민족 영화의 완벽한 구현을 이루지 못한 채 서른여섯이라는 너무 이른 나이에 숨을 거두게 된 것이다.

우리 영화사의 풍운아이자, 조선총독부 당국과 끝없이 긴장과 대립 관계를 유지해왔던 그는 그렇게 〈아리랑〉이라는 우리 영화사의 중요한 분기점을 남기고 역사 속으로 사라지고 말았고, 그의 죽음으로 인해 우리 영화사의 첫 번째 장은 그렇듯 아쉬운 막을 내리게 된다.

스포츠를 사랑한 일본 제국주의자들

●

일제강점기의 우리나라 대중문화사에서 또 하나의 중요한 분야는 스포츠다. 스포츠라는 개념 자체가 이때 처음으로 성립되었고, 춘사 나운규의 영화 〈아리랑〉을 통해 발현된 우리의 근대적 지표 중 하나

○ 열광할 만한 어떤 기제만 있다면 대중은 어떤 학습도 거치지 않고 몰입한다.
스포츠는 가장 유용한 기제였다. 일본 제국주의는 이 사실을 아주 진작부터 깨달았다.
그들은 국가적 관점에서 스포츠를 육성했다. 목표는 바로 올림픽 금메달이었다.

인 민족주의가 스포츠를 통해 열광적으로 드러났다. 스포츠야말로 우리의 민족주의를 자극하고 드러내는 데 막강한 영향력을 발휘했으며, 음악이나 영화보다 훨씬 더 강력한 기제로 작동했다.

앞에서 살펴보았듯이 일제강점기의 음악이나 영화는 대중 앞에 나서기 위해 반드시 검열이라는 절차를 거쳐야 했다. 이 때문에 창작자들은 자신들이 원하는 바를 마음껏 표현할 수 없었다.

그런데 스포츠는 달랐다. 경기장에 들어가기까지의 과정이 힘들어서 그렇지, 들어가기만 하면 실력으로 일본을 이길 수도 있는 거의 유일한 출구였다. 따라서 억압으로부터의 상징적 탈출을 가능케 한 스포츠는 대중으로부터 열광에 가까운 반응을 이끌어냈고, 이러한 강력한 휘발성이 주는 흥분은 생전 스포츠에 대해서 들어본 적도 없는 아녀자들까지 압도했다.

스포츠를 즐기기 위해 반드시 모든 규칙을 다 알 필요도 없었다. 무엇에든 열광할 만한 어떤 기제만 있다면 대중은 어떤 학습도 거치지 않고 순식간에 몰입하고 가담한다. 이것에 가장 유용한 기제가 스포츠이고, 일본 제국주의는 이런 사실을 진작부터 깨달았다. 그들은 국가주의적 관점에서 스포츠를 육성하고, 국가 브랜드와 이미지를 높이기 위해서 1920년도부터 올림픽 참가를 위해 엄청난 투자를 한다.

그 결과 1912년 스톡홀름 올림픽에 참가한 이래 일본은 1928년 암스테르담 올림픽 육상 남자 삼단뛰기에서 오다 미키오織田幹雄, 1905~1998가 아시아 선수로서는 첫 금메달을 땄고, 1932년 LA 올림픽에 참가하여 육상과 수영 종목에서 무려 일곱 개의 금메달을 획득해서 전 세계를 놀라게 했다.

특히 1932년 LA 올림픽 남자 수영 자유형 100미터와 1,500미터를 동시에 석권한 것은 일본의 쾌거였다. 1,500미터 우승자는 당시 열네 살 309일의 나이로 역대 최연소였던 기타무라 구즈오北村久壽雄, 1917~1996였다. 이 기록은 1988년 서울 올림픽에서 헝가리의 수영 여제 크리스티나 에게르세기Krisztina Egerszegi, 1974~에 와서야 깨진다.

더욱 놀라운 것은 동양인으로서는 '넘사벽'이라 여겨졌던 남자 육상 100미터 결승에 160센티미터 단신의 일본인이 진출한 것이다. '새벽의 초특급'으로 불렸던 요시오카 다카요시吉岡隆徳, 1909~1984는 10초 6의 기록으로 6위에 올랐고 올림픽 후에는 10초 3의 세계 타이기록을 세워 일본을 열광시켰다.

일본은 올림픽을 통해서 메이지유신 이래 그들이 꿈꿔왔던 탈아입구脫亞入歐, 즉 '아시아를 벗어나 서구와 대등해지는' 꿈을 실현했고, 쇼와 정부는 이 스포츠 파시즘의 열기를 적절히 활용했다.

스포츠를 정치적으로 가장 잘 활용한 것은 바로 히틀러Adolf Hitler, 1889~1945와 히틀러의 나치 정권이다. 이들은 1936년 베를린 올림픽을 게르만 민족의 우월성을 전 세계에 입증하는 축전으로 만들고자 했다. 그래서 젊은 여성 다큐멘터리 감독인 레니 리펜슈탈Leni Riefenstahl, 1902~2003로 하여금 이 과정 전체를 찍게 했고, 그 기록을 리펜슈탈은 다큐멘터리 〈올림피아〉Olympia로 남겼다. 게르만인의 육체적 아름다움을 가장 극대화해서 영원히 남기려는 시도였다. 리펜슈탈이 찍은 베를린 올림픽 다큐멘터리 〈올림피아〉는 비록 그것을 만들게 하고 후원한 돈은 더러운 것이었을지 몰라도 완성도만큼은 세계 다큐멘터리 영화사에서 가히 위대한 시금석으로 손꼽힐 만한 작품이다.

남녀 100미터 경기가 육상의 꽃이라면 마라톤은 올림픽의 꽃이다. 어차피 모든 종목에서 세계 최강국인 미국을 이길 수는 없다고 생각한 일본은 마라톤에 집착했다. 올림픽에서 가장 상징적인 종목인 마라톤에서 우승함으로써 동양인이 결코 백인에 비해 열등하지 않음을 증명하고자 했다.

그런 노력의 결과로 1932년 LA 올림픽 이전에 이미 일본에서는 마라톤 세계 신기록 보유자가 속출했다. 우리는 일제강점기의 마라톤 선수, 하면 손기정孫基禎, 1912~2002을 꼽지만, 우리가 아는 손기정 외에도 1931년에 이미 비공인 세계 신기록을 세운 식민지 조선인이 있었다. 이름은 김은배金恩培, 1907~1980. 일본은 자국에서도 마라톤 세계 신기록 보유자가 나오고, 식민지 조선에서도 김은배 선수가 비공인이긴 하지만 세계 신기록을 세웠으니 1932년 LA 올림픽 마라톤에서 반드시 금메달을 차지할 수 있을 것이라 생각했다. 그런데 이 올림픽에 출전한 일본의 쓰다 세이치로津田晴一郎, 1906~1991, 식민지 조선의 김은배, 권태하權泰夏, 1906~1971 선수는 각각 5위, 6위, 9위라는 다소 실망스러운 성적으로 결승선을 통과했고, 일본의 낙담은 땅이 꺼질 정도였다.

그로부터 4년 후인 1936년에 베를린 올림픽이 열렸다. 마라톤 종목의 금메달에 대한 일본의 집착이 워낙에 컸던 터라 베를린 올림픽 마라톤 경기를 바라보는 일본인들의 관심과 열기는 상상할 수 없을 정도로 집요했다.

1936년 베를린 올림픽 마라톤에서 손기정은 금메달을 거머쥐었다. 그저 금메달이 아닙니다. 일본에게 열등한 민족으로 치부당하던 식민지 조선인들의 설움을 일거에 날려버린 한 방이었다.

우리 근대 스포츠의 첫 장면은 손기정으로부터

●

우리나라 근대 스포츠의 가장 극적인 풍경을 감상하기로 하자. 내가 '불면의 광화문'이라 이름 붙인 1936년 8월 9일 우리 시각으로 밤 11시에 베를린 올림픽 마지막 종목인 마라톤의 출발을 알리는 총성이 울렸다. 놀라운 사실은 JODK 경성 라디오 방송국이 우리나라 최초로 이 경기를 생중계했다는 것이다. JODK는 1927년에 개국한 우리나라 최초의 라디오 방송인 경성방송의 호출부호다. 2002년 월드컵 때 서울 광화문에서 있었던 뜨거운 응원의 원조는 바로 1936년 8월 9일로부터다. 지금 광화문 사거리에 있는 동아일보사 2층에서 라디오 앰프를 바깥으로 내고 밤 11시부터 큰 소리로 마라톤 경기를 생중계로 내보냈고, 그 앞에는 수천 명의 시민들이 나와서 라디오 방송을 같이 들었다.

문제는 방송 시간이었다. 마라톤은 두 시간 반 정도 걸리는데 생중계는 한 시간밖에 하지 못했다. 경기가 시작되고 처음 한 시간 동안은 1932년도 우승자인 아르헨티나의 후안 카를로스 자바라가 처음부터 계속 선두를 달리고 있었다. 손기정은 5~6위 권에서 달리고 있었고, 마지막 일본 선발전에서 1위를 차지하면서 일본 대표 선수가 된 남승룡南昇龍, 1912~2001은 이보다 더 뒤처져 있었다. 한 시간만 들어서는 우승 여부를 알 수 없었다. 이후 방송은 아침 6시 30분에나 재개될 예정이었다. 뒷부분은 아침에나 들을 수 있었다. 그러나 사람들은 돌아가지 않았다. 방송사가 속보를 전해줄 거라는 믿음 때문이었다. 한 시간 생중계를 듣고, 중계가 끝난 이후 아무 소리도 안 나오는데도 사람들은 마라톤이 끝나는 시간까지 광화문 동아일보사 앞에서 주구장창 기다렸다.

경기가 끝난 것은 우리 시각으로 새벽 1시 30분. 그로부터 30분 뒤에 베를린에서 드디어 첫 번째 속보가 도착했다. 동아일보사 2층 창문이 열렸다. 조선인 여자 아나운서가 떨리는 목소리로 외쳤다. 올림픽에서 공식적으로, 마의 2시간 30분 벽을 깨고 일본의 '기테이 손'이 2시간 29분 19초의 세계 신기록으로 우승했다는 소식이었다. 기테이 손이 누군가. 손기정 선수다. 그 자리에 있던 사람들이 모두 일어나 만세를 외쳤다. '손기정 만세'를 부르던 함성은 '조선 독립 만세'로 번져가는 바람에 난리가 났다.

손기정은 당시 양정고등보통학교(양정고보) 4학년생으로, 졸업을 하지 못한 늙은 학생이었다. 그는 1933년 조선 신궁대회에서 비공인 세계 신기록을 세운 바 있었다. 그전에는 앞서 말했듯 1931년에 김은배가 비공인 세계 신기록을 세웠다. 손기정과 김은배를 지켜보던 일본은 올림픽에서 이 두 선수를 내세워 금메달을 딸 수 있을 거라는 꿈에 부풀었다.

이광수 같은 식민지 조선의 지식인들 역시 김은배와 손기정이 세운 기록에 대해 열광했다. 일본은 항상 이른바 생태학설 인종주의적인 관점에서 조선인은 일본인에 비해 신체적으로 열등하고 정신적으로도 썩었다는 것을 강조해왔다. 그런데 손기정과 김은배가 마라톤에서 세계 신기록을 세웠으니, 이것으로 식민지 조선인이 일본인에 비해 육체적으로나 기질상으로나 열등하지 않다, 결함이 없다는 것이 증명된 셈이었기 때문이다.

즉 손기정과 김은배가 성취한 마라톤 세계 신기록은 식민지 조선인이 세계 신기록을 세웠다는 기쁨으로만 그친 것이 아니다. 더러운 쓰레기, 몸도 왜소하고 힘도 없고 못생긴 민족으로 치부되던 식민지 조선인들에게는 그동안 일본인들에게 당해온 수많은 수모를 일거에 날려버리는 쾌거였다. 그래서 당시 올림픽 금메달을 꿈꾸던 일본 못지 않게, 아니 어쩌면 더 큰 열망을 올림픽 마라톤 우승에 담았던 것이다.

이런 이유로 당시 올림픽 마라톤은 일본에게나 식민지 조선에게 모두 중요한 의미를 지니고 있었다.

그토록 바라던 올림픽 금메달이 자칫하면 식민지 조선인에게 돌아갈 상황이 되자 일본은 온갖 꼼수로 훼방을 놓았다. 하지만 식민지 조선인의 목에 금메달이 걸리는 순간, 일본은 그것을 온전히 자신들만의 영광으로 선전하고 홍보했다.

식민지 조선인의 목에 금메달을 걸게 할 수 없던 일본의 잔꾀

하지만 내심 일본은 올림픽 마라톤 우승이라는 영광을 '더러운' 식민지 조선인에게 주기는 싫었던 모양이다. 1932년 LA 올림픽 당시 일본에서는 세 명이 경기에 출전했다. 식민지 조선인 김은배, 권태하 그리고 일본 선수 쓰다 세이치로였다. 쓰다 세이치로가 팀의 주장이자 코치였다. 경기가 시작되기 전에 쓰다 세이치로는 김은배와 권태하에게 뜻밖의 지시를 내렸다. '경기가 시작되면 조선인인 너희 둘은 나를 위한 페이스 메이커를 할 것'. 그러니까 자신이 뛰는 데 보조를 하라는 것이다. 절대 앞서지 말라는 뜻이다. 김은배는 반발했고, 팀플레이는 어긋났다. 세 사람 모두 순위권 밖으로 밀려났다.

1936년 베를린 올림픽을 앞두고 일본은 또 잔꾀를 부렸다. 우선 올림픽에 출전할 세 명의 선수를 뽑아야 했다. 이미 세계 신기록을 보유한 선수가 두 명 있었다. 한 사람은 손기정 선수, 또 한 사람은 일본의 스즈키 후사시게鈴木房重,1914~1945 선수. 일본의 속셈은 국가대표를 뽑는 선발대회에서 일본인 한 명을 더 뽑아 경기에 내보내는 것이었다.

그런데 이 선발대회에서 그만 식민지 조선인 남승룡이 일본인 선수를 제치고 1위로 결승선을 끊어버렸다. 1등으로 들어와버렸으니 뺄 수가 없었다. 그러자 일본은 현지에서 마지막 결정을 하겠다며 세 사람만 출전할 수 있는 올림픽 선수 팀에 일본인 시오 아쿠까지 네 명을 선발해서 현지로 보냈다. 그러니까 일단 베를린에 보내긴 하는데 손기정 선수와 남승룡 선수 중 막판에 컨디션이 안 좋은 선수 한 명을 빼고, 일본 선수 두 명을 내보내겠다는 속셈이었다.

그래서 어떻게 되었을까. 베를린에 도착한 이들 네 명은 다시 경합을 벌였다. 거기에서 상위 세 명이 올림픽에 출전할 수 있었다. 드디어 이틀 뒤에 있을 본 경기를 앞두고 30킬로미터 달리기 시합이 시작되었다. 결과는 일본이 바라던 대로 되지 않았다. 세계 신기록 보유자인 스즈키 후사시게가 14킬로미터 지점에서 컨디션 난조로 경기를 포기한 것이다. 이렇게 세 명으로 정리가 되자 실력이 제일 떨어지는 시오 아쿠가 꼴찌를 할 것 같으니 5킬로미터 지점에서 지름길로 빠지는 꼼수를 부렸으나 들통이 났다.

결국 일본의 뜻과는 달리 손기정과 남승룡이 올림픽 마라톤 경기에 참가하게 되었다. 그리고 그 결과는 우리가 아는 바와 같다. 손기정이 금메달을, 남승룡이 동메달을 거머쥐었다.

육상 삼단뛰기에서도 세계 신기록을 세우며 일본은 금메달을 하나 더 따긴 했지만 주요 관심은 온통 마라톤에 집중되었다. 이런 상황에서 올림픽의 하이라이트인 마라톤에서, 전 세계의 이목이 집중된 가운데 세계 챔피언들을 모두 꺾고 일본이 두 개의 메달을 차지했으니 그 열기가 어땠을지는 짐작이 간다.

하지만 막상 시상대에 올라간 두 선수가 식민지 조선인이라는 사실이 유쾌하지는 않았을 것이다. 다른 나라에서 보기에는 일본인 선수 두 명이 우승한 것처럼 보였겠지만 일본으로서는 어떻게든 일본인 선수를 시상대에 올리기 위해 잔꾀를 부려 네 명을 보내기까지 했는데 결국 조선인만 메달을 땄으니 기분이 좋았을 리 없다. 하지만 일본은 역시 일본이다. 이들은 손기정과 남승룡의 쾌거를 온전히 자기들만의 것으로 선전하고 홍보했다.

이 모든 과정을 겪으며, 일본의 잔꾀를 이겨내고 금메달을 목에 건 손기정 선수가 마라톤 경기를 마치고 난 뒤 현지에서 했던 인터뷰는 그의 심정을 잘 대변한다. 식민지 출신의 선수로 온갖 어려움을 극복하고 우승했으나 영광은 오로지 일본의 것으로 돌아가는 현실 앞에 선 그의 심정을 말이다.

마침내 우승은 했으나 웬일인지 울고만 싶소.

이 말에는 많은 의미가 숨어 있다. 손기정은 당시 베를린에서 도쿄에 있는 일본인 친구에게 엽서를 한 통 보낸다. 나중에 발견된 그 엽서에는 '슬프다'라는 말만 쓰여 있었다고 한다.

어쨌거나 경기가 끝난 뒤 일본은 일본대로 우리는 우리대로 난리가 났다. 바로 그다음 날 새벽부터 『동아일보』 호외가 막 발간되는데 이때 심훈이 이 우승을 기념하는 시를 새벽에 썼다.

인제도 인제도 너희들은 우리를 약한 족속이라고 부를 테냐.

이게 마지막 구절이다. 그리고 일본 엔카 〈술은 눈물일까 한숨일까〉酒は涙か溜息か를 번안해 부른 가수 채규엽이 손기정의 우승을 기념하여 〈마라톤 제패가〉라는 노래가 담긴 음반을 바로 내게 된다.

그 유명한, 손기정 선수 일장기 말소 사건

●

손기정이 세계 최고의 스포츠 제전인 올림픽에서 우승함으로써 스포츠 민족주의의 틀이 완성된다. 우리에게는 스포츠·민족(당시 우리에게는 국가가 없었으므로)·미디어라는 3박자가, 일본 입장에서는 스포츠·국가·미디어라는 3박자가 만들어진 것이다. 식민지 조선에서는 양정고보 4학년생 손기정이라는 기표로, 일본에서는 기테이 손이라는 이름으로 이 스포츠 민족주의, 스포츠 국가주의는 극점에 도달하는데 바로 이 순간 그 유명한 일장기 말소 사건이 일어난다. 일장기 말소 사건은 바로 손기정의 가슴에 새겨진 일장기를 지워버린 채 신문에 사진을 실은 사건이다.

올림픽 마라톤 금메달을 받기 위해 시상대에 오른 손기정은 일장기가 새겨진 유니폼을 입어야 했다. 그 유니폼을 입고 금메달을 목에 건 사진이 세상 방방곡곡에 뿌려졌다. 그렇지만 지금처럼 유럽에서 찍은 사진이 우리한테 곧장 날아오던 시절이 아니었다. 금메달을 딴 것은 8월 9일이었지만, 그 사진이 신문에 처음 실린 것은 그로부터 나흘 뒤였다. 손기정의 일장기 말소 사건을 떠올리면 『동아일보』가 자동적으로 연상된다. 통상 우리는 『동아일보』에서 처음으로 그렇게 한 일로 알고 있다. 그런데 꼭 그렇지만도 않다.

손기정 선수의 사진에서 일장기를 지운 건 『동아일보』만이 아니라 당시 3대 신문 중 하나인 『조선중앙일보』 역시 그랬다. 좌파 민족주의자 몽양夢陽 여운형呂運亨, 1886~1947이 사장이던 『조선중앙일보』가 8월 13일자 신문에 손기정 선수의 사진을 실으면서 사진 속 일장기를 최초로 지운 것이다. 같은 날 『동아일보』도 지방판 사진에 일장기를 지웠으니 두 신문사가 동시에 일을 저지른 것이다(『동아일보』는 지방판이 먼저 나오니 자신이 먼저라고 주장하지만 내가 보기에 중앙판이 더 중요하다). 그러나 두 신문 모두 사진의 해상도가 워낙 낮

○ 손기정 선수의 가슴에서 일장기를 지운 일로, 신문사 한 곳은 폐간, 한 곳은 정간을 당했다. 새로 부임한 총독은 식민지 조선의 언론이 새로운 민족적 상징을 만들어내는 것에 강력한 철퇴를 내렸다.

고 사람 얼굴도 알아보기 힘들 정도로 작은 크기라 일장기를 지운 것을 아무도 모르고 그냥 지나쳤다.

사달이 난 것은 12일 뒤의 광고 지면 때문이었다. 8월 25일 『동아일보』에서 손기정 기념 올림픽 다큐멘터리 상영회를 한다는 광고를 낸다. 그런데 이 광고를 준비하면서 당시 스포츠국의 이길용李吉用, 1899~? 기자가 일을 벌인다. 월계관을 쓰고 일장기를 가슴에 단 채 시상대 위에 서 있는 손기정 사진을 들고 와서 『동아일보』의 화보를 맡고 있던 그 유명한 청전 이상범李象範, 1897~1972 화백에게 부탁해서 염산으로 일장기를 지워버린 것이다. 이걸 마치 손에 든 꽃다발 때문에 일장기가 가려진 것처럼 보이게 하려고 애를 쓰긴 했지만, 눈 가리고 아웅이었다. 이 일로 조선총독부 검열에 걸려서 관련자 열네 명이 회사에서 쫓겨나고, 『동아일보』는 9개월의 정간 조치를 받았다.

그런데 거기에서 끝나지 않고, 별 탈 없이 넘어갔던 『조선중앙일보』까지 끌려 들어가게 되었다. 당시 『조선중앙일보』는 『동아일보』, 『조선일보』와 더불어 3대 신문사로 꼽혔는데 이 가운데 제일 진보적인 성향이었으나 자본력이 약했다. 결국 이 일로 영영 폐간을 당하는 최악의 사태를 맞았다. 『동아일보』는 9개월 뒤인 1937년에 복간을 한다.

『동아일보』와 『조선중앙일보』가 정간되는 바람에, 『조선일보』는 최대 수혜자가 되었다. 신문 판매 부수에서 3위였던 『조선일보』가 무주공산인 시장을 차지하게 된 것이다. 3대 신문사 중 두 곳이 정간됐으니 당연한 결과일지 모른다.

이 정간 조치는 굉장히 센 것이었다. 전례로 보건대 이런 정도의 일이면 사나흘의 정간 조치가 예상되었다. 그런데 9개월이나 정간이 되고, 신문사 하나가 결국 폐간이 되는 상황이 될 줄은 아무도 몰랐다.

왜 그렇게 됐는가. 가는 날이 장날이었다. 하필이면 그 사진이 실린 날이 새로운 총독 미나미 지로가 식민지 조선에 부임하는 첫날이었던 것이다. 걸려도 제대로 걸린 셈이었다. 육군 중장 출신의 미나미 지로는 이 일을 계기로, 함부로 까불면 죽는다는 전제를 만들어버렸다. 본보기로 식민지 조선의 언론들이 새로운 민족적 상징을 만들어내는 것에 아주 강력한 철퇴를 내린 셈이다.

라디오의 등장, 전혀 다른 매스미디어의 출현

●

대중문화에서 가장 중요한 시스템이 있다면 그건 바로 매체 매스미디어다. 대중문화는 결국 매스미디어의 산물이다. 매스미디어가 없다면 대중문화가 보유한 콘텐츠의 대량 생산과 대량 복제로 인한 신속한 확산은 불가능하다.

만약 TV나 라디오가 없었다고 생각해보자. '서태지와 아이들'은 여전히 활동 중일 것이다. 오늘은 연신내역 3번 출구 앞에서 파티하고, 내일은 충정로역 9번 출구 앞에서 춤추고 노래를 할 것이다. 그렇게 전국을 한 바퀴 돌려면 1년쯤은 걸릴 것이다. 그렇게 한 20년은 돌아야 사람들이 겨우 알아볼까 말까 하겠지.

하지만 매스미디어의 출현은 엄청난 공간적 확산력과 시간적 신속성을 가져왔다. 그 이전 시대에는 정보가 페이스 투 페이스face to face, 그러니까 입에서 입으로 전해졌다. 발 없는 말이 천리 간다는 말도 있지만, 그건 그냥 그렇다는 말일 뿐 뭐가 됐든 얼굴을 마주 대해야 뭐가 퍼져나가든 말든 했다.

그렇게 아주 천천히 확산되었던 온갖 정보들은 매스미디어의 출현으로, 이전 시대와는 비교할 수 없는 비약적인 속도로 확산된다. 그야말로 하나의 콘텐츠로 가능한 공시성共時性의 확장성을 순간적으로 폭발시킨 것이 바로 매스미디어이고, 그 매스미디어 중에서도 전파 매체에 속하는 라디오의 출현은 매스미디어 시장을 결정적으로 확장시켰다. 바로 그러한 라디오가 우리나라에 상륙했다.

1927년 2월 16일 드디어 JODK 호출부호를 쓰는 경성 라디오

○ 1927년 경성 라디오 방송국이 개국을 했다.
이전과는 차원이 다른 매스미디어의 출현으로
이제 하나의 콘텐츠는 순식간에, 무한대로 퍼져나갈 수 있게 되었다.

방송국이 방송을 시작했다. 라디오 방송을 시작하긴 했으나 라디오를 누구나 접할 수는 없었다. 초기에는 너무 비싸서 보급된 라디오의 80퍼센트가 일본인의 소유였고, 보통의 식민지 조선인들에게는 그림의 떡이었다. 그럼에도 라디오는 엄청난 파급력을 가졌다. 나는 인류가 만들어낸 발명품 중에서 가장 중요한 전복을 일으킨 물건을 하나만 꼽으라면 제1세대 전파 매체라 할 수 있는 라디오를 꼽겠다.

미디어의 시대를 주도한 라디오, 새로운 권력 구도의 형성

> 라디오의 등장으로 정보의 민주주의가 실현되었다. 이제 어떤 정보를 주느냐가 중요해졌다. 정보의 내용을 결정할 권한이 있는 곳에 권력이 존재한다. 정보의 민주주의 이면에 새로운 권력 구도가 형성된 것이다. 거기에 계급이 등장했다.

물론 라디오 이전에도 매스미디어는 있었다. 신문도 있고 잡지도 있었으니까. 하지만 이런 활자 매체는 두 가지 문제가 있었다. 하나는 글을 못 읽는 사람들에게는 정보를 전할 수 없다는 것이고, 두 번째는 어떤 사회의 중심지와 중심지에서 벗어난 지역에서 정보를 얻는 시간차가 존재한다는 것이다. 즉 동일한 정보를 얻는 데 지역에 따라 래그lag 현상이 일어난다는 것이다. 지금이야 거의 동시에 전 세계적으로, 모든 지역에서 같은 기사를 볼 수 있지만 처음 신문이 나왔던 19세기에는 그렇지 않았다. 파리에서 발행된 신문이 독일 접경지인 스트라스부르까지 가는 데 꼬박 일주일이 걸렸다. 그렇기 때문에 활자 매체는 필연적으로 중심과 주변의 차별을 만들어낼 수밖에 없다. 누가 먼저 아느냐가 중요해졌고, 그에 따라 같은 정보라도 시간차에 따라 그 효용이 다를 수밖에 없었다.

그런데 라디오라는 전파 매체는 완전히 달랐다. 이 라디오는 등장하자마자 그 이전에 존재했던 문자 매체의 한계를 무너뜨린다. 들을 수만 있다면 글자를 몰라도 정보의 생산자가 그것을 말하는 순간 해당 정보를 얻을 수 있었다. 중심과 주변이라는 지역의 차이도 없었다. 물론 전파에도 속도가 있으니까 같은 미국 내에서라도 뉴욕에서 듣는 것과 애팔래치아 산맥에서 듣는 것에 약간의 차이는 있었겠지만 그런 약간의 차이만 무시한다면 거의 동시적 수용이 가능해졌다.

이 전파 매체의 출현이 의미하는 것은 정보의 민주주의다. 하지만 이것은 수용하는 입장에서 본 것이고, 정보를 생산하는 입장에서는 영향력이 커지면 커질수록 이제는 어떤 정보를 주느냐, 그리고 이 정보를 누가 주느냐가 중요해졌다. 이 막강한 영향력을 전제로, 누가 어떤 정보를 주느냐에 따라 권력이 형성되기 때문인데, 거꾸로 보면 이 매체를 이용하여 전달할 정보의 내용을 누가 결정하느냐에 따라 권력이 발생하고 이후 권력의 향방이 좌우되는 셈이다. 간단히 말해 정보의 내용을 결정하는 권한이 있는 곳에 권력이 존재하게 된다. 따라서 이 전파 매체 시대 이후에 등장하는 이 지구상의 모든 권력은 바로 이 매체의 정보를 통제할 수밖에 없는 숙명에 빠지게 된다.

바로 이러한 엄청난 폭발력을 가진 미디어의 시대가 우리에게도 드디어 도래한 것이다. 이는 조선조까지는 경험할 수 없던 것이다. 이러한 미디어는 새로운 화두를 우리에게 제시한 셈이 되었다. 우리는 이미 식민화 과정, 즉 일본에 강제로 병합되는 과정을 거치며 민족이라는 화두의 출현을 목도했다. 그러더니 이번에는 계급이라는 화두를 목전에 두게 되었다. 이는 대중매체의 출현과 확산의 과정을 거치며 등장한 것으로, 대중매체의 속성과도 밀접한 관계가 있다.

민족에서 계급으로의 이행 수칙, '분리해서 통치하라'

●

민족과 계급 사이의 문제, 혹은 민족에서 계급으로 이행하면서 드러나는 변화는 1920년대의 중요한 쟁점이었다. 그렇다면 민족과 계급이라는 화두는 일제강점기의 대중문화에서 왜, 어떻게 중요한 쟁점

○ 일본은 3·1운동 후 새로운 전략을 구사한다. 지배층이 피지배층을 직접 다루기보다 피지배층을 분열시켜 힘을 약화시키는 전략이다. 권력을 가진 부패한 세력이 잘 써먹는 방식이다.

으로 부각되었는가.

첫 번째 계기는 1917년에 일어난 러시아 혁명에서 촉발되었다고 해도 과언이 아니다. 바로 이 러시아 혁명의 영향으로 1910년대에 이미 사회주의가 식민지 조선에 상륙했다. 1910년대 식민지 조선에 상륙한 사회주의는 1920년대에 들어서면서 미디어를 통해 사회 전반으로 파급된다.

가장 적극적으로 사회주의를 퍼뜨린 미디어는 지금의 관점에서 보자면 놀랍게도 『조선일보』였다. 당시 사회주의자 성향의 기자들이 제일 많았던 곳이 『조선일보』였다. 물론 방응모方應謨, 1883~?가 『조선일보』를 인수하기 전의 일이다. 1933년에 방응모가 『조선일보』를 인수하면서부터 사회주의자 성향의 기자들은 싹 사라지지만, 1920년대 후반까지 『조선일보』는 거의 매일 사회주의 사상의 선전장이었다. 그로 인해 사회주의는 당시에 가장 빠른 시간 안에 가장 급속하게 전파된, 정말 독특한 대중문화였다.

이것이 왜 이렇게 매력적으로 받아들여졌는가. 일단 첫 번째로 식민지 조선 안에서 퍼진 사회주의는 애초에 식민지 조선 바깥에서 시작된 것이었다. 독립운동가들이 독립운동의 일환으로 러시아 쪽에 만든 독립운동 기지인 이르쿠츠크에서 활동한 이르쿠츠크파와, 중국 쪽 독립운동 기지인 상하이를 중심으로 한 상하이파의 독립운동 집단 안에서 사회주의를 받아들이는 사람들이 생겨나기 시작했다. 그러다가 상하이파의 이동휘李東輝, 1873~1935가 임시정부의 부주석이 되면서 조직 안에서 강한 영향력을 갖게 되었고, 자연스럽게 사회주의는 새로운 독립운동의 중요한 역할을 하게 된다.

우리는 3·1운동 하면 아는 게 '유관순 누나'밖에 없지만, 1919년에 일어난 3·1운동의 배경에는 사회주의적 활동과 움직임이 있었다. 3·1운동과 더불어 1919년 3월에 이미 80여 건의 노동자 파업이 벌어지고 있었다. 3·1운동은 단순히 어느 날 민족 지도자들이 중국집에 모여서 〈독립선언서〉 낭독하고 학생들이 거리로 나가서 시위를 한 번 하고 끝난 게 아니다.

이때부터 실질적으로, 맹아 단계의 노동자 조직에 의한 독립선언 독립운동과 그것을 파업으로 외화한 사건이 이미 일어나고 있었다. 즉 3·1운동 속에는 이미 사회주의의 영향이 스며들기 시작했다는 것이다.

1919년을 기점으로 1920년대가 되면서 일본 제국주의는 식민지 조선 통치에 대한 노선을 바꾼다. 데라우치 마사타케寺內正毅, 1852~1919 총독의 무단통치에서 사이토 총독의 문화통치로 노선을 바꾼 것이다. 이것은 극에서 극으로 바뀐 것인데, 이런 변화는 일본이 너무 놀랐기 때문에 일어난 것이다. 즉 일본이 외견상일지언정 유화정책을 펼 수밖에 없었던 이유는 세상의 모든 우익들이 제일 두려워하는 마르크스 레닌주의 사상이 이미 식민지 조선에 상륙했기 때문이었다. 조선총독부는 3·1운동을 기점으로 완전히 새로운 상황에 맞닥뜨리게 된 것이다.

3·1운동 같은 대규모의 반제국주의 시위는 일본 내각에서 단 한 번도 생각해본 적이 없었다. 데라우치 총독 치하의 9년 동안 일본은 식민지 조선을 철저하게 짓밟았기 때문이다. 그 결과 식민지 조선인들의 고조된 불만을 일본이 전달받을 통로조차 없었다. 때문에 일본의 지휘부는 식민지 조선의 상황에 대해 전혀 알 길이 없었고, 짐작조차 못 했다. 그런데 이렇게 대규모의 반제국주의 시위가 일어나자 일본은 이런 생각을 했을 것이다. '식민 통치가 이제 시작인데, 이런 정도의 반발을 전국적으로 조직할 수 있는 나라라면 아무래도 방법을 달리 써야겠다', '지금까지의 방식을 고수하다가는 큰일이 나겠다'고 생각했을 것이다. 식민지 조선에서 뽑아먹을 것이 아직도 많은데, 아직 계산서도 다 안 뽑았는데 그전에 문제가 생기면 안 될 테니 일본 입장에서는 그럴 법도 했을 것이다.

그래서 이들은 좀 더 급수가 높은, 고단수의 식민지 통치 노선을 선택하게 된다. 무단통치 대신 문화통치로 노선을 전환한 것이다. 얼핏 들으면 좋은 것 같지만 문화통치로의 전환은 이제부터 일본은 철저히 정보전을 치르듯 식민지 조선을 통치하겠다는 선언이나 다름없었다. 즉 일본이 사이토 총독 시대부터 문화통치에 접어들었다는 사실은 일본이 대오각성하고 식민지 조선을 제대로 통치하겠다고 작정한 것을 의미한다.

우리나라 근대사를 다룬 책 중에서 읽을 만한 글을 쓴 분은 일본에 거주하던 학자인 강동진姜東鎭, 1925~1986 선생이다. 그분의 책 『일제의 한국 침략 정책사』를 읽은 지 30년이 다 되어가는데, 그 이후 지금까지 이 책을 넘어서는 연구서는 안 나온 것 같다. 내가 보기에, 당시 조선총독부와 일본 내각의 식민지 조선 정책 자료들을 전부 발굴해서 문화통치의 실상과 본질을 밝혀낸 거의 유일한 책이다. 이 책에서는 당시 일본이 어떻게 그때까지의 판을 다 엎고 새로운 통치의 판을 짰는지를 정교하게 보여준다. 이를테면 이런 식이다.

일본은 드디어 우리가 3·1운동을 벌이고 난 뒤에 우리를 객관적인 피지배의 파트너로 인정한다. 그래서 그전까지 써온 주먹구구식 일방적 통제에 의한 통치 방식을 지워버리고 전면적인 제국주의 식민 지배 관계의 전략인 새로운 전략 노선을 선택한다. 바로 이것이다.

분리해서 통치하라.
divide and rule.

그러니까 지배 계층이 일방적으로 피지배 계층을 다루다보면 힘도 비용도 많이 드니까, 피지배 계층을 교묘하게 분열시켜서 자기들끼리 싸우게 하면서 힘을 약화하는 방식이다. 이것이 전형적인 분리 통치다.

오늘날의 대기업에서도 많이 쓰는 방식이다. 회사와 노동자가 대립할 때 노동자가 힘을 합쳐 회사와 싸워야 하는데, 노동자를 정규직과 비정규직, 잘린 사람과 안 잘린 사람으로 나누어 '적'은 저기 있는데 자기들끼리 싸우게 하는 것이 바로 분리 통치 방식이다. 자고로 권력을 가진 부패한 세력이 잘 써먹는 전형적이고 전통적인 방식이다.

'분리해서 통치하라'의 첫 번째 선택, 신문과 지식인

●

일본이 분리 통치를 위해서 제일 먼저 선택한 것은 신문이었다. 1919년까지 식민지 조선인들은 신문을 만들 수가 없었다. 그런데 일본이 신문 발행권을 주겠다고 공표를 했다. 일본이 이 정책을 공표하자마자 거의 100군데가 넘는 데서 신문을 간행하겠다는 신청서를 냈다.

일본은 그중에서 딱 세 군데에만 신문 발행권을 준다. 그중 한 군데는 돈 좀 있는 민족주의 우파 진영으로 분류할 수 있는 인촌 김성수金性洙, 1891~1955의 『동아일보』다. 그다음으로는 1916년에 결성된 친일 단체로서 천황의 이름을 딴 대정실업친목회大正實業親睦會에 간행권을 주는데 이게 『조선일보』다. 그다음에 뼛속까지 일본인인 친일파 민원식閔元植, 1887~1921에게 신문 발행권을 주는데 이게 『시사신문』時事新聞이다.

『동아일보』를 빼면 다 친일 세력이었는데, 그중에서도 『시사신문』은 너무 노골적이었다. 그래서 세 개의 신문이 발행되기 시작한 1920년대 경성 거리 주택가에는 대문마다 '『시사신문』 불견不見'이라고 적힌 종이가 붙어 있었을 정도였다. 결국 『시사신문』은 시장에서 경쟁력을 잃어가다가 민원식이 1921년 2월 16일에 피살된 것을 계기로 폐간되었고, 1924년에 『시대일보』로 넘어가고 마는데, 이미 조선총독부에 회유된 최남선이 맡는다. 최남선은 조선총독부의 지시를 받은 미야베 은행의 대출을 받아가면서 신문사를 운영했지만. 전문 경영인이 아니었기 때문에 많은 비난을 받았다. 결국 『시대일보』는 재정난을 겪다가 1926년에 휴간한 이후 재개하지 못한다.

일본은 이런 식으로 친일파에게 신문 발행권을 내주면서 언론을 자기편으로 확실하게 만들고자 했다. 그중에서도 일본이 포섭 대상으로 삼은 것이 지식인이었다.

○ 일본은 친일파에게 신문 발행권을 내주면서 언론을 자기편으로 확실하게 만들고자 했다. 그런 미끼를 물었던 대표적인 인물이 최남선과 이광수다.

무조건 돈만 준다고 순순히 회유당할 지식인은 아직까지 그리 많지 않았다. 따라서 일본은 이들에게 협조할 명분을 만들어주었다. 일종의 환상을 제시한 것이다. 말하자면 이런 거다. '당신들이 신문을 잘 만들어서 그 신문을 통해 개화계몽을 많이 하라, 그렇게 해서 식민지 조선인들이 정말 개화가 되면 비록 식민지일지언정 자치권 정도는 우리가 줄 수 있지 않겠느냐', 이런 것이었다. 이른바 자치주의의 환상을 교묘하게 심어주었다.

이런 제안을 받고 고민하는 지식인이 하나둘 생기게 되었다. 그들이 생각하기에 아무리 봐도 일본과 싸워서 독립을 쟁취하기는 어려울 것 같았다. 그건 너무 비현실적인 일이기도 하고, 그러려면 목숨을 걸어야 하는데, 그건 또 두려웠을 것이다. 그럴 바에야 우리가 어떻게든 적당히 타협해서 자치권 정도라도 얻어내면 완전히 통치를 받는 것보다는 낫지 않을까 싶었을 것이다. 그런 환상을 주입받은 지식인들은 하나둘 민족주의 혹은 계몽주의에서 이탈하기 시작했고, 일본은 이런 환상을 지식인들 사이에 슬금슬금 뿌리면서 식민지 조선인 중에서 소위 오피니언 리더라고 할 만한 인물들을 자기 편으로 만들기 시작한다. 그 가운데 대표적인 인물이 바로 이광수와 최남선이었다.

강준만의 『한국대중매체사』를 보면 흥미있는 내용이 나온다. 1920년에 『조선일보』, 『동아일보』, 『시사신문』, 이렇게 세 개의 신문이 거의 동시에 간행되었으나 얼마 지나지 않아 『시사신문』이 폐간되면서 존재감이 약해지자 『조선일보』와 『동아일보』는 살인적 경쟁을 벌이기 시작한다.

『조선일보』는 그 뿌리가 친일파의 것이었기 때문에 초기에는 민족주의적 요소를 강조하지 않고 주로 문명개화에 방점을 두었다. 이에 비해 『동아일보』는 처음부터 민족주의를 사시社是로 내세웠다. 그러니 당연히 대중은 『동아일보』 편이었다. 그러자 『조선일보』는 이대로 가다가는 시장을 석권할 수 없겠다는 위기를 느끼고 전략을 바꾼다. 아주 과격한 기사를 싣기 시작한 것이다. 주로 조선총독부가 싫어하는 기사들 위주로 실었다. 그러자 대중은 『조선일보』의 이런 행동을 용기라고 생각하고 구독률을 올려주었다. 『동아일보』가 가만 있을 수 없었다. 역시 조선총독부가 싫어할 만한 기사들 위주로 신문을 내보냈다. 그러다가 도를 넘으면 조선총독부로부터 정간 조치를 당했다. 그러면 며칠 신문을 못 내긴 하지만 조선총독부로부터 탄압을 받는 것으로 비쳤기 때문에 사람들이 열심히 신문을 봐주면서 구독률은 껑충 뛰었다. 그래서 오히려 조선총독부가 '5일 정간'이라고 통보를 하면 신문사 편집부에서 만세를 부를 정도였다. 이렇게 두 신문이 서로 조선총독부로부터 정간을 받기 위해 마구 경쟁을 벌이는데, 이런 『조선일보』과 『동아일보』의 경쟁을 '정간 조치 경쟁'이라고 한다.

이때 서울에 있던 일본 경제인 연합회의 대표가 사이토 총독을 찾아간다. 두 신문사에서 앞다투어 조선총독부에 거슬리는 기사를 내는 것을 문제 삼기 위해서였다. 그는 '조선인들에게 이런 식으로 언론의 자유를 준 게 말이 되느냐'며 엄청나게 항의했다. 그러자 사이토가 공식적인 회의장에서 아래와 같은 요지의 중요한 발언을 한다.

> 『동아일보』는 조선 민족의 배 속에서 끓어오르는 가스를 배출하는 굴뚝이다. 가스를 그때그때 배출해내야지, 그걸 막아두면 언젠가는 배가 터진다.

그러니까 우리가 다 생각이 있어 허가를 내준 거니까 걱정하지 말라는 뜻이다. 그러면서 사이토는 이런 말을 덧붙인다.

> 문제가 되는 놈들은 한자리에 모아놓는 게 좋아. 그래야 나중에 소탕할 때 한 번에 끝내지.

문제가 되는 지식인들을 한자리에 모아놓고 그들의 동향만 파악하면 된다는 말이다. 그러니까 일본이 우리에게 신문과 잡지 발행을 허가해준 것은 어찌 보면 이른바 오피니언 리더층의 동향을 매일

즉각적으로 파악하기 위한 정보전의 인프라였던 셈이다.

이런 일본의 속셈을 알았는지 몰랐는지, 『조선일보』와 『동아일보』는 조선총독부로부터 정간 조치를 받기 위해, 그러니까 조선총독부로부터 자기네 신문사가 탄압받고 있음을 대중에게 증명하기 위한, 지금으로 치면 야당의 선명성 투쟁을 1920년부터 1924년까지 계속 벌인다. 이때만 해도 순진하고 귀여운 시절이다. 누구 장단에 춤추는 줄도 모르고.

활자 매체의 등장으로 지식의 르네상스 시대가 열리다

●

3·1운동 이듬해인 1920년부터 등장하기 시작한 수많은 잡지를 통해 식민지 조선에는 활자매체를 통한 지식의 르네상스 시대가 열렸고, 다양한 정보가 빠른 속도로 대중을 향해 확산되었다.

『조선일보』와 『동아일보』 등이 신문을 발행하기 시작한 그 무렵에 잡지들도 창간되기 시작했다. 그 가운데 대표적인 민족 잡지는 천도교단이 만든 개벽사에서 3·1운동 이후인 1920년 창간한 『개벽』이었다. 천도교단이 주도했음에도 불구하고 종교적인 주제는 거의 다루지 않았으며 주로 시사와 사상에 지면을 할애한 진보적인 잡지였다. 첫 번째 주필이 이광수였다. 그런데 그는 1922년에 큰 사고를 친다. 다름 아닌, 자신이 주필로 있던 『개벽』에서 이른바 민족개조론을 발표하면서 전향을 선언하고 이후 자신의 길로 가버린 것이다.

『개벽』은 1926년 통권 제72호로 폐간조치를 받을 때까지 평균 판매부수 8천 부라는 당시로서는 경이적인 판매고를 올렸다. 폐간 직전인 제70호에는 1920년대 한국 시단의 최대 문제작 이상화의 〈빼앗긴 들에도 봄은 오는가〉를 실어 정간 조치를 당하기도 했다.

『개벽』의 폐간 직후 1926년 11월 개벽사는 취미와 실용 및 과학을 앞세운 새로운 잡지 『별건곤別乾坤』을 창간한다. 『별건곤』은 글자 그대로 별난 세계라는 뜻이다. 이 잡지는 정치 시사적인 의제 대신 생활 문화를 중점적으로 다루어 『개벽』 못지않은 대중적인 지지를 받왔는데 이 잡지의 인기는 1934년 폐간 때까지 이어졌다. 『별건곤』은 다름 아닌 한국 대중문화 잡지의 출발이라 할 수 있고, 이는 1930년대에 잡지 『삼천리』로 이어진다.

최초의 과격한 페미니즘 잡지인 『신여자』도 이때 나온다. 나혜석羅蕙錫, 1896~1948도 여기에 참여했다. 발행인은 김원주였는데 부자 남편의 지원으로 잡지를 발행할 수 있었다. 그러다가 2년 후 그녀가 남편과 이혼하면서 지원이 끊기게 되자 『신여자』는 폐간이 된다. 그 밖에도 수많은 잡지들이 바로 3·1운동 이듬해인 1920년부터 나오기 시작했다. 바야흐로 1920년대 지식의 르네상스가 바로 이런 활자 매체를 통해서 엄청난 속도로 확산된 것이다.

백정들의 집단, 형평사로 인해 촉발된 계급에 관한 문제 제기

●

또한 이 무렵 훗날 조선공산당이 등장하기 전 첫 번째 모임인 조선노동공제회가 발족한다. 당시 이미 『공산당 선언』이 한글로 번역되는데, 그 번역은 훗날 남조선노동당南朝鮮勞動黨(이하 남로당)의 지도자가 되는 박헌영朴憲永, 1900~1955이 맡았다. 공산당 청년회 서기이기도 했던 박헌영은 1920년대 중반 『조선일보』 기자였다. 이후 1924년에는 조선노농총동맹(1927년에 조선노동총동맹으로 개칭)이, 1925년에는 조선공산당이 발족하면서 3·1운동 이후 6년 만에 전국적인 파업 투쟁이 일어났고, 이를 통해 노동자·농민의 전국 조직이 결성되었다. 그리고 이 조직을 기반으로 지하에서 제1차 조선공산당이 결성된다.

비밀결사 조직이었던 조선공산당이 발족하기 전 1923년 진주에서 '형평사衡平社 운동'이 조직되더니 1924년 부산에서 전국임시총회가 개최된다. 머지않아 조선공산당 발족에 영향을 미친 이 운동은

○ 일제강점기, 민족이라는 이름 안에서 모든 존재가 하나로 묶였다. 그러나 과연 하나였을까. 민족이라는 단어 안으로 들어오면 엄연한 계급이 존재했다. 누구나 알고 있지만 정작 인식하지 못했던 바로 그 계급의 문제, 1924년 그 인식의 전환점이 거칠게 마련되었다.

대중적 · 사회적으로 큰 반향을 일으켰다. 형평사란 천민 중에서도 가장 천민이라 할 수 있는 백정들의 조합 이름이다.

1894년에 일어난 갑오경장으로 신분제가 폐지됐다고는 하나 현실은 그렇지 않았다. 백정은 마치 나치 시대의 유대인처럼 복장 자체가 달랐다. 남자는 상투를 틀 수 없었고, 모든 백정은 신분을 표시하기 위해 패랭이를 꼭 써야 했다. 패랭이를 안 쓰고 돌아다니다 걸리면 매를 맞았다. 길을 가다가 양반이 지나가면 그 자리에서 꿇어 엎드려야 했고, 당연히 평민 계급과 통혼이 금지되었으며, 당연히 겸상도 할 수 없었다. 그래서 처음에 기독교가 전파될 때 백정이 예배에 참석하면 양민들이 보이콧을 했을 정도다. 하나님 앞에서 평등을 부르짖는 게 기독교의 정신인데도 백정만은 안 된다는 것이었다. 그런 정도로 정말 무참한, 이 사회에서 가장 마이너리티한 집단이 바로 백정이었다. 마치 미국 사회의 노예 계급인 '아프리칸 아메리칸' 같은 대접을 받았다. 그런데 이 백정들이 1924년에 들고일어난 것이다.

발단은 이랬다. 진주 사는 백정 중에 돈을 많이 모은 이학찬李學贊이라는 백정이 있었다. 이학찬이 진주에 일신학교를 세우는 데 엄청난 돈을 기부했다. 학교를 설립하는 데 기부하면 백정의 지위를 높이는 데 도움이 되지 않을까 해서였다. 그런데 자신이 돈을 내서 만든 학교에 자기 자식들을 입학시키려다 거절을 당한다. 이 소식을 듣고, 백정들의 비밀결사 조직인 형평사가 분노해서 봉기를 일으킨다. 이때 형평사에서 유명한 권리선언문을 발표하는데 그 가운데 가장 중요한 내용이 '우리도 교육받게 해달라'는 것이었다. 교육받을 권리에 대한 요구였다.

그런데 1894년 갑오경장 이후 폐지된 신분제가 여전히 통용되는 것이 하루이틀도 아니고 무려 30여 년이나 지났는데, 왜 그때까지 가만히 있다가 새삼스럽게 들고일어나게 되었을까. 이것이 중요하다. 이들로 하여금 들고일어나게 한 것, 즉 이들의 분노를 촉발한 전제가 바로 당시 사회 전반에 유포된 사회주의 사상이었다. 사회주의 사상을 접한 백정들이 더 이상 우리도 일방적으로 얻어맞고만 살지 않겠다고 들고일어난 것이다.

그러자 반대 급부도 만만치 않았다. 김해에서는 무려 5천 명의 양민들이 형평사를 습격했다. 형평사는 말할 것도 없고, 형평사에 우호적이었던 지식인들까지 폭행을 당하는 일이 일어났다. 마치 미시시피에서 일어난 흑인들의 인권 투쟁에 대항하는 것처럼 형평사를 향한 폭력은 거셌다. 이로 인해 남부 지역은 완전히 쑥대밭이 되었다.

그렇지만 결국 대세는 바로 '앎'을 통해서 근대적 인간으로, 앎을 통한 해방으로 수렴된다. 앞에서 나는 민족과 계급이라는 두 개의 화두가 당시 우리 앞에 놓이게 되었다고 말한 바 있다. 민족이라는 단어는 타민족을 전제할 때만 성립한다. 우리 민족 외에, 우리 민족을 괴롭히거나 견제하는 외부의 적이나 경쟁자가 존재하지 않으면 민족의 개념은 의미가 없다. 따라서 민족이란 개념 안에서는 양반이든 평민이든 학생이든 여성이든 상관없이 하나로 묶인다. 민족을 위협하는 세력 앞에서 양반이냐 아니냐는 부차적인 문제가 되는 것이다.

하지만 민족이라는 단어 안으로 들어오면 상황은 달라진다. 계급이 존재하기 때문이다. 큰 틀에서 같은 민족이라 할지라도 계급을 초월해 묶일 수는 없다. 그것이 당시의 일반적인 인식이었다.

그런데 천민 중의 천민이라 치부했던 백정들이 형평사라는 이름을 내세워서 인간의 권리를 선언하고, 투쟁을 벌이며 요구하기 시작했다. 그러자 많은 사람들은 민족이라는 하나의 테두리 안에 존재하고 있던 계급이라는 개념을 새롭게 인식하게 되었다. 이 계급적 개념을 받아들이고 해결해야만 우리가 봉착한 민족의 문제를 풀 수 있음을 비로소 자각하게 된 것이다. 이런 인식을 가능하게 해준 계기가 바로 형평사 사건이고, 이 사건은 우리 근대사의 지평에 강력한 화두를 던져주었다. 그리고 그런 것을 가능하게 한 것이 사회주의 사상이었고, 다시 이것을 지렛대 삼아 사회주의는 막강하고 대중적인 폭발력을 가지고 사회 전반으로 확산된다.

운동회의 시작, 조선 근대에 시작된 스포츠의 일상화

●

다시, 이야기는 스포츠로 돌아간다. 스포츠는 어떻게 해서 근대의 조선에서 일상화되기 시작했는가. 그 첫 번째 모습은 운동회였다. 특히 1897년부터 1910년까지, 마지막 구한말 시대에 많은 학교들이 설립되었는데 그 학교들이 운동회를 열어서 이른바 '신체적 건강이 바로 국력'이라는 이데올로기를 일상화한다. 첫 번째 운동회가 열린 학교는 1896년도에 만들어진 관립영어학교로 지금으로 치면 외국어대학이다. 당시 운동회에서 나온 종목들이 재미있다. 그때만 하더라도 표준적인 스포츠 종목이 없다 보니까 지금과는 다른 종목들이 등장했다. 이를테면 삼백보 달리기, 육백보 달리기, 릴레이, 줄다리기 이런 거였다.

운동회를 마치면 모든 참가자들이 대한제국의 황제 고종을 찬양하는 에케르트의 〈애국가〉를 불렀다. 그러니까 스포츠와 국민의례의 결합이 이때부터 등장한 것이다. 무슨 말이냐. 이미 이 운동회에서부터 자신이 근대 국가의 일원이라는 이데올로기를 스포츠와 일체화시킨 것이다. 물론 한일강제병합이 되고 난 뒤에는 운동회에서 상징하는 그 국가의 대상이 달라졌다. 대한제국에서 '대일본제국'으로 바뀌게 된 것이다.

근대 국가에서 스포츠와 정치 권력의 관계는 히틀러나 일본 제국의 예를 들지 않더라도 굉장히 필연적이다. 프랑스의 쿠베르탱 Pierre de Coubertin, 1863~1937 남작이 고대 그리스의 제전인 올림피아를 현대에 재생하겠다고 기획한 것도 따지고 보면 정치적인 목적이 컸다. 1871년 프로이센-프랑스 전쟁(보불전쟁)에서 프랑스가 프로이센의 비스마르크 군대에 대패하게 되자 실추된 국가적 자존심을 회복하고, 프랑스의 영광을 귀족적인 차원에서 되찾고자 한 기도였다.

일본의 1만 엔짜리 지폐에도 나오는 근대 일본의 아버지라고

○ 근대 국가에서 스포츠와 정치 권력의 관계는 필연적이다.
국가는 학교를 통해 '신체적 건강이 바로 국력'이라는 이데올로기를 유포한다.
국민의례를 결합시키는 것도 빠질 수 없다. 올림픽 때 국가가 연주되는 것에도 맥락이 있다.

불리는 계몽사상가인 후쿠자와 유키치 또한 스포츠의 보급이 중요하다는 것을 역설했고 그것을 정책화한다. 스포츠야말로 봉건적인 개념의 '백성'을 근대 국가에 어울리는 '국민'으로 전환하는 데 가장 유효 적절한 콘텐츠라는 것이다.

동서양을 막론하고 모든 스포츠 행사에는 국민의 일원으로서의 국왕에 대한 국민의례는 필수요소가 되었다. 이것은 지금까지도 이어져오고 있다. 떠올려보면 금방 알 수 있다. 아무리 단순한 친선경기라 해도 국가대표 선수끼리 붙는 A매치라면 경기가 시작되기 전에 양쪽의 국가를 연주하지 않는가. 이러한 모든 국민의례는 19세기에 시작되었고, 근대의 조선 역시 예외가 아니었다.

각 학교마다, 기관마다 운동회가 자주 열리면서 다양한 형태의 스포츠 종목들이 근대 조선에 상륙한다. 축구가 들어온 것은 관립영어학교 선생들에 의해서다. 그때 영국에서 온 영어 선생들은 조선인 학생들이 열성적으로 공을 차는 모습을 보고 이 나라의 미래가 밝다고 했다는 유명한 일화가 있다. 야구는 미국에서 들어왔다. 지금의 YMCA의 전신인 황성기독교청년회의 총무였던 필립 질레트Phillip L. Gillett가 1906년부터 1907년 사이에 미국에서 들여왔다고 한다. 황성기독교청년회 야구 팀은 우리에게도 꽤 낯익다. 송강호가 주연했던 영화 〈YMCA 야구단〉에 나오는 야구단이 바로 그 야구단이다. 이 야구 팀은 우리 스포츠 역사에서 매우 중요하다. 왜일까. 이들이 우리나라 역사상 처음으로 해외원정을 떠난 스포츠 팀이었기 때문이다. 1912년의 일이다. 이 팀은 일본으로 해외원정을 나가서 일본 팀과 야구시합을 했다. 영화에서는 우리가 이긴 걸로 나오지만 실제로는 첫 경기에서 23 대 0으로 진 것을 시작으로 형편없이 졌다. 아무튼 이렇게 외국계 학교나 기독교 단체를 통해서 서양의 구기 종목, 단체운동 종목들이 속속 들어오기 시작했다.

본격적으로 대중문화가 뿌리를 내리는 1920년에 들어오면 스포츠는 좀 더 우리 일상에 깊이 침투한다. 조선체육회가 발족하고, 『동아일보』와 『조선일보』를 위시한 이른바 부르주아 민족주의자들의 스포츠 육성과 후원이 뒤따르게 된다. '민족의 발전은 건전한 신체로부터'라는 슬로건 아래 많은 스포츠 행사들이 경쟁적으로 유치된다.

'쳐다보니 안창남, 굽어보니 엄복동'

●

수많은 스포츠 중에서 일제강점기에 최고의 아이템은 역시 한일전이었다. 비록 우리가 현실에서는 일본의 지배를 받고 있지만, 스포츠 경기에서만큼은 이기고 싶은 마음이 누구나 간절했다. 경기장에서 일본을 이기는 것만이 억압으로부터 잠시나마 벗어날 수 있는 유일한 출구였다. 그러나 우리보다 훨씬 좋은 환경에서 능력을 쌓은 일본을 이기는 게 어디 쉬웠겠는가. 경기마다 판판이 지기 일쑤였다.

그런데 사건이 일어났다. 드디어 처음으로 공식적인 스포츠 경기에서 일본을 이긴 선수가 등장한 것이다. 바로 자전거 선수 엄복동嚴福童, 1892~1951이다. 1913년 전조선자전차경기대회에서 엄복동이 처음으로 일본인 선수들을 꺾고 우승을 했다. 우리가 스포츠로 처음 일본을 이긴 종목이 자전거였던 것이다. 때문에 자전거는 우리나라에서 굉장히 중요한 상징성을 갖고 있다. 이 우승으로 엄복동은 졸지에 민족의 스포츠 영웅으로 떠오르게 된다.

이 일로 당황한 쪽은 일본이었다. 어떻게 식민지 조선인 선수에게 질 수가 있는가. 상상할 수조차 없었을 것이다. 그러더니 급기야 사고를 치고 만다. 1920년 경성시민대운동회에서 자전거 경기가 펼쳐졌다. 여덟 명이 결승전에 참가하는데 식민지 조선인 선수는 엄복동 한 사람뿐이고, 나머지는 모두 일본인 선수였다. 이들이 서로 치열하게 경쟁을 하다가 그만 서로 엉켜버리는 바람에 여섯 명이 순식간에 쓰러지고 말았다. 이 와중에 엄복동은 여유 있게 달려서 일등을 했다.

그런데 일본인 심판이 경기 무효를 선언해버린 것이다. 그러자 식민지 조선인 관객들이 흥분해서 들고일어나고, 일본인 관람객들

식민지 조선인들은 열등민족으로 비하되는 것이 일상이었다.
자전거 선수 엄복동, 비행학교를 졸업한 안창남은 이 비하로부터 벗어나는 출구였다.
이들을 향한 뜨거운 성원은 스포츠 응원과는 차원이 다른 것이었다.
○

이 시비를 걸면서 패싸움이 벌어졌다. 난투극이 일어나고 잡혀가고 깨지고 하면서 경기장은 순식간에 아수라장이 되어버렸다. 한일전이 벌어질 때마다 일어나는 양국의 뜨거운 응원 열기, 그것이 자칫 폭력적 소요 사태로 이어지는 아슬아슬한 상황은 이때부터 피할 수 없는 숙명이 된 것이다. 심판이 경기를 중단시키자 엄복동이 본부석으로 달려가 우승기를 꺾었고 일본인들이 엄복동을 구타하자 조선인들이 항의하고 나섰다.

엄복동이 일본인 선수를 이긴 것은 당시 우리에게는 단순히 자전거 경기에서 선수 한 사람이 잘했다는 것 이상의 의미가 있었다. 앞에서 이야기했듯이 나치나 일본 제국주의자들이나 똑같이 하는 짓들이 있다. 피지배국 민족의 열등함을 강조하는 것이다. 이들은 피지배국 민족에 비해 자신들이 선천적으로 우수한 민족이라는 것을 끊임없이 강조한다.

오늘날 서울의대의 전신으로, 나중에 경성제국대학 의학부가 되는 경성의학전문학교에서 1921년에 이런 일이 있었다. 어느 날 해부학실에서 실험용 두개골 하나가 없어졌다. 이 사실을 알게 된 일본인 교수가 증거도 없이 식민지 조선인 학생의 짓이라고 단정해버렸다. 그러면서 덧붙인 말이 화근이었다. '식민지 조선인들은 본래부터 손버릇이 나쁘고 머리가 나쁘며 공중도덕이 결여되어 있다'는 취지의 말을 한 것이다. 말도 안 되는 인종주의적 편견을 드러내는 발언이었다. 이 말을 들은 경성의선의 식민지 조선인 학생들은 분노했다. 저런 교수에게 배울 수 없다며 동맹 휴학을 결의하고 수업 거부를 해서 난리가 난다.

이 사건을 목도한 식민지 조선의 지식인 사회는 침통하지 않을 수 없었다. 나라를 빼앗긴 것도 서러운데 나라를 빼앗겼다는 이유만으로 태생부터 질이 낮은 인간으로 치부되면서도 속수무책으로 당할 수밖에 없는 현실 앞에서 울분을 삼켜야 했다. 손기정, 남승룡의 쾌거 당시 심훈이 '이래도 너희들이 우리보고 약한 족속이라고 할 것이냐'고 했던 항변은 이런 울분의 토로였던 셈이다.

이것의 반증으로 대두된 것이 바로 스포츠였다. 그렇게 형편없는 민족으로 치부되던 식민지 조선인에게 육체적으로 일본인에게 뒤지지 않는다는 것을 보여줄 수 있는 방법이라고는 당시로서는 스포츠가 거의 유일했다. 따라서 우리를 열등민족으로 치부하려는 일본의 야만에 맞서는 민족적 대응 논리로 스포츠에 대한 육성과 지원이 뒤따르게 된다.

1920년 당시 최고의 민족주의 좌파의 잡지였던 『개벽』에 놀라운 글이 하나 실린다. 바로 「싸나이거든 풋볼을 차라」는 글로, 굉장히 선동적인 내용이다. 요지는 간단하다. 열심히 축구하자는 것이다. '조선의 젊은이들이여, 열심히 축구를 해서 우리가 절대로 열등하지 않다는 것을 경기장 안에서 증명을 하자'라는 것이다.

우리가 열등하지 않다는 것을 증명할 수 있는 분야가 스포츠 경기장밖에 없으니 스포츠 선수는 말할 것도 없고, 지식인들도 거기에 목숨을 걸어야 했다.

1921년에는 엄복동과 더불어 또 한 사람의 슈퍼스타가 등장한다. 비행사 안창남安昌男,1901~1930이다. 일본에서 비행학교를 졸업한 안창남이 귀국을 한 것이다.

그런데 엄복동이야 당연히 일본 선수들과 겨루어서 이긴 사람이니 슈퍼스타가 된 게 이해가 되지만, 안창남은 경기장에서 뛰는 선수도 아닌데 왜 슈퍼스타가 되었을까. 그것은 언론 플레이의 힘이었다.

당시만 해도 안창남은 직업적으로 비행학교를 졸업한 사람에 불과했다. 그런데도 『조선일보』와 『동아일보』는 서로 경쟁 의식이 발동해서 이슈를 선점하기 위해 열을 올렸다. 스포츠에 대한 대중의 열띤 관심을 잘 알고 있던 두 신문은 스포츠와 조금이라도 관련이 있고, 같은 민족으로서 긍지를 심어줄 여지가 조금이라도 있으면 서로 앞다투어 기사로 실었다. 그 때문에 비행학교를 졸업하고 귀국한 안창남이 스포츠 선수가 아님에도 불구하고, 일본 비행학교를 졸업했다는 사실 자체만으로도 마치 대한남아의 쾌거를 이룬 것처럼 안창남 귀국 환영 대회를 열고 그것을 신문을 통해서 언론 플레이를 한 것이다.

그 결과 '쳐다보니 안창남 굽어보니 엄복동'이라는 노래가 유행할 정도로 식민지 조선인들 사이에 두 사람은 우리 민족도 일본인에게 절대 뒤지지 않는 능력을 가질 수 있다는 것을 증명하는 존재가 되었다. 안창남과 엄복동은 당시의 분위기가 만들어낸 민족의 상징이었던 셈이다.

우리의 스포츠가 세계와 처음으로 만나게 된 것은 1922년의 일이다. 당시 놀랍게도 미국 메이저리그 올스타 팀이 처음으로 식민지 조선을 방문했다. 미국 선수들은 이미 수준급이었던 일본의 야구 팀과 친선경기를 하러 일본에 왔다가 식민지 조선에 잠깐 들른 것이다.

미국 메이저리그 올스타 팀의 방문 배경에는 『동아일보』가 있다. 요즘말로 하면 흥행 프로모터 역할을 하던 당시 조선체육회 이사였던 이원용李源容과 도쿄 유학생 학우회 야구부의 선수 박선윤이 미국 메이저리그 올스타 팀에게 제안을 한 것이다. 일본에 온 김에 조선에 하루 와서 조선 대표 팀과 경기를 한 번 하자는 내용이었다. 말하자면 이게 우리나라 최초의 상업적인 프로모션이었다. 그 이전까지만 해도 이원용은 스포츠 기자에 불과했는데 신문사도 관두고 여기에 전념하게 된다. 오늘날에도 보기 어려운 미국 메이저리그 올스타 팀의 경기가 이렇게 해서 식민지 조선에서 펼쳐졌다.

미국 메이저리그 올스타 팀을 데려와서 경기를 치르게 하자니 무엇보다 돈이 무지막지하게 많이 들었다. 막대한 체류 비용과 선수들 유치 비용, 거기에 개런티까지 엄청난 돈이 들었다. 그러자니 입장료가 어마어마해졌다. 과연 흥행에 성공할지가 초미의 관심사였다. 어마어마한 입장료에도 불구하고 결과는 대성공이었다. 물론 조선 대표 팀은 23 대 3으로 진다. 이때 식민지 조선에 온 미국 프로야구 팀은 나중에 명예의 전당에 오르는 선수가 세 명이나 포함되어 있을 정도로 강했다. 정확히는 전부 메이저리그 선수는 아니었고, 메이저리그 선수 세 명에 마이너리그 트리플A 선수들로 구성되어 있었다.

경기가 끝나자 미국 선수들을 전부 국일관 기생집으로 데리고 가서 엄청난 저자세로 향응을 베풀었다는 이야기가 덤으로 전해진다.

식민지 조선, 스포츠를 통해 세계를 향한 꿈을 꾸다

●

비록 식민 지배를 받는 상황이지만 식민지 조선의 스포츠는 1920년대부터 세계를 향한 꿈을 꾸기 시작한다. 세계를 향한 꿈의 상징은 올림픽이었다. 올림픽은 1896년부터 시작됐지만 첫 올림픽인 아테네 올림픽의 첫 참가국은 13개 국가로, 그때만 해도 유럽인들의 경기에 불과했다. 세계인의 제전이라 불릴 만한 것은 1928년 암스테르담에서 열린 제9회 올림픽부터였다. 비록 아프리카나 아시아는 몇 나라밖에 출전하지 못했지만 전 대륙에서 출전하여 드디어 참가국 수가 46개국을 넘어섰다. 그리고 그전까지는 주최자 마음대로 경기 종목을 정했지만 이때부터 많은 종목들이 국제적인 표준 규칙을 적용하게 되었다. 또한 올림픽 마라톤도 이전에는 상황에 따라서 거리가 달랐지만 이때부터 42.195킬로미터를 실측해서 경기하도록 했다. 암스테르담 올림픽 때부터 여자 종목이 생기고 여자 선수들이 참가하기 시작했다. 말하자면 1928년 암스테르담 올림픽이야말로 최초로 올림픽다운 올림픽이 자리를 잡게 된 기점이었다.

올림픽에서 제일 중요한 종목은 뭐니 뭐니 해도 메달이 제일 많이 달린 종목이다. 2016년 리우 올림픽을 기준으로 보면 육상에만 47개의 금메달이 걸려 있고 수영 또한 경영과 다이빙 싱크로나이즈드 스위밍, 수구 등을 포함하면 무려 46개나 된다. 육상과 수영을 합치면 90개가 넘는다. 따라서 제1회 대회부터 육상과 수영은 올림픽의 가장 중요한 기본 종목이었다. 그래서 1924년에 열린 제1회 전조선육상경기대회에서도 삼백보 달리기 같은 경기 대신 올림픽을 염

베를린 올림픽은 식민지 조선인들에게 여러모로 각별했다.
올림픽은 스포츠를 매개로 일본과의 지배, 피지배 관계를 넘어서서
세계로 나가는 첫 번째 관문의 경험을 우리에게 제공해주었다.
○

두에 두고 세계 표준에 입각한 경기를 치렀다.

당시 지금으로 치면 우리의 육상 꿈나무였던 손기정 선수 같은 어린이들이 워너비 스타로 꼽은 사람은 핀란드의 파보 누르미Paavo Johannes Nurmi, 1897~1973라는 전설적인 장거리 육상 선수였다. 핀란드는 스웨덴과 러시아 사이에 낀 소국이고, 우리처럼 오랜 식민지 생활을 했던 나라다. 그런 힘든 나라에서 파보 누르미라는 국민적 영웅이 올림픽에 총 세 번 출전해서 무려 아홉 개의 금메달을 따냈다. 이런 소식을 어떻게 알게 되었는지, 당시 우리의 육상 꿈나무들은 파보 누르미처럼 가난한 조국의 영웅이 되겠다는 꿈을 가슴에 새겼다. 가난한 식민지 조선의 소년들이 저 머나먼 나라 핀란드의 스타를 가슴에 새길 정도로 당시 식민지 조선에서는 글로벌한 스포츠 정보들이 공유되고 있었던 것이다.

식민지 조선을 뜨겁게 달군 경평축구대회

●

하지만 최고의 이벤트 종목은 예나 지금이나 축구다. 타 종목 종사자들이 아무리 핏대를 올려도 피해갈 수 없다. 사실 인기는 1970년대 고교야구의 돌풍 이후 야구가 훨씬 높은데 대한민국의 민족 스포츠는 무조건 축구다.

이유는 너무 간단하다. 바로 축구는 단체운동 종목으로 일본을 이긴 최초의 종목이기 때문이다. 우리가 야구보다 축구를 더 좋아하는 것은 야구에서는 일본이 워낙 강하기 때문이다. 일본에 질 수 없다는 자존심 때문이다. 1960년이 되어서야 처음으로 우리나라 야구는 일본을 이긴다. 아시아 야구선수권대회에서다. 그에 비해서 축구는 1925년에 천도교 청년회 팀을 주축으로 해서 대충 동네 애들 모아서 만든 경성축구단이 일본으로 원정 가서 각 지역의 일본 대

> ○ 우리가 축구를 사랑하는 데는 내력이 있다. 단체운동 종목 중 우리가 일본을 이긴 최초의 종목이기 때문이다. 식민지 조선에서도 축구에 대한 열기는 뜨거웠다. 경성 팀과 평양 팀이 맞붙는 경평전은 스포츠 선수에 대한 스타덤을 출현시키기도 했다.

표 팀들과 여덟 차례 경기를 치르는데 5승 3무로 단 한 차례도 지지 않고 일본 팀을 누르고 돌아온다. 이때부터 축구는 그냥 국기國技가 된다.

그리고 이 축구는 젊은 남성들이 몸으로 부딪히며 펼치는 경기다. 보기에 따라 집단 혈투 같은 느낌이 들 정도로 폭력적이기도 하다. 실제로 일제강점기의 축구 선수 중 제일 인기가 있었던 건 절대 골을 많이 넣은 선수가 아니었다. 그렇다고 현란한 개인기를 가진 선수도 아니었다. 그때 용어로 '까기'를 잘하는 선수가 인기 최고였다. 그때는 물론이고, 1960년대가 될 때까지 세계 축구에는 선수 교체라는 개념이 없었다. 부상당해서 나가면 그걸로 끝이었다. 남은 선수들로만 경기를 치러야 했다.

1930년 제1회 월드컵 대회가 우루과이에서 열렸을 때 경기가 시작되자마자 멕시코 팀 골키퍼가 충돌로 인해 턱이 부서져 실려 나갔는데도 선수를 교체할 수 없어서 90분 내내 골키퍼 없이 경기가 펼쳐진 적도 있다. 그러니 상대편을 어떻게든 '까는' 것이 승리의 주요한 변수가 되었다. '까기'를 잘하는 선수가 인기가 많았던 데는 이런 이유가 있었다.

축구가 우리의 국기 수준으로 되면서 『조선일보』는 1929년 최고의 이벤트를 만들어냈다. 이름하여 '경평전'京平戰이다. 경성 대표 팀과 평양 대표 팀이 맞붙은 것이다. 마치 한일전처럼. 그러니까 남쪽 대표 팀과 북쪽 대표 팀이 서로 번갈아 오가면서 교류전을 가지게 한 것인데 이것이 마치 오늘날 잉글랜드와 스코틀랜드 팀이 목숨을 걸기라도 한 것처럼 처절하게 붙는 수준으로 과열되었다.

그렇다 보니 경기장에서 '까는' 일이 비일비재했다. 1934년 경성에서 경평축구대회가 열릴 때였다. 경성 축구단의 채금석蔡金錫, 1904~1995이란 선수가 한 해 전 평양에서 열린 경평축구대회에서 평양 선수들에게 까여서 부상을 당하는 바람에 경기를 뛰지 못한 적이 있었다. 아무래도 홈 팀에 조금 유리한 판정을 내렸을 것이다. 그런 일이 있었던 터라, 경성에서 열린 이번 경기에 자기를 '깠던' 선수가 나오자마자 그 선수를 걷어차서 그냥 박살을 내버렸다. 물론 그런 행동은 당연히 퇴장 감이다. 그런데 채금석은 주심이 퇴장을 선언하기도 전에 자기 발로 걸어 나왔다. 그러자 관중들이 더 열광적인 박수와 지지를 보냈다고 한다. 그렇지만 세상사 참 돌고 돈다. 채금석은 훌륭한 선수였음에도 불구하고, 1936년 베를린 올림픽에 나가지 못한다. 그 역시 또 다른 팀에게 보복을 당한 것이다. 그것도 올림픽 직전에 펼쳐진 경기에서였다. 이로 인한 부상으로 올림픽에는 끝내 출전하지 못하고 만다.

경쟁은 어쩔 수 없이 실력의 상승을 가져온다. 치열할수록 그 상승의 폭은 더 커진다. 1929년부터 경평축구대회가 시작되면서 식민지 조선 축구의 수준이 비약적으로 발전했다. 경평전은 한 해 최고의 이벤트이자, 경성과 평양의 자존심을 건 대결이었다. 경평전이 열리는 날에는 원정 응원단이 서로 평양에서 경성으로, 경성에서 평양으로 기차를 타고 오갔다.

평양과 경성에서 이름을 날리는 기생들도 행차를 했다. 이 기생들은 각자 자신이 응원하는 선수가 있었다. 말하자면 톱 기생들이 축구선수들의 열혈 팬이었던 셈이다. 이것이 의미하는 바가 무엇일까. 우리는 흔히 여성의 육체를 바라보는 남성의 시선에 대해서만 이야기한다. 그러나 남성의 육체에 대한 여성의 시선 역시 당시에 공개적으로 표출되었고, 담론의 대상이 되기 시작했다. 다시 말해, 배우나 가수 그리고 변사뿐 아니라 스포츠 선수도 팬덤의 초기 현상을 불러왔던 것이다. 스포츠 선수는 이 스타덤 속에서도 가장 원시적인 육체성을 바탕으로 성립되었다.

생각해보라. 축구는 남성미의 극치를 보여주는 스포츠다. 남성의 근육이 거친 매력을 발산한다. 그러다 보니 스포츠를 통해서 인간의 육체가 대상화되고 상품화되는 것이 이 당시에 이미 본격적으로 시작되고 있었다.

전투는 경기장에서만 펼쳐지는 것이 아니다. 선수들이 묵는 숙소에서부터 신경전이 벌어진다. 경기가 끝난 후에 패싸움은 필수이자 기본 코스였다. 아주 처절한 전투였다. 경평축구대회는 1946년

제7회를 끝으로 막을 내렸다.

1930년대 경평축구대회가 낳은 전설적인 슈퍼스타, 그 희비의 쌍곡선

●

1930년대 경평축구대회는 전설적인 슈퍼스타 두 명을 탄생시켰다. 바로 경성이 낳은 가장 위대한 축구선수인 경성 팀의 김용식金容植, 1910~1985과 평양 팀이 낳은 불세출의 스타인 김영근金永根, 1908~1970이었다. 이 둘은 남북을 대표하는 위대한 선수들로 친구이자 생애 최고의 라이벌이었다. 두 사람의 인생은 다르게 펼쳐졌다. 한 사람은 영웅이 되고, 한 사람은 비참하게 인생을 마무리했다.

경성 팀의 김용식은 최고의 노력파이자 가장 위대한 미드필더였고, 평양 팀의 김영근은 우리나라 축구사가 낳은 천재 공격수였다. 김용식은 차범근이 나온 경신학교 출신이다. 경신학교에 다닐 때부터 그는 위대한 축구선수가 되겠다는 선언을 하고 술과 담배와 여자를 멀리하기로 마음먹는다. 하루도 빠짐없이 연습을 하고 결혼을 한 뒤에도 부인과 같은 방에서 안 잤다고 한다. 그렇게 노력한 결과 1936년 베를린 올림픽에 일본 국가대표 팀의 일원으로 출전했고, 해방 뒤인 1948년에 런던 올림픽 우리나라 국가대표 팀으로 출전했다. 할아버지가 되어서는 축구 아크로바틱을 했는데 1970년대에는 TV에 나와서 한 시간 내내 공 갖고 노는 모습을 보여주고 그랬다. 축구로 생을 마감한 한평생이었다.

김영근 역시 일본 국가대표 팀에 선발된다. 경성 축구단이 1935년에 일본 축구 선수권 대회에서 우승을 했다. 그러면 당연히 식민지 조선인 선수를 더 많이 뽑아야 하는데 일본은 또 당연히 그렇게 하지 않았다. 대부분 일본 선수들로만 일본 국가대표 팀을 구성

경성 팀의 김용식은 최고의 노력파였고, 평양 팀의 김영근은 천재적인 선수였다.
그러나 편파적인 일본인 감독을 대하는 두 선수의 운명은 달랐다. 김용식은 수모를 견디고 버텼으나,
김영근은 반항했다. 한 사람은 경기장에 남았고 한 사람은 축구를 떠나야 했다.
○

하고, 식민지 조선인 선수는 딱 두 명만 뽑았다. 그게 김용식과 김영근이다.

그렇게 뽑아놓고도 문제였다. 일본인 감독은 편파적으로 식민지 조선인 선수들을 너무 못살게 굴었다. 여기서 두 사람의 성향 차이가 드러난다. 김용식은 꾹 참고 견디지만 천재인 김영근은 참을 수가 없었다.

그러던 차에 이런 일이 있었다. 영국 해군이 일본에 왔을 때의 일이다. 일본 국가대표 팀과 영국 함대 팀이 친선 경기 연습 경기를 하게 됐다. 그런데 전반전에 두 골을 먹고 일본 팀이 지고 있었다. 김영근이 보기에 일본 감독이 도저히 말도 안 되는 전술을 지시하고 있었다. 아무리 연습 경기라 해도 감독의 엉터리 같은 지시 때문에 지고 있으니 김영근은 화가 났다. 결국 그는 감독의 지시를 무시하고 자기 맘대로 골을 이리 차고 저리 차서 여섯 골을 넣어버렸다. 결과는 6 대 2로 역전이었다.

감독이 그런 그를 좋게 볼 리가 없었다. 경기가 끝나자마자 감독은 자신이 시키는 대로 하지 않았다고 김영근을 비난했다. 열이 잔뜩 오른 김영근은 샤워하러 들어가서는 마침 샤워장에 있던 감독을 두들겨 패버리고는 국가대표 팀에서 나와버린다. 당시 김영근 옆에는 그를 10년 동안 쫓아다닌 평양 최고의 기생 김계향이 있었다. 김영근은 이 기생과 살게 되었고, 이후 절제를 잃은 생활을 하다가 몰락하게 된다.

김영근이 나간 뒤 김용식은 어떻게 되었을까. 그는 일본인 선수들 틈에서 홀로 남아 온갖 수모를 겪으면서도 끝까지 남아서 1936년 베를린 올림픽까지 가게 된다. 갔다고 무조건 경기장에서 뛸 수 있는 것은 아니었다. 본선 첫 경기를 앞둔 상황에서 그는 유일한 식민지 조선인 출신인 자기를 경기에 기용하지 않을 것을 알고 감독을 찾아간다. 거기에서 그는 담판을 짓고 축구 강국 스웨덴과 치르는 경기에 나가게 되었다. 그리고 그 경기에서 마지막 결승골을 어시스트해서 3 대 2로 일본 팀이 이기게 된다. 비록 다음 경기인 이탈리아전에서 크게 패하지만 유럽의 강호 중의 하나인 스웨덴을 아시아 국가가 꺾었다는 것은 놀라운 사건이 아닐 수 없었다. 굉장히 중요한 사건이었다. 이 베를린 올림픽을 기점으로 해서 최고의 노력파와 축구 천재의 운명은 처절하게 갈리게 된 것이다.

스포츠 민족 영웅은 또 있었다. 이번에는 권투선수다. 바로 일제강점기 식민지 조선의 권투계가 낳은 최고의 권투선수 서정권徐廷權, 1912~1984이다. 별명이 독침이었다. 그는 일찍이 미국으로 건너가서 캘리포니아를 중심으로 활동했는데, 상대하는 백인 선수들과 대적해서 승리를 거두면서 세계 랭킹 6위까지 올랐다. 서정권이 귀국해서 스페인계 미국 선수 라슈 조와 1935년 10월 21일 동대문 운동장 특설링에서 경기를 펼쳤다. 이 경기를 보기 위해 6천 명 이상의 관중이 운집했고, 이때 나와서 환영 인사를 한 사람이 몽양 여운형이다.

서정권은 1라운드부터 자기보다 높은 체급의 백인을 몰아붙여서 4라운드 TK승을 했다. 관중들은 식민지 조선의 선수가 일본도 아니고 1922년 야구 경기에서 우리를 23 대 3으로 이겼던 미국의 선수를 무참히 쓰러뜨리는 걸 눈앞에서 생생하게 본 거다. 얼마나 열광의 도가니였을지 안 봐도 훤하다. 전주의 최고 갑부인 김일식金一植이라는 사람은 얼마나 좋았으면, 자기 여동생을 서정권과 결혼시키는데, 그녀가 결혼하면서 가지고 온 지참금이 그때 돈으로 3만 원이었다고 한다. 당시 사범학교를 나온 교사 월급이 50원을 조금 상회했을 정도니 3만 원이 얼마나 큰돈인지 짐작할 수 있을 것이다. 스포츠로 선수가 떼돈을 벌어들이는, 이른바 '스포츠 재벌의 시대'가 우리에게는 이 서정권으로부터 시작되었다.

1935년에 제1회 일본 축구선수권대회에서 경성축구단이 우승했을 때, 또 하나의 쾌거가 있었다. 제8회 메이지신궁대회의 농구 경기에서 평양의 숭인상고가 우승을 한 것이다. 이듬해에 열린 일본 선수권 대회에서는 연희전문학교가 농구 경기에서 우승한다. 그 결과 일본 농구 국가대표 팀에 세 명의 식민지 조선인이 뽑혀서 베를린 올림픽에 출전하게 된다.

1936년 베를린 올림픽은 우리에게 각별한 의미를 지닌다. 이 올림픽을 통해, 아니 올림픽을 매개로 하여 스포츠를 통해 우리가 일본과의 피지배, 지배 관계를 넘어서서 세계로 나가는 첫 번째 관문의 경험을 제공해주었기 때문이다.

하지만 아쉽게도 식민지 조선의 올림픽 참가 경험은 여기에서 끝난다. 1940년에 열릴 예정이었던 올림픽은 도쿄에서 열릴 예정이었으나 중일전쟁에서 태평양 전쟁으로 번져가는 와중이었던 터라 일본이 무산시켜버렸다. 또한 다음 올림픽이 예정되어 있던 1944년은 제2차 세계대전의 한복판이었다. 전 세계적으로 올림픽을 열 형편이 아니었다. 전쟁이 끝난 뒤에 열린 올림픽은 1948년 런던 올림픽이었다. 1936년 베를린 올림픽 이후 12년 만에 비로소 우리와 올림픽의 끊긴 역사가 다시 시작되었다.

국가 없는 민족에게 스포츠는 어떤 의미였는가

●

식민지 조선의 스포츠 민족주의의 마지막 순간에 손기정 일장기 말소 사건이 일어났고, 그 말소 사건이 벌어진 바로 그날 미나미 지로가 식민지 조선 총독으로 부임을 했다. 식민지 조선에 부임한 후 미나미 지로 총독의 첫 번째 명령은 『동아일보』와 『조선중앙일보』의 정간 조치였다.

정간 조치를 시작으로 식민지 조선은 지금까지와는 전혀 다른 운명 속으로 빠져들게 된다. 이제 민족이 아닌 황국 신민이란 뜻의 '국민'으로 식민지 조선 사회는 순식간에 재편된다.

일본은 1940년 식민지 조선에서 국민가요 개창운동을 벌이고, 한편으로는 『조선일보』와 『동아일보』 등의 신문을 없앴다. 이와 더

○ 식민지 조선인에게 국가는 존재하지 않았다. 민족의 일원일 뿐이었다. 스포츠는 강력한 영매였다. 식민지 조선인의 자긍심을 확인하게 해준 거의 유일한 방편. 스포츠는 그런 의미였다.

불어 우리말 사용을 금하고, 창씨개명을 강요하더니 나아가 매일 일본 천황이 사는 곳을 향해 절을 하는 궁성요배宮城遙拜를 하게 했다.

일본은 우리의 정체성을 드러내는 어떤 행위도 허락하지 않았고, 그로 인해 우리만의 모든 콘텐츠와 이벤트들은 식민지 조선에서 1945년 8월이 될 때까지 자취를 감추게 된다. 당연히 조선체육회도 해산했고, 더 이상의 스포츠는 없었다. 그리고 군사훈련이 그 자리를 대체했다. 암담하고 끔찍한 어둠의 시대, 암흑기로 들어가게 된 것이다.

스포츠가 영화와 음악보다도 훨씬 더 격렬한 대중성을 갖고 있다는 것은 이미 1920년대와 1930년대의 경험을 통해, 우리 역사에서 증명되었다. 당시 우리에게는 국가가 존재하지 않았다. 다만 우리는 민족의 일원으로서만 존재했다. 그런 민족의 일원으로 스스로를 자리매김하는 데 스포츠는 음악이나 영화, 문학보다 훨씬 더 강력한 대중적 영매의 작용을 했다. 스포츠는 식민지 조선인의 자긍심을 확인하게 해준 거의 유일한 방편이었다. 이 점을 우리는 기억해야 한다.

스포츠를 통해 우리의 자긍심을 느꼈던 당시의 모습에서 나는 지금의 우리들 모습의 원형을 발견한다. 우리나라 작가의 소설이 세계적으로 권위 있는 상을 받은 뒤 그 책이 베스트셀러가 되었다. 물론 매우 좋은 일이다. 그렇지만, 그렇긴 한데 그게 또 그렇게 썩 좋아 보이지만은 않는다. 우리는 평소에는 그 분야에 아무런 관심도 없다가 세계적인 권위를 가진 어디에서 주목을 하기라도 하면 전 국민이 열렬한 호응을 보낸다. 극장에 걸렸을 때는 시큰둥하다가도 베를린 영화제나 칸 영화제에서 상을 받으면 그제야 관심을 보이기 시작한다. 일종의 문화적 사대주의다.

어쩌면 이것은 황폐한 근대의 산물일지도 모른다. 영화나 소설, 심지어 스포츠까지 그런 문화를 처음으로 받아들이던 그 시대, 우리는 식민지 피지배국이라는, 식민지 백성이라는 패배의식에 빠져 있었고, 뭘 해도 일본에 밀리는 그 지지리 궁상맞은 자의식에 젖어 있을 수밖에 없었다. 때문에 우리가 아닌 바깥에서, 우리보다 훌륭하고 권위 있어 보이는 누군가에게 인정을 받아야만 제대로 뭔가를 해냈다고 여기게 되었다.

아울러 일제강점기에 열등한 민족으로 치부되던 우리가 거의 유일하게 이기는 경험을 할 수 있었던 것이 스포츠였기 때문에, 그때부터 스포츠라는 눈에 보이는 경쟁에서 이길 때만 우리의 정체성을 긍정적으로 재구성하는 습성을 갖게 된 것일지도 모른다. 다시 말해 우리가 우리 스스로를 인정하거나 존중하지 못하고, 바깥의 누군가의 평가에 의해서만 우리를 인정하고 찾아보려는 것은 어쩌면 생각보다 꽤 오래된 일일지도 모른다.

5

경성 모더니즘의 거리 위에 선

모던 걸의 뼈아픈 숙명

대중문화의 전면에 젊은 여성들이 등장하다

●

오늘날 대중문화의 가장 강력한 소비자는 누구일까? 답은 '젊은 여성들'이다. 농담처럼 우리 출판계와 영화 시장에서는 '20대 여성을 타깃으로 삼지 않은 모든 기획은 망한다'는 속설이 있다. 이들은 대중문화의 최고 소비자이며 동시에 여론 결정 집단이다. 남녀를 불문하고 40대만 되면 새로운 것이 나와도 사느라 바쁘고 귀찮기도 해서 어지간히 재미있지 않고서는 지갑을 열지 않는다. 어쩌다 보게 되더라도 재미있으면, 재미있네 하고 끝나고, 설령 재미가 없더라도 재미가 없네, 하고 끝난다. 그걸로 끝이다.

그런데 20대는 다르다. 영화든 책이든 뭐든 간에 돈을 내고 봤는데 재미가 없다, 그러면 도시락을 싸들고 다니면서 보겠다는 사람들을 말린다. 돈을 내고 봤는데, 재미가 있다, 그러면 열혈 추종자가 되어 여기저기 입소문을 낸다. 즉 한 사람으로 끝나는 게 아니라 자신이 미칠 수 있는 영향력의 범위 안에서 대상물의 좋고 싫음을 파급시킨다. 이런 것들이 모여 여론이 된다. 아주 중요한 여론 집단이다.

이렇게 대중문화의 주인으로 20대 여성이 등장한 것은 오래된 일이다. 모던 보이, 모던 걸이라는 말을 들어본 적이 있을 것이다. 1930년대 등장한 용어다. 이보다 앞선 1920년대 중반에는 '막스 보이', '막스 걸'이라는 말이 유행이었다. 막스는 마르크스를 가리킨다. 문학도 예외는 아니었다. 염상섭의 장편소설 『삼대』에도 막스 보이, 막스 걸이 등장하는데 거기 나오는 세 명의 젊은이 중 김병화와 오정자가 막스 보이와 막스 걸의 모습을 잘 그려내고 있다.

또한 1927년 조명희趙明熙, 1894~1938가 쓴 『낙동강』이란 단편소설에 막스 보이와 막스 걸의 전형적인 모습이 등장한다. 조명희는 당시 사회 문제를 가장 전면에서 다룬 문제적 작가로, 이 작품은 1924년 일어난 형평사 사건의 소용돌이에 휘말리게 된 남녀 주인

○ 1920년대 중반에 막스 보이, 막스 걸이 등장한다. 문학 작품 속에 등장하는 이들은 옷차림으로 스스로의 성향을 드러내기 시작했다. 선택한 패션 아이템은 주로 좌파를 상징했다.

공의 이야기를 다루고 있다. 남자 주인공의 이름은 성운, 여자 주인공의 이름은 로사였다. 로사는 폴란드 출신의 사회주의 혁명가 로자 룩셈부르크Rosa Luxemburg, 1871~1919의 이름에서 따온 것이다. 소설 『낙동강』에서 성운은 로사에게 이렇게 말한다. 『낙동강』의 주제라고 할 수 있는 말이다.

> 너는 최하층에서 터져나오는 폭발탄이 돼라.

또한 이때 식민지 조선에서 처음으로 더벅머리에 장발을 하고, 개털로 만든 오버코트를 걸친 막스 보이 패션이 등장했다. 이런 옷차림은 좌파를 상징했다. 옷차림으로 자신의 이념을 표현한 셈이다. 다만 남자들만 그랬다. 막스 걸의 패션은 나오지 않았다.

강연회에서 독서회로, 활자 매체의 확산으로 인한 변화

●

1920년대 등장한 독서회는 새로운 이념과 사상을 전파하는 데 큰 역할을 했다. 부녀자부터 사회주의 비밀결사 집단까지 광범위한 독서회가 만들어졌고, 이러한 독서회 문화는 1980년대 운동권까지 계승되었다. ○

막스 보이와 막스 걸이 등장할 수 있었던 것은 독서회의 영향이 컸다. 활자 매체의 확산과 더불어 독서회는 새로운 이념과 사상을 전파하는 데 큰 역할을 했다. 각급 학교에서도 학생들이 자체적으로 독서회를 만들었고, 무엇보다도 사회주의 사상이 이를 통해 널리 보급되었다.

이전 세대, 즉 안창호와 이광수의 시대에 이념과 사상을 전파하는 제일 중요한 틀이 강연회였다면, 1920년대에는 강연회는 한물가고, 전국적으로 다채로운 독서회가 유행처럼 만들어졌다. 일종의 사상운동처럼 시작된 독서회는 맨처음 출발은 학교였으나 점차 지역에서도 소규모로 만들어지기 시작하면서 1930년대에는 학생만이 아닌 농민 · 노동자 · 청소년 · 부녀자까지 그 대상이 확대되어갔다.

이것이 의미하는 바가 또 있다. 즉 강연회는 문자를 모르는 사람도 가서 들을 수 있지만 독서회는 책을 읽는 모임이므로 문자를 모르면 낄 수가 없다. 따라서 이렇게 독서회가 학생은 말할 것도 없이 부녀층·노동자, 농민에게까지 확산되었다는 것은 이미 1920년대 후반부터 1930년대 초반 사이 식민지 조선에서는 1910년대부터 시작된 교육열 덕분에 문자 해독 수준이 상당히 대중화되었다는 것을 의미한다. 그 덕분에 부녀자부터 사회주의 비밀결사 집단에 이르기까지 광범위한 독서회가 성립되었고, 이러한 독서회 문화는 1970~1980년대까지 이어진다.

생각해보면 그리 멀지 않은 과거 군사정권 시절에 탄압을 받은 것이 다 독서회였다. 1974년 일어난 민청학련民青學聯 즉, 전국민주청년학생총연맹 사건이 뭐냐면 서울대생 한 열 명이 같이 책을 읽었는데, 그걸 잡아서 반국가단체로 몰더니 이리저리 엮어 넣은 관련자 240여 명을 체포한 뒤 주동자 여덟 명을 사형시켜버린 사건이다.

독서회가 노동자, 부녀자 들에게까지 확산될 정도로 대중화되면서 독서 모임은 이른바 혁명가들, 특히 지하 활동가들에게 갈수록 중요해졌다. 이 독서회를 이끄는 사람이 누구냐에 따라 독서회의 성격과 방향이 결정되었기 때문이다. 독서회는 다름 아닌 토론을 통해서 헤게모니십이 결정되는 특성을 지녔다. 그도 그럴 것이 독서회에서 무슨 투표를 통해 리더를 결정하는 것이 아니지 않은가. 독서회에서는 주로 하는 일이 책을 읽고 토론하는 것이다. 그런 토론에서 가장 '말발'이 센 사람이 저절로 리더가 되게 마련이다. 그래서 이전에는 어느 집단이나 명망가의 자식들이 리더 자리를 잡았다면 독서회에서는 철저히 지식과 실력이 뛰어난 사람이 조직의 리더가 되었다.

사회 전반에 형성된 독서회를 통해 만들어진 새로운 분위기 속에서 드디어 1920년대 식민지 조선에는 학문적 분과로서의 과학이란 개념과 지식이라는 개념이 처음으로 등장한다. 그리고 지금처럼 지식이 분화되기 시작한다. 다만 법학, 경제학, 문학은 있었으나 사회학, 심리학 같은 사회과학은 아직 없었다. 무척 특이한 지점이다.

메타 지식화된 사회주의, 비판받는 계몽주의

●

그렇다면 당시 학생들은 무엇을 공부하고 싶어했을까. 당시 도쿄 유학생의 34퍼센트가 법학부였다. 그때나 지금이나 권력을 가지려는 부나방들의 대중성은 여전했다. 놀라운 것은 문학과 지망생이 17퍼센트였다는 점이다. 하지만 문학을 지원했다고 해서 지망생들이 모두 문학가를 꿈꾼 것은 아니었다.

당시만 해도 문학은 어떤 특정한 예술 분야에 국한된다기보다 여전히 글을 숭상하는 유교적 풍토가 남아 있어서 학문의 토대로 여겨졌다. 즉 문학과 지망생이 그만큼 많았다는 것은 학문의 선택에 있어 유교의 영향이 남아 있었음을 보여주는 것과 동시에 다른 한편으로는 학문을 하는 사람에게 문학이야말로 그 바탕이 된다고 여겨졌음을 알 수 있다. 인문학부를 통폐합하고 있는 지금의 대학 상황과 비교해보면 격세지감이다.

한편 매체가 제한된 상황에서 글을 쓰는 행위는 일종의 권력이었다. 이것을 어디에서 알 수 있느냐. 당시 공부해서 얻을 수 있는 최고의 지위는 학교 교사였다. 교사 월급이 55원이었다. 일반 공무원, 지금으로 치면 7급 공무원의 평균 임금은 38원이었다. 그런데 1926년 기준으로 『동아일보』 데스크 이상의 월급은 70~80원이었고, 기자 월급은 60원이었다. 매체에 글을 쓰는 기자들이 얼마나 높은 사회적 대우를 받았는지를 알 수 있다.

또한 기자가 아니더라도 신문이나 잡지에 글을 쓴다는 것은 사회적으로 매우 선망받는 일이었다. 그래서 한 남자가 기생을 유혹하면서 '네 이름으로 원고를 써줄 테니 키스를 해달라'고 하자 기생이 벌써 다른 사람이 써주기로 했다고 대답하는 만평까지 등장한다.

글 쓰는 사람이 높은 대접을 받으니 이걸 빌미로 글 좀 쓴다는

점차 확산되는 독서회를 통해, 사회주의는 하나의 메타 지식으로 성장했다. 무조건 우리보다 강한 나라의 것을 빌려오자는 계몽주의는 이제 식민지 조선에서 비판의 대상이 되었다.

○

얼치기 문사를 풍자한 만평

놈들이 사기를 치고 다니는 세태를 묘사한 일종의 풍자다. 당시에는 이런 얼치기 문사文士들이 꽤 많았다.

점차 확산되는 독서회를 통해서, 사회주의는 하나의 메타meta 지식으로 성장했다. 사회주의가 등장하기 이전의 계몽주의에는 별다른 입장이 없었다. 그저 우리는 지금 너무 뒤처져 있고, 그렇기 때문에 무조건 우리보다 강한 나라를 배우자는 방향만 존재했다.

그런데 사회주의는 일종의 메타 지식으로서 그런 계몽주의에 대한 비판적 시각을 식민지 조선 사회에 처음으로 제시했다. 드디어 관점이란 개념을 만들어놓은 것이다. 사회주의가 1920년대에 급속히 확산되고, 사람들로부터 환영을 받게 된 포인트가 여기에 있다고 할 수 있다.

1927년에 발행된 『조선일보』를 읽어보면 이때 이미 마르크스와 레닌의 저작들이 번역 출간되었다는 것을 알 수 있다. 물론 원서가 아닌 일본어 번역판을 다시 번역한 것, 즉 중역이긴 했지만 그런 책들은 출판되자마자 품절되었다. 그럴 정도로 당시 독서 시장이 컸고, 이 책들은 엄청난 영향력을 가졌다.

어느덧 세계 첨단의 환락가가 된 경성의 거리

●

1930년대 중반이 되면서 식민지 조선의 수도 경성은 세계 첨단의 환락가로 성장한다. 그때는 이미 모더니즘의 시대였다. 일주일 전에 할리우드에서 개봉한 영화가 이번 주에 경성의 극장에 걸리고, 프랑스 파리에서 유행하는 브랜드의 명품이 거의 동시에 명동 미쓰코시 백화점 1층 쇼윈도에 걸려 있을 정도다.

1930년대에 우리가 트로트나 부른 것 같지만 1920년대 후반에서 1930년대 초반 사이에 대부분의 서양 대중음악이 식민지 조선에 상륙한다. 블루스, 재즈는 물론 미국에서 막 유행하기 시작한 스윙(대편성의 댄스 음악으로서의 재즈), 탱고 그리고 샹송까지 우리가 지금 월드뮤직이라고 부르는 다양한 음악들이 이미 경성 한복판에 상륙하면서 이런 풍의 노래들이 1930년대에 폭발적으로 유행했다.

다시 말해 1930년대 중반의 경성은 서구의 퇴폐·향락적 문화들의 트렌드에 전혀 뒤떨어지지 않는 인프라를 갖추고 있었다. 이런 모든 것들은 조선총독부의 허가 아래 유입되고 향유되었다.

그런데 딱 하나 조선총독부가 허가해주지 않은 것이 댄스홀이었다. 그래서 1937년에 기생들과 문화인, 여성들 몇 명이 연판連判해서 「서울에 댄스홀을 허하라」는 유명한 일종의 상소 진정서를 『삼천리』에 게재한다.

「서울에 댄스홀을 허하라」의 내용을 보면 전 세계 어디를 가도 성인들의 건전한 댄스홀 사교장이 있고, 많은 성인들이 이곳에서 여가를 선용하는데 왜 서울에는 댄스홀을 허가하지 않느냐고 이의를 제기한다.

이렇듯 댄스홀을 정식으로 허가해주지 않으니 오히려 지하 불법 댄스장이 생겨나서 많은 가정이 붕괴되는 사회적 문제가 대두되기도 했다.

1930년대 경성은 서구 퇴폐·향락 문화 트렌드에 뒤떨어지지 않는 인프라를 갖췄다. 1920년대 달아올랐던 민족과 계급이라는 긴장된 논의는 향락의 소용돌이 안으로 빨려 들어가 익사하고 말았다.

'춤바람' 하면, 우리는 흔히 해방 이후 1954년에 일어난 정비석鄭飛石, 1911~1991의 '자유부인 사건'을 떠올리지만 이미 1930년대에 춤바람이 나서 지하 댄스홀을 다니다가 결국 가정이 파탄나는 사회상을 그린 영화가 벌써 나왔다. 기적적으로 필름을 복원한 〈미몽〉迷夢이라는 영화가 그것이다.

그 영화를 보면 지금 세태와 크게 다를 바 없다. "아니 오늘도 나가는 게요?"라는 남편의 대사가 첫 대사이고, 그 부인은 "제가 언제 매일 나갔다고 그러세요?" 하면서 이미 집을 나서고 있다. 그 부인이 어딜 가느냐면 화신백화점에 가서 쇼핑을 한다. 여기서 전설적인 명대사가 나온다.

제일 비싼 걸로 주세요.

단골손님에게 점원이 신상품 의류를 잔뜩 꺼내놓고 권하자, 부인이 훑어보며 내뱉는 말이다. 이런 첨단의 대사들이 날아다니는 영화가 이미 1936년에 촬영되고 있었다.

「서울에 댄스홀을 허하라」라는 말은 단지 새로운 문화에 대한 요구만을 뜻하지 않는다. 이러한 문제제기는 1930년대에 접어들어선 뒤에는 그 이전, 즉 1920년대에 뜨겁게 달아올랐던 민족과 계급이라는 그 긴장된 논의들이 소비 향락적인 문화의 소용돌이 안으로 전부 빨려 들어가서 익사하고 말았음을 상징적으로 보여주고 있다.

영화 한 편으로 보는 1936년 경성의 이모저모

●

앞에서 일제강점기의 영화를 소개하면서 〈아리랑〉, 〈춘향전〉, 〈임자 없는 나룻배〉 등을 이야기했지만 어찌 보면 다 부질없다. 필름이 남

○ 영화 〈미몽〉은 가정에서 벗어나 있는, 사회와 지배 이데올로기가 그어놓은 경계를 넘어버린 흔치 않은 여성 캐릭터의 제시, 도시 풍경 등 1930년대 경성 모더니즘의 많은 것을 보여준다.

아 있지 않기 때문이다. 촬영 장면 사진 몇 장만 남아 있을 뿐이어서 그 영화의 전부를 알 수 없다.

예전에는 일제강점기에 제작된 영화 중 우리가 볼 수 있는 영화는 단 한 편도 없었는데, 다행히 최근에 일제강점기의 영화가 발굴되기 시작했다. 최근 10여 년 동안 서너 편의 작품이 발굴되었다. 그러나 발굴된 영화의 거의 대부분은 이른바 1941년 이후, 그러니까 태평양 전쟁 때 전시총동원 체제에서 만들어진 영화였다. 이런 영화들은 대부분 일본 제국주의를 찬양하고, 전쟁에 참여할 것을 독려하는 선전영화들이다. 음악으로 치면 국민가요 같은 것이다.

그런데 지금부터 내가 이야기하려는 영화는 중국전영자료관中國電映資料館에서 2005년에 발굴한 것으로, 1936년에 만들어진 작품이다. 바로 앞에서 언급한 〈미몽〉이다. 한자로는 미혹할 미迷에 꿈 몽夢이다. 경성촬영소의 열 번째 영화이고, 토키talkie, 그러니까 유성영화로서는 여섯 번째 작품이다. 총 러닝타임은 49분이다. 양주남梁柱南, 1912~ 감독의 데뷔작이기도 한데 여러모로 놀라운 점이 많은 영화다.

우선 1930년대 경성 모더니즘의 많은 것들을 보여준다. 신여성 주부가 주인공인데, 그녀를 통해 보여주는 새로운 시대의 단면이 매우 충격적이다. 물론 그 풍경은 가부장적인 남성의 시선이라는 한계에 갇혀 있긴 하지만 당시로서는 대단한 파격이었다.

그런 파격적인 장면 중 하나로 꼽을 수 있는 것이 바로 베드신이다. 물론 베드신이라고 해서 요새 영화처럼 남녀 주인공이 '홀딱' 벗고 나오지는 않는다. 여자 주인공이 침대에서 나오는 장면일 뿐이다. 이게 뭐가 충격적이냐고 물을 수 있다. 그런데 그 침대에 남편이 아닌 다른 남자가 누워 있다면 말이 달라진다. 당시로서는 이런 장면이 영화에 나온다는 것 자체가 파격이었다.

이 영화의 여자 주인공은 〈임자 없는 나룻배〉에서 나운규의 딸로 나왔던 바로 그 배우다. 아마도 우리나라 영화사상 첫 번째 국민배우라고 할 수 있을 것이다. 나중에 월북하면서 언젠가부터 그 이름이 잊혔지만 북한에서는 최초로 인민배우 반열에 올랐다. 바로 일제강점기 최고의 배우, 문예봉이다. 그녀가 〈미몽〉에서 주연을 맡아 보여준 연기는 지금 봐도 대단하다. 우리가 오늘날 다시 볼 수 있는 거의 유일한 일제강점기의 영화다.

이 영화가 제작된 1936년은 어떤 해인가. 이때는 중일전쟁이라는 전시총동원 체제가 시작되기 직전의 해다. 베를린 올림픽이 열렸고, 손기정 선수가 마라톤에서 금메달을 땄으며, 그의 가슴에 있던 일장기를 없앤 사진이 신문에 실린, 이른바 일장기 말소 사건이 일어났으며 이후의 전시총동원 체제를 지휘하게 될 미나미 지로가 총독으로 부임했다. 1936년은 그러니까 어쩌면 이런 퇴폐적 모더니즘의 마지막 해일 수도 있는데, 바로 그해에 중요한 작품들이 많이 발표되었고, 그중의 한 편이 바로 이 영화 〈미몽〉이다.

영화에 베드신이 나온다고 했다. 그 베드신의 주인공은 누구인가. 여자는 신여성 주부이고, 남자는 그녀가 화신백화점에서 만난 동거남이었다. 화신백화점은 민족자본으로 설립된 최초의 백화점이다. 콧수염을 기른 그 남자는 사기꾼이자 절도범이었다. 두 사람은 호텔에서 화려하게 만남을 이어오고 있다. 그들은 함께 공연을 보러 다니기도 하는데 그 공연은 연극도 아니고, 영화도 아니다. 바로 무용 공연이다.

그들이 찾아간 공연장 무대 위에서는 당대 최고의 유명 무용수인 조택원趙澤元, 1907~1976이 공연을 하고 있다. 당시 현대무용의 여성 최고봉이 최승희崔承喜, 1911~1969라면, 남자 무용수는 조택원을 꼽을 수 있다. 다시 말해 영화를 통해 당대 최고 무용수인 조택원의 춤을 볼 수 있는 셈이다. 오늘날 1930년대 우리 무용을 영상으로 볼 수 있는 방법은 거의 없다. 최승희도 사진 몇 장 외에는 남아 있는 게 없다. 그런데 영화의 한 장면이긴 하지만 조택원이 춤추는 모습을 영상으로 볼 수 있게 된 것이다. 그는 여기에서 '빤쓰'만 입고 춤을 춘다.

영화는 또 이어진다. 어느 날 여자 주인공이 자신이 사귀는 남자가 사기꾼이라는 것을 알고 경찰에 신고하고, 남자는 잡혀가게 된다. 그 뒤 여자는 어떻게 되었는가. 이번에는 조택원을 쫓아다닌다. 항상 남자를 따라 다니는 부나방 캐릭터다.

조택원을 따라 다니던 어느 날 그가 부산 공연을 위해 내려간다는 것을 알고, 택시를 타고 경성역으로 가는 장면이 나온다. 그런데 간발의 차이로 놓친 기차를 따라잡느라 택시는 남영동에서 용산까지 거의 카레이싱을 하듯 질주한다. 경성역, 남영동, 용산까지 택시가 질주하는 장면이 계속해서 이어진다.

우리는 여기서 무엇을 볼 수 있느냐. 남대문에서 경성역, 경성역에서 남영동으로 이어지는 경성의 대로를 고스란히 볼 수 있다. 당시의 거리 풍경을 생생하게 볼 수 있는 것이다. 그렇게 달리는 택시 안에서 여주인공은 기사에게 더 빨리, 더 빨리를 외치며 닦달을 한다.

그러다 그만 택시가 지나가던 아이를 치고 만다. 여기서 영화는 갑자기 고대 소설처럼 변신한다. 지금까지 잘나가던, 현대적인 내러티브가 고대 소설풍으로 바뀌는 것이다. 어떤 점이 그러한가. 그 택시에 치인 아이가 바로 여주인공의 딸 정희다. 처음에는 몰랐지만 택시에서 내려보니 쓰러져 있는 아이가 여주인공의 딸인 것이다.

이건 무슨 의미일까. 방탕한 신여성에 대한 처벌이다. 남자에 미친 여주인공이 타고 가던 택시에 그녀의 딸이 치인다는 설정은 영화적 처벌이다. 정신을 잃은 딸을 보고 여주인공은 정신없이 병원으로 데려간다. 넋이 빠져 반쯤 정신이 나간 여주인공은 의식을 잃은 딸 옆에서 죄책감으로 괴로워하다가 약을 먹고 자살한다. 남편은 이 모든 사실을 알고 권총을 들고 미친 듯이 뛰어오는데, 병원에 도착한 그가 발견한 건 의식을 회복한 딸과 그 옆에 쓰러져 죽은 아내다. 전형적인 권선징악이라고 하기도 애매한, 다소 이상한 결말을 맺으며 영화는 끝난다.

영화의 주인공들이 사는 집은 딱 봐도 좀 '있는 집'이다. 남편의 직업이 뭔지는 모르지만 마지막에 권총을 들고 등장하는 것으로 봐서는 검찰이나 검찰행정 쪽에 종사하는 사람일 것으로 추측된다. 다시 말해 일본 제국주의에 협조적인 직종에 종사하는 사람일 것이다. 여주인공이 동거하던 사기꾼 남성을 어떤 거리낌이나 어려움도 없이 아무렇지도 않게 신고하는 것으로 보아도 짐작이 가능하다. 경찰이나 검찰 쪽의 네트워크에 익숙하다는 것을 암시한다.

이 영화는 결말이 이상하긴 하지만 지극히 가부장적인 유교사회에서 흔히 요구되는 아내와 엄마로서의 역할을 전복시켜 보여준다. 시작부터 마지막까지 등장하는 여주인공은 기존에 없던 전혀 새로운 여성 캐릭터다. 〈미몽〉은 1936년 경성을 배경으로 흔치 않은 캐릭터를 통해 새로운 여성형을 보여주는 영화다.

후반부에 전개되는 결말은 얼핏 말도 안 되는 것처럼 보이지만, 그것은 그것대로 또 이유가 있다. 말하자면 이 영화의 결론은 어쩔 수 없는 당대의 지배 이데올로기에 대한 일종의 영화적 순응으로 보이지만, 이 영화가 말하고자 하는 것은 결말 부분으로 설명할 수 없다. 이 영화는 비록 기존의 인식에 충실한 결말을 보여주지만, 이 영화가 러닝타임 내내 보여주는 것은 그런 결말이 품고 있는 메시지가 아니다.

가족 혹은 가정이라는 울타리에서 벗어나 있는, 사회와 지배 이데올로기가 그어놓은 어떤 경계를 넘어버린 새로운 여성성을 보여주는 데 이 영화는 러닝타임의 거의 95퍼센트를 할애하고 있다.

이 영화가 의미 있는 것은 배경 도시의 여러 풍경이나 파격적인 메시지 때문만이 아니다. 영화적 기법으로도 곳곳에 재미있는 장면이 많이 나온다. 특히 첫 번째 시퀀스에서 여주인공은 남편과 심하게 싸운다. 남편의 모습이 비친 화장대 거울을 여주인공이 콱, 친다. 그리고 카메라가 한 번 휙, 돌더니 다시 그 거울을 비출 때는 남편의 모습이 흔들려 보인다. 보통 남편을 화면에 잡을 때는 카메라가 아래에서 위로 향한다. 그러면 군림하는 이미지를 부여하는 동시에 존재 자체를 굉장히 크게 보이게 만든다. 그런데 이 장면에서는 남편의 흔들리는 모습을 보여줌으로써 가부장의 지위가 흔들리고 있음을, 혹은 무시되고 있음을 상징한다. 영화 전반에서 보여주는 이런 컷들의 연결은 지금 봐도 굉장히 현대적인 방식이다. 박찬욱 감독 정도라야 쓸 수 있는 장면이라고 할 수 있다. 지금 남아 있는 영화가 별로 없어서 그렇지, 이런 영화들이 1936년에 극장에서 상영되고, 관객들에게 인기를 끌고 있었다.

일상 속으로 들어온 영화, 제국주의의 선전 도구가 되다

1937년 7월에 중일전쟁이 터졌다. 이 전쟁은 1941년 태평양 전쟁으로 확전되었고, 일본은 대대적인 전시 체제로 돌입하게 된다. 예술가들의 독자적인 표현이 불가능해졌고, 적국으로 간주된 미국의 문화를 차단했다. '미영귀축'美英鬼畜(미국과 영국의 도깨비와 짐승)이라는 말을 내세워 서구의 문화적 콘텐츠의 수입을 전면 금지했다. 글자 그대로 일본의 패망 이전, 마지막 8년간의 문화적 암흑기가 시작된 것이다.

당시 대부분의 문화는 일본 제국주의의 선전물로 동원되었다. 영화 역시 예외일 수 없었다. 나치의 히틀러가 그러했듯이 일본 제국주의자들 역시 영화를 자신들의 '대동아공영'이라는 기만적인 이데올로기를 선전하는 도구로 삼았다.

> 백만 마디의 말과 글보다 영화가 제일이다. 그러므로 영화는 국운을 좌우한다.

일본의 외무부장관을 지냈던 마쓰오카 요스케松岡洋右, 1880~1946가 한 유명한 말이다. 그의 말처럼 일본 제국주의자들은 영화의 선전 효과를 잘 알고 있었다. 따라서 영화는 철저히 일제의 총동원 체제를 찬양하고, 일본 제국주의를 숭상하는 이념의 선전 도구로 활용되었다. 이런 영화만 만들어지고 상영되었다.

관객의 수도 급증해서 1927년에 총 영화관 관객 수는 360만 명이었다. 그러던 것이 1932년에는 590만 명이 되고, 1939년에는 1,400만 명이 되더니 1942년에는 2,800만 명 정도에 이른다. 불과 약 15년 사이에 영화관 관객 수가 일곱 배 이상 증가한 것이다. 당시

1937년 중일전쟁을 시작으로 대대적인 전시 체제로 돌입한 일본은 대중에게 미치는 영화의 효과를 잘 알고 있었다. 때문에 '대동아공영'이라는 이데올로기를 선전하는 도구로 영화를 적극 활용했다.

인구가 약 2,300만 명 정도였으니 이는 엄청난 수치다.

이렇게 생각하면 이해하기 쉽다. 지금 우리나라 연간 영화관 관객의 수는 약 2억 명 정도다. 인구가 5천만 명이라고 하면 1인당 1년에 네 편 정도의 영화를 보는 셈이다. 그런데 1942년 당시 약 2,300만 명의 사람들이 1년에 평균 한 편 이상을 본 셈이다. 영화관의 규모며 숫자를 지금과 비교했을 때 이 수치가 얼마나 대단한 것인지 가늠할 수 있을 것이다.

이건 무슨 말일까. 영화라는 매체가 당시 식민지 조선 땅에 살고 있던 대다수의 사람들에게 얼마나 일상적으로 밀접한 것이었는지를 말해준다. 당시에는 지금보다 도시 집중률이 낮았고, 지방에 사는 사람들이 더 많았음에도 불구하고 이런 어마어마한 동원 능력을 영화라는 매체가 갖고 있었다는 것은 영화 자체가 일제강점기의 우리에게 굉장히 익숙하고 친숙한 문화적인 아이템으로 확고하게 자리잡았다는 것을 보여준다. 영화의 시대가 시작된 지 20년도 채 되지 않았던 때, 영화는 우리 일상 속으로 깊숙이 들어와 있었던 것이다.

그런데 이때 우리는 무슨 영화를 그렇게 보고 있었을까. 1939년 하반기 이후부터 우리가 본 영화는 제대로 된 영화라고 할 수 없다. 동원령動員令을 표방한 국책 영화였다. 그중에서도 거의 전 국민을 동원해서 보게 한 영화가 1941년에 개봉한 〈그대와 나〉다. 이 영화는 황군에 입대한 최초의 조선인 이인석의 스토리다. 이 사람은 전사해서 상등병으로 특진한다. 식민지 조선인으로 처음 황군이 되자, 일제는 일본 여성과 결혼까지 시켜준다. 그런 그가 중일전쟁에 황군으로 참전했다가 죽는다. 이런 스토리로 전개되는 영화를 일제는 엄청나게 선전을 했고 비록 식민지 조선인이지만 일본과 조선은 글자 그대로 동조동근同祖同根, 뿌리와 조상이 같은 한 핏줄이라고 선전했다. 식민지 조선인 청년을 이용해서 철저한 선전영화를 만든 셈이다.

하지만 여기에도 그 내막을 알고 보면 웃을 수도 울 수도 없는 이야기가 있다. 1937년 중일전쟁이 막 시작되었을 때만 하더라도 일본 황군은 식민지 조선인들을 황군으로 받아들이지 않았다. 일본을 위해서 싸우겠다는 식민지 조선인이 입대 신청을 해도 받아주지 않았다. 더러운 '조센징'이 신성한 황군의 피를 더럽혀서는 안 된다는 이유였다. 그런데 전쟁이 길어지고 태평양 전쟁이 터지면서 황군이 매일 무지막지하게 죽어나갔다. 그러자 일본인 남자라면 체력이 떨어져 병사에 적합하지 않은 서른여덟, 마흔 살의 사람들까지 모조리 징집을 해댔다. 밥숟갈이라도 들고, 문지방을 넘을 힘만 있다면 일본 남자들은 다 징집을 당했다. 지금 우리나라 군인의 수를 다 합쳐도 60만 명밖에 안 되는데, 그 당시 일본 육군과 해군의 병력이 약 230만 명 정도였다니 어마어마한 규모의 군대였다.

그런 230만 명 규모의 황군이라고 해도 전쟁을 치르느라 매일 매일 몇만 명이 죽어나가다보니 당연히 끝도 없이 많은 병사들이 필요해졌을 거다. 게다가 전선은 또 얼마나 넓었겠는가.

죽은 병사들의 수를 메우려면 식민지 조선인들도 징집해야 했다. 처음에는 조센징이라고 안 받아주다가 갑자기 받아야 하니, 이들에게도 명분이 필요해졌다. 그래서 이들은 명분으로 삼을 만한 이데올로기를 만들어냈다. 그중 하나가 창씨개명이다. 식민지 조선인도 아예 일본식으로 이름을 바꾸라는 것이다. 왜냐고? '우리'는 같으니까.

그러면서 이들은 식민지 조선인들에게 동조동근 사상을 강조하기 시작했다. 우리는 뿌리가 같은 한 형제라고 '설레발'을 친 것이다. 대동아공영이라는 이상을 실현하기 위한 사전 작업의 일환이었다. 그러더니 그전까지는 조선인에게 의무조항이 아니었던 궁성요배를 강요한다.

궁성요배란 일본 제국의 신민은 천황이 있는 궁성을 향해 고개를 숙여 절을 해야 한다는 것이다. 그전까지는 조선인이 아침에 동쪽을 향해서 절을 하면 일본인 흉내를 낸다고 금지했다. 그러더니 갑자기 우리는 다 같은 형제니까 너희들에게도 천황한테 아침마다 문안드릴 수 있는 자격을 주마, 이런 말도 안 되는 논리로 선심을 쓰는 척했다.

그래놓고 우리는 다 같은 형제니까 전쟁에 참여해야 한다며, 식민지 조선인 남자들을 징집 혹은 징용했고, 민간인 여성들을 정신대나 군수 공장으로 보내기 시작했다.

이런 모든 것들을 독려하기 위해 활용된 문화적 장치 중에 영화와 음악이 있었고, 그 파급력을 알고 있던 일본 제국주의자들은 적극적으로 이를 선전했다.

모던 걸의 관점에서 바라본 경성의 대중문화

●

앞에서 나는 오늘날 대중문화의 강력한 소비자를 젊은 여성이라고 했고, 20대의 젊은 여성들이 대중문화의 주인으로 등장하기 시작한 것이 1930년대라고 했다. 그렇다면 이러한 젊은 여성들의 감수성을 중심으로 한 소비적 대중문화는 어떻게 시작되고 완성되어왔는가. 다시 말해 여성의 관점, 일제강점기에 등장한 모던 걸의 관점에서 바라본 소비 대중문화는 어떠한 모습이었는가. 이런 관점에서 바라본 대중문화는 간단히 쇼핑과 연애라고 요약할 수 있다.

1930년대 경성은 모더니즘 경성이라고 불렸고, 나중에는 '경성 모더니즘'이라 불렸는데, 모던 걸은 바로 이 시대에 등장했다. 흔히 말하는 1930년대의 경성 모더니즘 시대, 즉 일제강점기였던 1930년대는 어찌 보면 서구의 대중문화가 싱크로나이즈드 다이빙처럼, 거의 빛의 속도로 식민지 조선에 수입되기 시작한 시대다. 예를 들어 미국 뉴욕의 거리에 파자마 패션이 유행한다고 하자. 경성 여성들이 그 파자마 패션 차림으로 거리를 활보하기까지는 두어 달 남짓이면 충분했다. 이 사실은 대단히 놀랍다. 지금처럼 통신이나 여러 매체가 발달한 것도 아니기 때문이다.

여성들의 처절한 서구 유행 따라잡기가 그때부터 시작되었다. 유행을 좇는다고 해서 쌀이 생기는 것도 아니고 명예가 생기는 것도 아닌데 서구에서 이런 게 유행한다 싶으면 너 나 할 것 없이 따라 하

○ 1930년대 등장한 모던 걸에게 작동한 것은 유행을 향한 열렬한 추종이었다. 남들보다 더 빨리, 더 새로운 유행을 선점하겠다는 이들의 경쟁의식은 대중문화의 강력한 시장 동력이었다.

기 바빴다.

그러면서 생겨난 신조어 모던 걸은 경성의 소비문화와 맞물려 등장한 서구적 스타일 차림의 여자들을 지칭하는 말이었다. 이들은 새로운 패션과 머리 모양 등을 통해 자신들의 정체성을 드러냈는데, 단발머리에 양장 차림의 여성들이 모던 걸의 대표적인 외형이었다. 특히 모던 걸은 이전의 문화로 볼 때 용납하기 어려운 자유분방한 사고방식을 지닌 것으로 여겨져 흔히 '못된 걸', 도덕적으로 '나쁜 여자'로 재현되기도 했다. 모던 걸의 대표적 외형 중 하나인 단발은 하나의 상징이 되어 모던 걸을 '모단毛斷걸'로 부르기도 했다. 그만큼 단발은 전통과의 단절 혹은 옛 것에 대한 거부를 의미하고, 서구 문화의 동경을 표시하는 것으로 여겨졌다.

모던 걸의 이런 성향과 유행 따라잡기의 강력한 욕망은 결과적으로 대중문화 발전의 중요한 동력이 되었다. 남보다 더 빨리, 더 새로운 유행을 선점하고 누리겠다는, 소비자로서의 경쟁의식이 이후 대중문화의 강력한 시장 동력으로 자리잡았다는 의미다. 다시 말해 상품을 소비하는 이유가 실용적인 필요에 의해서가 아닌 유행을 따라 가기 위해서라는 것은 지금도 의미 있는 시장의 동력인데, 그것이 시장의 동력으로 대두되고 그 뿌리를 내린 첫 번째 시대가 놀랍게도 1930년대, 그것도 여성, 나아가 여성 소비 주체로 떠오른 모던 걸의 등장에서 비롯되었다는 것이다. 우리 소비 문화의 기원을 이 당시로 잡는 이유이기도 하다.

북촌과 남촌의 구분,
백화점과 카페의 등장

●

1936년을 전후한 경성에서는 새로운 근대적 공간이 많았다. 경성 모더니즘의 공간은 그 이전이나 그 이후의 시대와 비교해볼 때 매우 독특하다. 우선 당시 경성은 식민지였다. 지금의 서울과 그때의 경성은 같은 듯 다른 풍경을 가지고 있다. 1930년대 최고의 모더니즘 소설가였던 박태원朴泰遠, 1909~1986의 『천변풍경』은 당시를 이렇게 묘사한다.

경성은 청계천을 경계로 남촌과 북촌으로 나뉜다.

뭔가 이상하지 않은가. 지금의 서울과 다르다. 오늘날의 서울은 한강을 중심으로 강남과 강북으로 나뉘는데, 1930년대의 경성은 청계천을 중심으로 남촌과 북촌으로 나뉘었다는 것이다. 물론 여기에서 말하는 청계천은 복개 이전의 청계천이다.

북촌은 우리가 지금 말하는 한옥마을 북촌이 아니다. 종로, 광화문, 경복궁 주변과 그 앞에 육전 거리가 있던 고관대작의 집들이 있던 거리를 지칭한다. 그럼 남촌은 어디일까. 을지로, 명동, 충무로, 남대문 등을 비롯하여 서울역까지를 이른다. 그러니까 북촌이라고 하는 곳은, 그야말로 모든 권력을 상실해버린, 지나간 조선조의 권력의 잔영이 남아 있는 곳이고, 남촌은 새롭게 떠오르는 신흥 권력의 중심지였다. 남촌, 즉 명동과 충무로를 중심으로 지금 교통방송국과 옛 서울예술전문학교가 있던 자리인 남산 기슭은 일본인들의 주거 단지였다. 여기에는 일본 신궁이 있었고, 일본인들이 누리는 문화 시설들이 자리를 잡았다.

일본은 북촌에도 뭘 만들긴 만들었다. 창경원이었다. 좀 나이 든 분들은 이곳이 동물원이었던 때를 기억할 것이다. 일본은 1907년 헤이그 밀사 사건이 일어난 후 1909년 조선의 5대 궁궐 중 하나였던 창경궁 안에 동물원과 식물원을 들여놓더니 한일강제병합 이후 1911년에는 창경궁이라는 이름 대신 창경원으로 부르게 함으로써 그 지위를 격하시켰다. 그러고는 여기에 자기네 나라를 상징하는 벚나무를 대대적으로 심어놓았다. 조선의 궁궐을 왜색이 물씬 풍기는 곳으로 만들어버린 것이다. 그렇게 심은 벚나무는 지금도 창경궁의 상징처럼 남아 있다. '야사쿠라팅'이라는 말을 들어본 적이 있는지 모르겠다. 굳이 뜻을 풀자면 밤夜 벚꽃놀이 미팅이다. 내 세대 전까지만 해도 4월에 벚꽃이 피면 대학생들이 창경원에서 미팅을 했다. 1924년부터 창경궁에서 밤 벚꽃놀이가 시작되었으니 그 연원이 참으로 오래된 것인 셈이다.

이렇듯 조선 궁궐의 정체성이 사라지고 철저히 희화화되었다. 물론 서구의 근대 공원들도 대부분 옛날에 귀족이 살던 성이나 왕이 살던 왕궁을 개방함으로써 만들어졌다. 하지만 창경궁을 창경원으로 만든 건 경우가 조금 다르다. 여기에는 식민지로서의 조선이 아닌 그 이전의 전통적 권력에 대한 조선총독부의 조소가 배어 있다고 볼 수 있다. 그렇지 않고서야 조선의 왕과 왕족이 머물던 궁궐에 자기들 마음대로 동물들을 풀어 동물원이라는 위락시설로 전락시키더니 창경원으로 격하시킬 이유가 없지 않은가. 창경궁이 동물원이 되고, 온통 벚꽃 일색으로 물들게 한 것은 조선 왕조에 대한 일본의 조소가 개입되어 있음을 부정하기 어렵다.

일본 제국주의자들은 남촌에 모여 사는 일본인들을 위해 공원을 만든다. 지금의 남산공원이 그것이다. 그 결과 경성에는 북촌의 창경원, 남촌의 남산공원이라는 유흥 공간이 만들어졌다. 근대 경성의 시민들은 역사상 최초로 시민들을 위한 일상적 유흥 공간에 대한 최초의 경험자가 되었다.

근대적 공간에서 빼놓을 수 없는 곳은 또 있다. 바로 백화점이다. 당시 주요 백화점은 남촌의 중심에 모여 있었다. 그도 그럴 것이 남촌에는 일본인들이 모여 살고 있었고, 그들이야말로 새로운 물건을 살 수 있는 경제력을 가진 집단이었다. 우리나라에서 최초로 생긴 백화점은 미쓰코시 백화점이다. 1906년 지금의 충무로 1가에 자리를 잡았다. 오늘날 신세계 백화점의 전신이다. 1921년에는 지금은 롯데 백화점에 편입된 미도파 백화점의 전신이랄 수 있는 조지아 백화점이 남촌에 자리를 잡았다.

미쓰코시 백화점과 조지아 백화점의 쇼윈도는 사람들에게 단순히 첨단의 물건을 보여주는 진열대 이상의 의미를 지녔다. 그것은 바로 도쿄를 거쳐 태평양 너머로 펼쳐지는, 바로 서구 문명에 이르

다 쓰러져가는 집에서 멋지게
차려 입고 나서는 여성을 풍자한 만평

는 창이었다. 어찌 보면 서구에 대한 가장 거대한 욕망의 윈도였다. 그것의 전제는 자본주의였다.

이러한 백화점의 쇼윈도를 두고 수많은 풍자 만평들이 등장하는데, 주로 그 내용은 다 쓰러져가는 초가집에 살면서 백화점으로 쇼핑하러 가는 사람들을 그린 것이다. 이처럼 백화점 쇼핑을 허영의 문화로 여기는 기조가 역력했다. 미쓰코시 백화점과 조지아 백화점, 이 두 개의 첨단 백화점이 명동, 즉 일본인들의 주거 지역에서 가까운 명동에 떡, 하니 자리를 잡고 있었다면 북촌에는 우리 민족 자본으로 만들어진 화신백화점이 종로 1가에 버티고 있었다.

백화점은 사람들의 욕망이 투영되는, 욕망의 정점이자 이상향이었다. 어떻게 해도 백화점의 모든 물건을 소유할 수는 없지 않은가. 백화점이 그런 어떤 욕망의 워너비이자, 정말 갖고 싶고 도달하고 싶은 욕망의 정점을 상징했다면, 많은 사람들이 정작 현실 속에서 욕망을 소비하는 현장은 남촌에 우후죽순으로 들어서기 시작한 카페였다.

오늘날에도 우리가 카페에 가서 집에서 마셔보지 못하는 맛있는 커피를 마시고, 쾌적한 실내 인테리어와 소품들을 즐기며, 하드웨어가 잘 갖춰진 음악을 감상할 수 있는 것처럼 근대의 경성에 살고 있던 대다수의 시민들, 특히 모던 걸, 모던 보이들은 남촌에 새로 등장한 카페를 드나들며 근대 문화의 세례를 마음껏 누렸다. 카페에 가면 커피를 비롯한 근대적 기호품들을 마음껏 즐길 수 있었다. 그뿐만이 아니었다. 유성기에서 흘러나오는 음악을 비롯한 다양한 예술적 취향도 마음껏 누릴 수 있었다.

카페에 익숙해지기 전에 우리에게는 다방의 시대가 있었다. 1927년 2월 16일 경성 라디오 방송국이 방송을 시작하긴 했지만, 보통 사람들이 라디오를 듣기란 쉬운 일이 아니었다. 이유는 간단하다. 라디오 방송이 시작되면 뭐하나. 라디오가 있어야 들을 수 있지 않겠는가. 당시 식민지 조선에 보급된 라디오는 1,220대였다. 값이 비싼 건 지극히 당연하다. 최고 엘리트 월급이 60원인데, 라디오는 제일 값이 싼 광석 라디오가 50원, 제대로 소리를 들을 수 있는 라디오는 최하 100원에서 400원까지 했다. 그러니까 최고의 엘리트가 월급을 한 푼도 안 쓰고 넉 달은 굶어야 제대로 된 라디오를 한 대 살 수 있었다. 그래서 라디오가 보급되는 데는 오랜 시간이 걸리고 1930년대 중반이 돼서야 겨우 5천 대를 돌파한다. 이렇게 라디오는 개인이 소유하기 힘든 것이었고, 라디오 구매자의 약 80퍼센트가 일본인이었다.

그래서 경성 라디오 방송국이 개국했다고는 해도 일본인을 위한 프로그램이 더 많았다. 그러다 보니 당시 일본어를 자유자재로 알아듣지 못하는 대다수의 식민지 조선인들은 방송을 꼭 듣고 싶다거나 라디오를 꼭 갖고 싶다는 생각을 별로 하지 않았다. 이런 분위기를 간파한 조선총독부는 1931년부터 조선어 프로그램을 늘려서 되도록 많은 식민지 조선인들이 라디오를 들을 수 있도록 유도하는 정책을 내놓는다.

그런데 라디오라는 매체는 뜻밖에 다른 곳에서 결정적인 영향을 미친다. 바로 다방이었다. 개인이 소유할 수 없는 라디오나 축음기를 들을 수 있는 곳이 바로 다방이었고 그래서 다방은 라디오를 듣기 위한 공간이 된 것이다.

다방 문화는 특히 명동을 중심으로 해서 1920년대 중반부터 형성된다. 이로써 당시 문인이나 예술가들은, 마치 프랑스 파리의 카페에서 유럽의 지식인들이 모였던 것처럼, 다방을 새로운 플랫폼으로 삼아 담론을 교류하고, 새로운 문화적·지적 생산을 공유하는 장으로 삼게 되었다.

그리고 우리의 모던 걸, 모던 보이들은 이러한 다방의 시대를 거쳐 카페의 시대를 향유하게 된다.

심지어 카페에서는 춤도 출 수 있었다. 경성에는 공식적인 댄스홀이 없었기 때문에 어떤 카페에서는 춤을 출 수 있는 시설을 갖춰놓기도 했다. 역시 나이가 좀 있는 사람들은 기억할 것이다. 록카페라는 것이 있었다. 낮에는 커피를 파는 곳인데, 밤만 되면 록음악을 틀어놓고 소파 사이를 날아다니며 춤을 추던 곳. 그런데 이미 1930년대에 춤을 출 수 있는 카페가 있었던 것이다. 불법 영업이긴 하지만 카페는 댄스를 추는 것이 가능한 그런 공간이었다.

남촌의 모던 걸, 모던 보이들이 이렇게 놀았다면, 이것이 남촌의 풍경이었다면 북촌에는 여전히 옛시대의 잔영이 남아 있었다. 주로 요릿집, 기생집, 선술집 등이 북촌의 풍경이었다.

여기에서 우리는 또 주목할 지점이 있다. 남촌의 카페에 모인 식민지 조선의 모던 걸, 모던 보이들은 이곳에만 오면 일본어를 사용했다. 반면 북촌의 요릿집이나 선술집에 모인 사람들은 우리말을 썼다. 이것이야말로 카페냐 요릿집이냐보다 더 의미 있는 차이였다.

그러니까 청계천을 사이에 두고 나뉜 북촌과 남촌은 과거와 현재의 동시병존을 보여주었다. 즉 당시 경성의 북촌과 남촌은 식민지 조선이 품고 있던 두 개의 문화권을 보여주는 동시에, 각각의 문화가 상징하는 과거와 현재의 동시병존의 대표적 장면이었으며, 다른 한편으로는 일본 영토 밖의 식민지와 식민지 속의 일본이 동시에 존재하는 것을 보여주었다.

모던 걸 모던 보이, 유행을 좇고 좇아 백색 선호에 이르다

●

경성의 남촌으로 상징되는 새로운 문화를 찾아서 부나방처럼 모여든 이 남녀 세대들을 '혼부라'本ぶら라고 했다. 일본어 '혼마치'本町와 '어슬렁어슬렁'이란 뜻의 '부라부라'ぶらぶら의 합성어다. 일본에 처음으로 신세대가 등장했을 때 긴자銀座에서 부라부라하고 다니는 젊은이들을 보고 '긴부라'銀ぶら라고 했다 한다. 그 말을 빌려 명동, 그러니까 당시 명칭으로 혼마치를 휩쓸고 다니며 하루 종일 죽치고 노는 젊은이를 가리켜 '혼부라'라고 한 것이다.

이렇게 새로운 문화를 찾아다니며 그 문화를 즐기며 노는 젊은이들, 즉 일본의 긴부라와 조선의 혼부라들이 결국 모던 걸과 모던 보이가 되었다. 1928년 『조선일보』에 실린 만평은 내가 보기에 일제강점기를 통틀어 최고의 만평이라 할 만하다.

새로운 문화를 찾아다니던 당시 모던 걸과 모던 보이에게는
어느새 백색 문화에 대한 강력한 열망이 자리잡았다.
이러한 백색 선호는 서구에 대한 검증 없는 동경에서 비롯되었다.

○

1928년 『조선일보』에 실린 만평

어떤 내용이냐. 전차 안의 풍경을 그린 것이다. 전차 안에 어린 여학생들, 그러니까 신여성 여학생들이 손잡이를 잡고 죽 서 있다. 그 손잡이를 잡은 손목에 뭐가 있느냐. 바로 손목시계다. 이 장면에서 중요한 것은 여학생들의 존재가 아니다. 오로지 시계를 찼는가 안 찼는가, 그 시계는 금딱지인가 아닌가, 이것이 중요하다. 이들에게는 손목에 찬 시계가 생명처럼 소중하다는 사실을 이 한 컷의 만평이 아주 짜릿하게 보여준다. 1930년대 어느 글에는 이런 표현도 나온다.

다이아몬드를 준다면 아프리카의 흑인이어도 상관없다.

당시 신여성들의 풍속도를 드러낸 말이다. 흑인이어도 상관없다는 말은 다이아몬드를 가질 수만 있다면 흑인과 결혼해도 좋다는 말이다. 이런 표현이 검열에 걸리지 않고 그대로 등장했다.

그런데 이런 풍속들은 그저 신여성들이 시계나 다이아몬드 같은 귀금속을 좋아했다는 것만을 의미하지 않는다. 그때 이미 우리는 흑인을 타자화하고 있으며, 일어날 수 있는 가장 최악의 상황에 흑인이라는 존재를 전제하고 있다는 사실을 보여준다. 거꾸로 보자면 백색 선호의 문화가 저변에 깔려 있었음을 말해준다.

당시 식민지 조선의 젊은이들, 즉 모던 걸과 모던 보이에게는 백색 선호, 다시말해 백인의 문화에 대한 강력한 선호와 열망이 자리잡고 있었다. 이러한 백색 선호는 서구에 대한 검증 없는 동경에서 비롯한 것이다. 서구는 크게 보아 미국과 서유럽을 합친 것이라 할 수 있다. 일상적이고 일방적으로 서구 문화를 수용하는 상황에서 우리의 모던 걸들은 이른바 '흰색'에 대한 욕망을 날로 키워갔다. 흰 피부에 대한 젊은 여인들의 동경이 격렬하게 불타올랐다. 이것은 곧바로 백화점 화장품 코너에 즉각적으로 반영되었다. 얼굴을 하얗게 해준다는 화장품이라는 소문이 돌면 그 상품은 불티나게 팔렸다. 흰색이란 무엇인가. 결국 서구 지상주의의 한 단면을 뜻한다. 서구에 대한 동경은 흰 피부에만 그치지 않았다. 달걀형 미인에 대한 환상

역시 이때부터 시작되었다. 우리는 유선형과 거리가 먼 인종인데도 불구하고 유선형, 즉 달걀 모양의 얼굴형을 미인의 기본 조건으로 여겼다. 서구 미인의 얼굴형뿐만 아니라 서구 여성의 몸매와 키 등을 아름다운 신체의 기준으로 삼았고, 그것이야말로 우월한 미적 개념이라고 여겼다.

그 이전에 우리가 아름답다고 여겼던 미의 기준은 무엇이었는가. 동양화의 여인들, 양귀비의 초상화 등을 보면 지금의 미인상과는 참 다르다. 그때만 해도 동양에서 미인의 기준은 달덩이처럼 후덕한 얼굴이었다. 하지만 서구 문화에 대한 동경이 극도에 달했던 1930년대 모던 걸들에게 아름다움의 전형은 흰 피부에 달걀형 얼굴, 날씬하고 쭉 뻗은 몸매였다. 전통적이고 동양적인 미의 기준은 1930년대 경성 모더니즘 시대에 완전히 무너져버렸고, 이러한 변화된 미의 기준은 오늘날에도 여전히 우리를 지배하고 있다.

우리 문화를 다른 세상으로 끌고 가던 쌍두마차

●

새로운 문화에 대한 소비자의 욕망이 강렬해질수록 유행 속도는 빨라졌고, 유행 속도에 비례하여 서구 문화들은 더 다양하게 더 빠르게 들어왔다. 이 두 개의 쌍두마차는 우리를 다른 세상으로 이끌고 갔다.

○

이쯤에서 우리가 기억해둘 노래가 한 곡 있다. 1936년에 나온 노래다. 제목은 〈이태리의 정원〉. 사이 쇼키さい しょうき가 부른 노래다. 그는 누구인가. 1930년대 식민지 조선에서 가장 핫했던 예술가, 바로 최승희다. 사이 쇼키는 그녀의 이름을 일본식 발음으로 부른 것이다.

최승희는 단순한 무용가가 아니었다. 그녀는 도전적이고 실험적인 무대를 선보였고, 그런 점에서 당대의 손꼽히는 혁신적 인물이었다. 일본의 무용계에서도 그녀를 주목했다. 하지만 그녀의 말년은 그리 평탄하지 않았다. 해방 이후 좌파 문학평론가였던 남편 안막安漠, 1910~?을 따라 북한으로 따라갔지만 결국 숙청되고 말았다.

그런 최승희가 당시 영화의 주인공으로 출연했으며, 가수로도 데뷔했다는 사실은 그리 알려져 있지 않다. 영화 필름이 남아 있지 않고, 그녀가 부른 노래는 딱 한 곡밖에 전해지지 않지만 그녀는 전방위적 예술가였다.

다시 노래로 돌아와서, 최승희가 부른 〈이태리의 정원〉은 여러모로 색다르다. 최승희가 이 노래를 부르기 직전에 이난영의 〈목포의 눈물〉이 식민지 조선을 휩쓸었다. 〈목포의 눈물〉이 대히트한 이후 엔카풍의 트로트 음악이 폭발적으로 식민지 조선 전역을 휩쓸고 있는 와중에 최승희의 이 노래가 등장했다.

〈이태리의 정원〉은 엔카하고는 전혀 분위기가 다르다. 가사는 우리말인데, 노래는 서양풍이다. 제목은 〈이태리의 정원〉인데 어디에서 참고한 곡인지, 도대체 무슨 노래에서 온 건지 아무리 뒤져도 알 수가 없다. 작곡자 이름은 에드빈 린이다. 이 역시 당췌 누구인지 알 수가 없다. 〈Garden in Italy〉라는 곡이 어디서 있었나보다, 추측만 할 뿐이다. 일단 곡 자체만 들어보면 리듬은 탱고다. 그렇다고 탱고 음악이냐 하면 꼭 그렇지도 않다. 음악의 구성이 매우 복잡하다. 피아노 연주 부분은 그렇게 악센트가 강하지 않은 재즈 스타일로 흐르고, 리듬은 탱고인데, 전반적인 분위기는 샹송 스타일이다. 그러니까 도저히 이 곡의 정체를 한마디로 정의할 수가 없다. 아무리 최승희가 1930년대 유럽 순회공연까지 했던 대단한 무용가이기는 하지만 이 노래는 도저히 그 정체를 알 수가 없다. 아마도 이 노래는 당시 도쿄나 상하이에서 유행한 스타일이 아닐까, 짐작한다. 서양의 다양한 음악 사조들이 물밀듯 들어오던 도시에서 그런 여러 문화들을 동시다발적으로 받아들여 짧은 시간 안에 이것저것 마음대로 짬뽕해서 만든 스타일이 아닐까 생각한다. 물론 어디까지나 추측일 뿐이다.

그렇다면 이 노래는 지금 듣기에 어떤가. 대단히 세련됐다. 요즘 나오는 어지간한 노래보다 훨씬 낫다. 약 10여 년 전에 이 노래를 처음 듣고 정말 깜짝 놀랐다. 1930년대에 이렇게 훌륭한 노래를 만들었다니. 그래서 내가 기획과 대본에 참여한 1인 뮤지컬 〈천변살롱〉에 이 노래를 주제가로 사용했다. 이 노래를 과연 몇 사람이나 알고 있었겠는가. 공연을 보고 나서 사람들이 하나같이 물어왔다. 다른 노래는 다 알겠는데, 이 노래는 처음 듣는 스타일이라고. 〈천변살롱〉을 위해 새로 만든 노래냐고. 그 정도로 수준 높은 노래다.

1936년에 경성에 흐르던 문화적 수준이라는 것은, 음악 하나만 놓고 보더라도 단순히 트로트 · 만요 · 신민요만으로는 정의할 수 없었다. 상상을 초월하는 다양한 서양의 음악들이 이미 당시의 음악 생산자 또는 문화 담당자들에게 깊이 내면화되어 있었다. 어쩌면 내면화를 넘어 착근이 이루어졌다고 볼 수 있다. 다시 말해 우리는 1930년대에 매우 빠른 속도의 세계화, 즉 속성으로 세계화의 진행을 경험했다는 것이다.

이런 것이 가능했던 것은 바로 유행에 대한 소비자들의 강력한 열망이 존재했기 때문이다. 새로운 문화에 대한 소비자들의 욕망이 강렬할수록 유행의 속도는 빨라졌고, 유행의 속도에 비례하여 서구의 문화들은 더 다양하게, 더 빠르게 들어왔으며 이렇게 변화의 쌍두마차는 우리의 문화를 이전과는 전혀 다른 세상으로 데려갔다. 그 속에서 이미 우리는 도쿄는 물론 서구의 문화와 평행선을 걷는 소비를 하고 있었다. 영화, 스포츠, 음악, 책, 미디어 등 분야를 불문하고 그랬다.

1926년 윤심덕의 〈사의 찬미〉 쇼크 이후 3년 뒤인 1929년에 일본 엔카 〈기미 고이시〉君戀し가 거의 국민가요처럼 폭발적인 인기를 끌며 식민지 조선 땅을 강타한다. 〈기미 고이시〉는 우리말로 하면 '그대를 사랑해'라는 뜻이다. 당시의 언론 자료를 보면 〈기미 고이시〉가 식민지 조선에 상륙하는 1929년쯤에는 대도시의 웬만한 가정에 유성기가 없는 집이 없었다. 그리고 집집마다 이 음악이 흘러나왔다.

미국에서 인기를 끌던 영화배우는 식민지 조선에서도 거의 실시간으로 스타가 되었다. 세 명의 할리우드 슈퍼스타가 1920년대 후반에서 1930년대 중반까지 식민지 조선에서도 스타로 군림하는데 찰리 채플린, 버스트 키튼Buster Keaton, 1895~1966, 해럴드 로이드

Harold Lloyd, 1893~1971가 그 주인공이다. 이런 영화배우들이 입고, 들고, 차고 다니는 것들이 일반인들에게도 핫 아이템이 된다.

버스트 키튼의 카우보이 바지, 로이드 모자라고 불리던 해럴드 로이드의 동그란 맥고모자, 찰리 채플린이 들고 다니던 지팡이 등이 그런 것들이다. 이런 배우들이 출연한 영화가 개봉하고 얼마 지나지 않으면 경성의 젊은이들은 배우의 이름을 딴 의상과 소품을, 마치 지금의 김혜수 팔찌, 전지현 목걸이가 인기를 끌듯이, 너도나도 모두 들 하고 나와 경성의 거리를 휩쓸고 다녔다.

급속도로 확산된
댄스 문화

●

당시 유행했던 것 중 사회적으로 가장 큰 이슈가 되었던 것으로는 역시 댄스를 꼽을 수 있다. 전시 체제로 들어가기 전에도 조선총독부는 춤에 관해서는 엄격하게 규제하고 있었다. 일본인의 성향으로 보건대 남녀의 육체적 접촉이 필수인 댄스를 좋아하기는 어려울 거라고 생각할 수 있다. 식민지 조선 역시 마찬가지였다. 얼마 전까지만 해도 남녀칠세부동석의 나라가 아니었던가. 그런데 굳이 나라에서 규제하지 않아도 금기의 내상일 것 같은 댄스가 젊은이들 사이에서 급속도로 확산되었다.

찰스톤Charleston이라는 춤이 가장 선풍적인 인기를 끌었다. 찰스톤은 1910년대 후반에서 1920년대 초반 미국 남부에서 시작된 춤으로 처음 나오자마자 어마어마하게 유행했던 남녀 사교댄스다. 주로 재즈 음악을 깔고 추는 춤인데 이 찰스톤이 1920년대 후반부터 1930년대 중반 사이에 식민지 조선을 휩쓸었다.

우리가 흔히 1954년에 연재되기 시작해서, 1956년에 영화로도 만들어진 『자유부인』이 우리나라에 춤바람을 일으킨 원조로 알고 있는데, 춤바람의 원조는 이미 1931년에 시작되었다. 이때 춤바람이

○ 서양에서는 정작 남녀가 밀착해서 추는 춤이 거의 없다. 그런데 서양의 댄스가 들어오던 초기부터 우리는 남녀의 신체 밀착도가 굉장히 높았다. 그때의 춤은 그냥 춤이 아니었다.

얼마나 대단했느냐 하면 언론마다 이 세태를 안 다루는 곳이 없을 정도였다.

조금이라도 춤출 수 있는 여지만 생기면 젊은이들이 춤을 추었다. 카페 같은 데서 불법적으로 추는 것은 새삼스러울 것도 없고, 일반 가정집에까지 춤바람이 흘러 들어가서 유부녀들이 모여서 춤을 추었다.

수요가 많아지면 공급도 늘어나게 마련이다. 서양에서 아주 다양한 춤들이 수입되었다. 그중 역시 빼놓을 수 없는 것이 블루스다. 블루스는 원래 춤 이름이 아니다. 음악의 이름일 뿐이다. 블루스 음악을 깔고 춤을 추는데 이 음악의 템포가 아주 느렸다. 빠른 템포의 음악에 맞춰 춤을 추면 빨리빨리 움직여야 하므로 남녀의 접촉 면적이 좁고 짧아진다. 그런데 음악의 템포가 느려지니 자연스럽게 남녀의 접촉 면이 커지고, 접촉 시간도 길어지게 된다. 그러니 블루스에 맞춰 춤을 추다보면 남녀가 딱 붙어서 떨어지지 않는 것처럼 보인다. 남녀가 부둥켜 안고 춤을 추는 모습이 당시에 얼마나 충격적이었겠는가.

당시 신문에 실린 만평을 보면 남녀가 일자로 몸을 밀착한 채 춤추는 모습을 보면서 개탄하는 장면이 많이 나온다. 또 이런 만평도 있다. 다 쓰러져가는 가정집인데 문짝은 떨어지고, 벽지는 누덕누덕 기워놓은 상태다. 그런데 유성기를 틀어놓고 남녀가 백주대낮부터 몸을 밀착한 자세로 춤을 추고 있다.

춤바람 세태를 꼬집은 만평

그런데 실제로 서양의 춤에는 이렇게 대놓고 남녀가 딱 붙어서 끈적거리는 느낌으로 추는 건 별로 없다. 찰스톤이나 재즈 음악에 맞춰 춤을 추는 경우 이렇게 오래 밀착한 자세가 나오지 않는다.

기본적으로 이런 춤들, 그러니까 2박자, 4박자 계열의 재즈에 맞춰 추는 춤은 기본적으로 노터치 댄스를 전제로 한다. 남녀 사이의 육체적인 접촉은 극히 적다. 그냥 손을 잡고 당겼다 밀었다 하는 정도이고, 여자가 가까이 오기는 하지만 서로 신체를 밀착하지는 않는다. 1950년대 한국전쟁 이후 큰 인기를 끈 맘보 같은 춤도 전형적인 노터치 댄스다. 맘보 춤이 뭐냐면 홍콩 영화 〈아비정전〉에서 장국영이 '난닝구' 바람으로 추던 춤, 그게 맘보다.

그런데 춤바람이 시작되는 초입부터 우리의 댄스 문화에는 남녀의 신체 밀착도가 높은 춤을 중심으로 자리잡는다. 이건 무슨 말이냐. 그때의 춤은 그냥 춤이 아니었다는 말이다. 춤이 춤이 아닌 것이다. 억압되어 있던 욕망, 특히 성적 욕망이 춤이라는 행위를 통해 드러난 것이다.

다시 말해 당시의 춤바람 현상은 그동안 억압되었던 욕망을 직설적으로 토로하는 출구로서 사람들이 예술적 행위인 춤을 활용했다는 의미다. 따라서 서양의 다양한 춤은 식민지 조선에 들어와서 새로운 욕망의 분출구로서 기능했다고 볼 수 있다.

춤에는 음악이 필요하다. 그래서 춤과 함께 재즈는 1930년대 경성의 한복판으로 들어온다. 우리는 재즈를 처음 접할 때 음악의 한 장르로서 받아들이지 않았다. 카페, 가정집, 학교 강당, 어디를 불문하고 춤이 있는 곳에는 재즈 음악이 흘러나왔다.

자연스럽게 재즈 밴드도 등장한다. 식민지 조선의 대표적인 음반 회사인 오케레코드사의 음반 레이블에서도 이난영의 남편인 김해송金海松, 1910~1950?이 지휘하는 오케레코드 전속 악단 밴드가 있었는데, 그 구성과 그들이 연주하는 음악을 들어보면 스윙 재즈다. 즉 재즈 밴드였다.

식민지 조선의 레코드 회사들은 모두 이런 재즈 밴드를 두고 있었으며, 재즈 음악을 실제로 연주했다. 가령 1938년에 나온 박단마朴丹馬, 1921~1992의 〈나는 열일곱 살이에요〉를 들어보면 결코 뽕짝이 아니다. 스윙 재즈다. 전형적인 4박자 8비트 첫 번째와 세 번째 박자에 강세가 놓인, 전형적인 스윙 비트다. 그냥 쿵짝쿵짝, 하는 게 아니라 약간의 싱코페이션이 일어나 '으음아 음-음, 으음아 음-음' 이런 식으로 연주하고, 보컬 역시 정박에서 약간 벗어나서 리듬을 타려는 경향을 보인다. 이 노래는 우리나라 작곡가가 만든 최초의 재즈곡이라고 본다.

광고,
걸음마를 떼다

●

신문이 발행되고, 영화 시장이 커지고, 라디오가 등장한다는 것은 이제 우리가 미디어의 세계로 진입했음을 뜻한다. 미디어의 발전에서 떼려야 뗄 수 없는 중요한 축이 무엇인가. 바로 광고다. 광고는 자본주의와 함께 발전한 가장 중요한 미디어 콘텐츠다. 광고야말로 자본주의 예술의 총아다.

TV에서 우리가 접하는 광고는 보통 15초 정도다. 우리가 15초 만에 누군가를 설득하는 일이 과연 가능한 일일까. 그런데 광고는 해낸다. 광고를 보고 있으면 15초 만에 저 물건이 내게 꼭 필요한 것 같고, 저걸 사면 나도 모델처럼 예뻐질 것 같다. 어떤 대기업이 우리는 당신을 행복하게 해주려고 물건을 만들고 있노라고 15초 동안 말을 걸어오면 우리는 정말 그런 것처럼 착각하게 된다. 결국 우리는 거기에 홀려 물건을 사고 카드를 긁는다.

이런 광고의 시대가 드디어 미디어의 출발과 함께 시작되었다. 우리나라 최초의 상업 광고는 1886년 2월 22일 『한성주보』에 실린 '덕상 세창양행世昌洋行 고백' 광고였다. 전체 24행의, 그림이나 사진 없이 글자만 있는 밋밋한 광고였다. 세창양행은 독일계 무역회사인

○ 신문 광고는 시장이 갈수록 커졌다.
1930년대 후반 『동아일보』는 매출의 45퍼센트가 광고 수입이었을 정도다.
하지만 라디오나 TV광고의 등장은 아직 먼 일이었다.

데 내용이 정말 재미있다.

> 알릴 것은, 이번 저희 세창양행이 조선에서 개업하여 호랑이, 수달피, 검은담비 등 각종 가죽과 사람의 머리털, 소·말·돼지의 갈기털 등 여러 가지 물건을 사들이고 있습니다. 손님과 상점 주인들이 가지고 있는 이러한 물건들은 그 수량이 많고 적음을 막론하고 모두 사들이고 있으니 교역하시기 바랍니다. 외국에서 자명종, 시계, 호박, 유리, 서양단추, 서양천을 비롯, 여러 가지 물건을 수입하여 구색을 맞추어 공정한 가격으로 팔고 있으니 모든 손님과 소매상이든, 도매상이든 시세에 따라 교역할 것입니다. 아이나 노인이 온다 해도 속이지 않을 것이니 바라건대 저희 세창양행의 상표를 확인하시면 거의 잘못이 없을 것입니다.

본격적인 광고는 1894년 갑오개혁 이후에 시작되었다. 1896년 4월에 창간된 『독립신문』은 창간 때부터 지면 크기 대비 광고비가 얼마라는 사고社告를 냈다. 새로운 미디어의 출발과 함께 광고가 등장했던 것이다.

이후 광고는 점점 활성화되었다. 주문한 제품을 집까지 배달해준다는 한성상회의 통신판매 광고가 1910년 2월 16일자 『대한매일신보』에 실렸고, 1914년 11월 8일자 『매일신보』에 조선연초주식회사의 담배 광고가 실렸다. 이 담배 광고는 우리나라 최초로 신문 전면에 실린 것으로 당시로서는 굉장히 파격적이었다. 1928년 5월

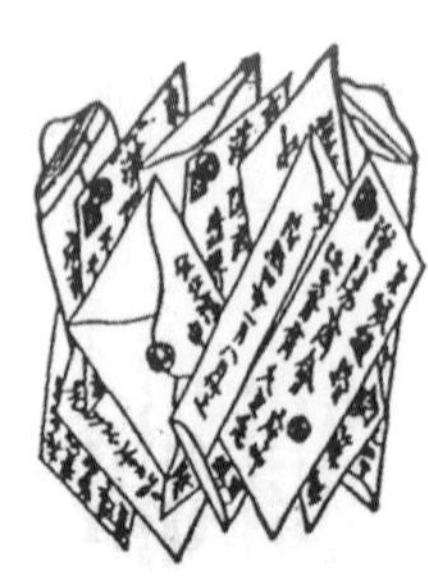

1910년 2월 16일자 『대한매일신보』에 실린 한성상회의 통신판매 광고

28일자『동아일보』에는 일본 브랜드의 포트와인 광고가 실리기도 했는데, 카툰의 선이 매우 현대적이다. 1930년대 후반으로 가면『동아일보』의 경우 매출의 45퍼센트를 광고 수입이 차지할 정도가 된다.

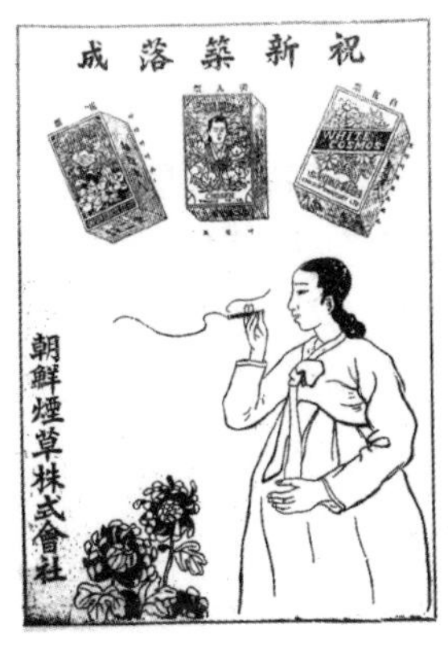

왼쪽〉 1914년 11월 8일자 『매일신보』에 실린 조선연초주식회사 광고

오른쪽〉 1928년 5월 28일자 『동아일보』에 실린 포트와인 광고

신문에 내는 광고는 갈수록 시장이 커졌으나, 라디오나 TV의 광고가 등장하기까지는 시간이 오래 걸렸다. 듣거나 보는 사람이 있어야 광고 효과가 있을 텐데 그만큼 라디오와 TV가 대중에게 보급되기까지는 시간이 걸렸다. 둘 다 1950년대 후반에야 비로소 광고가 나오기 시작했다. 따라서 한동안 매체의 광고는 곧 신문광고를 의미하는 것이었다.

1910년에서 1920년에 걸쳐 형성된 초기 외식 문화에서 설렁탕과 비빔밥이 주목받는 콘텐츠로 부상한 것은 쌀밥 중심의 우리 음식 문화에서 이것들이 가장 효율적인 음식상품의 잠재성을 지니고 있었기 때문이라고 나는 생각한다.

외식문화의 치열한 각축장 경성, 그리고 설렁탕과 비빔밥이 상징하는 바

●

대중문화 시대의 새로운 시간과 공간 개념은 비단 모던 걸, 모던 보이라는 새로운 인간형을 등장시키는 것으로 그치지 않았다. 산업 전반의 변화가 일어나던 이 시대의 흐름이 인간에게 가장 근원적인 생존 행위인 식문화의 패러다임까지 일거에 바꾸는 변화를 이끌어 내는 것은 어쩌면 너무나 당연한 일일지도 모른다. 1900년대부터 1920년대에 이르는 20세기 초반의 20년 동안 우리의 식문화 또한 근대적 외식업의 정착이라는 거대한 패러다임의 이동이 진행되면서 큰 변화가 일어났다.

1876년 강화도조약으로 시작된 개항의 분위기가 서서히 성숙하면서 이미 1880년대 말이면 한양의 일본인 거주 지역에 일본 요리옥屋이 모습을 드러내고 있었으며, 1900년이 되면 청계천 근처에서 조선 요리옥들이 문을 열며 기존의 주막이나 선술집이 근대 음식점으로 전문화되기에 이른다. 그리고 중국과 일본은 물론 서구 각국과 맺은 외교 조약으로 인해 서양인들의 입국이 눈에 띄게 많아지면서 이들을 위한 숙박과 음식 제공은 필수적인 것이 되었다.

일본인이 세운 제물포 최초의 호텔인 다이부쓰大佛 호텔이 경인선의 개통으로 문을 닫은 뒤, 1919년경 그 자리에는 중국 음식점 중화루가 들어서게 된다. 개항 이후 조선에 진출한 중국인은 대다수가 남자였고 이들을 위한 중국 음식점은 1890년대부터 제물포의 청나라 조계지에 존재했다. 이 음식점들은 화북 지방의 자오쯔餃子나 젠빙煎餠, 곧 만두와 호떡 같은 간단한 음식들을 팔았고, 한편으로 20세기에 이르러 화북 지방에서는 거의 잊힐 짜장면이 조선인들의 대표적인 기호식품이 될 준비를 서서히 갖추기 시작했다.

러시아 공사 베베르Karl Ivanovich Weber, 1841~1910를 따라 1880년대 중반 조선 땅을 밟은 손탁Antoniette Sontag, 1854~1925 여사는(그녀는 공사 부인의 언니이다.) 다양한 외국어 구사 능력과 뛰어난 외모, 그리고 세련된 매너로 고종과 민비의 신임을 샀으며, 곧 조선에 오는 외국인들을 위한 2층짜리 손탁 호텔을 1902년에 열었다. 한일강제병합이 임박한 무렵인 1909년 손탁이 귀국하면서 문을 닫을 때까지 이곳에서는 수많은 외교적 연회가 열렸고, 고종을 비롯한 조선의 관리들은 이 연회들을 통해 손탁이 제공하는 서양 음식을 접했다. 민비 시해 후 신변에 위협을 느낀 고종이 러시아 공사관으로 피신하는 이른바 아관파천 후 고종은 독살을 두려워 해 아예 손탁의 메뉴로 수라를 들기도 했다. 이 호텔엔 이토 히로부미도 묵었으며 1904년 러일전쟁의 종군기자로 온 미국의 소설가 마크 트웨인Mark Twain, 1835~1910도 묵었다고 한다.

하지만 역시 우리의 음식 문화에 결정적인 영향을 끼친 나라는 (당연히) 일본이다. 이미 1895년에 한양에만 2천 명에 달하는 일본인들이 살고 있었으며, 한일강제병합 직전인 1909년에는 거의 3만 명에 이르는 일본인들이 한양에 거주했다. 주영하의 『식탁 위의 한국사』에 따르면 이미 이때 소규모의 일본 식품 공장들이 들어섰으며, 특히 일본인들이 만든 두부는 조선인들에게도 인기가 있었다.

대부분의 분야의 산업이 그랬던 것처럼 식품산업 역시 일본의 자본과 공장들이 한반도에 진출하면서 본격적인 근대를 열어가기 시작했다. 양돈, 양계를 시작으로 장유업, 제분업, 주조업 등 일본에서 기반을 갖춘 소규모 식품공장들은 새로운 시장 조선에서 막대한 부를 축적하게 된다.

대중적인 외식문화의 등장은 개항과 식민지화 과정에서 한반도에 몰려든 왕래객들과 정착민들을 위한 식당의 출현과 맞닿아 있다. 식민지 시대로 진입하면서 경성으로 바뀐 서울의 음식점 판도는 굉장히 입체적으로 변모해간다. 청계천 위의 북촌은 조선의 음식 전통의 연장선에 놓인 식당들이 차지한다. 종로에서는 국밥집과 비빔밥집들이 조선인 고객을 맞았으며, 청계천에서는 조선 요리옥이 성업을 이루었다. 일본인들이 거주하는 명동과 남산 쪽의 남촌에는 일본 음식점들이 대거 들어서서 북촌과 확연한 대조를 이룬다. 이 두 문화가 대치하는 접점인 (지금의) 태평로와 을지로에는 중국 음식점들이 들어섰다. 1910년대 서울, 곧 경성의 풍경은 이미 근대적 음식점의 문화로 이행하고 있었던 것이다.

음식점에 기반한 외식 문화의 형성은 1910년대 조선총독부의 지방도시 정책의 실행과 더불어 전국적으로 진행되었다. 전통음식의 경우 초기엔 장국밥(무를 끓인 국물에 간장 양념을 하고 밥을 만 뒤 나물과 역시 간장에 조린 고기를 올린 것으로 탕반이라 부르기도 했다.) 이 대세였고 비빔밥집 정도가 간간히 눈에 띄었을 뿐이나, 1910년대 중반에 이르면 다양한 지방적 특색을 살린 메뉴들이 등장하게 된다.

가령 이런 것이다. 같은 국밥이라고 해도 대구에서는 육개장의 원조랄 수 있는 대구탕반이, 개성에서는 편수와 만둣국이, 전주에서는 콩나물국밥에 탁주를 곁들이는 탁백이국이 유명했으며, 서울에는 이후 서울을 상징하게 되는 설렁탕과 비록 계절적 한계가 있긴 했지만 추어탕을 간판에 내건 식당들이 속속 등장했다. 면과 만두를 파는 면옥집이 등장하는 것도 이때인데 당연히, 평양의 냉면집들이 이미 조합을 결성할 정도로 성황을 이루었다. 겨울 음식인 냉면이 여름 음식으로 탈바꿈하는 것도 바로 이 즈음이다.

조선의 도읍이었고 식민지의 조선총독부 소재지였으며 이후 대한민국의 수도가 되는 서울, 곧 당시 경성이 이런 외식문화의 치열한 각축장이 되는 것은 시간 문제였다. 1912년 『매일신보』는 경성의 음식점 풍경을 쭉 나열한다. 우리 음식점만 해도 다양한 형태의 고급 술집인 요릿집, 전골집, 장국밥집, 냉면집, 설렁탕집, 비빔밥집, 강정을 파는 과자집에 구舊왕실 출신의 요리사가 하는 숙수집까지 망라되어 있다. 이중 주목할 것은 설렁탕집과 비빔밥집 그리고 요릿집이다.

먼저, 서울 음식 그리고 동시에 기존 장국밥의 압도적인 지위를 물려받게 되는 설렁탕을 주목하자. 현진건의 단편소설 「운수 좋은 날」에도 등장하는 설렁탕은 사골 및 제반 뼈와 쇠머리, 도가니를 비롯하여 사태나 양지살코기, 내장 등을 넣고 열 시간 넘게 푹 끓인 음식이다. 일본인과 서양인들은 이를 '쇠머리 수프'라고 불렀으며, 요리옥의 간판 메뉴 신선로와 더불어 외지인들에게 부담 없이 받아들여진 몇 안 되는 메뉴 중의 하나이자, 서민 음식으로는 거의 유일한 메뉴일지도 모른다.

조선시대의 '선농'제에서 유래했다는 말도 있고 몽골의 고깃국을 뜻하는 '술루'가 변해 '설렁'탕이 되었다는 말도 있으나 어느 것도 명확하지는 않다. 다만 수많은 제사와 행사 때문에 소고기의 수요와 공급은 이미 조선시대부터 일상적이었으며 살코기를 제외한 나머지 부산물을 활용한 결과가 설렁탕이라는 것은 거의 의심의 여지가 없다. 주영하는 앞의 책에서 다음과 같이 말한다.

> (형평사 출신의) 백정이 근대 도시 중심가로 진출해 정육점을 직접 운영하면서 정육점에서 나온 부산물로 설렁탕집을 함께 운영하기도 했다. 백정들이 운영하는 설렁탕집에서는 자신들과 마찬가지로 천민으로 취급받던 옹기 장인들이 만든 뚝배기에 설렁탕을 담아냈다.
> 값이 싼 설렁탕은 점차 서민들이 애용하는 음식이 되었다. 이처럼 설렁탕은 근대 도시 서울에서 시작된 음식이기 때문에 서울이라는 지명을 넣어서 서울설렁탕이라 불러야 옳다.

장국밥은 간장으로 간을 했는데 설렁탕은 소금으로 간을 한다. 그리고 날것 그대로의 파를 잘게 썰어 국물에 넣는다. 이는 중국 산둥 출신의 화교들이 고기의 누린내를 없애기 위해 쓴 방식을 받아들인 것으로 주영하는 보고 있다.

집에서 담근 간장으로 간을 한 맑은 장국이 근대 이전 한양의 맛을 대표했지만, 이 유백색의 진한 '수프'의 유혹은 대단한 것이어서 국밥의 판도는 단숨에 엎어진다. 게다가 가격도 담뱃값에 준하는 10전에서 15전이었으니 가격 대비 성능비도 높았다고 볼 수 있다.

하지만 양반 혹은 스스로 엘리트로 자부하던 계층들은 천민들의 분위기가 물씬한, 더구나 비좁고 남루한 설렁탕집에 들어가기를 꺼렸고 그 대신 배달과 「운수 좋은 날」에서처럼 테이크아웃이 발달하게 된 것이다.

한국 최초의 대중문화잡지라고 할 수 있는 『별건곤』의 1929년 기사는 이른바 모던 걸, 모던 보이로 이루어진 '신가정'이 집에서 밥을 해먹지 않고 느지막이 일어나 '하루에 설렁탕 두 그릇'을 사다먹으며 끼니를 때우는 풍속도를 전하고 있다.

이렇듯 설렁탕 한 그릇에는 전통의 연장선에서, 전통을 벗어나 새로운 근대 음식 문화의 여러 가지 표정이 입체적으로 스며들어 있다. 국물의 문화라는 점에서는 한반도 고유의 독자성을 계승하면서(전 세계 쌀농사 문화권에서 주식으로 국물에 밥을 말아먹는 문화는 한반도가 거의 유일하다), 부엌으로부터 식당으로 공간을 이동했고, 향신료의 측면에서는 간장에서 소금과 파로 전환했으며, 백정이라는 천민 출신에 의한 음식이 주류로 진입하는 한편으로, 배달과 테이크아웃이라는 근대적 소비 체제로의 이행이 동시다발로 이루어졌다.

설렁탕이 장국을 대체하는 성격이 짙은 것이라면, 궁중과 민가에서 오랫동안 애용되던 비빔밥은 식당이라는 근대적 공간에 이르러 내용적인 탈바꿈이 일어난다는 점에서 주목할 만한 메뉴이다. 이러한 전환의 주역을 담당한 도시는 서울과 경상도 진주(전주가 아니다)였다. 바로 육회비빔밥의 출현인데, 고명으로 큼직한 소고기 육회를 덩어리째 올린 것이 서울식이라면 가늘게 채쳐서 양념한 것이 진주식이다. 그리고 조선말까지 비빔밥의 주 양념으로 등장하지 않았던 고추장이 드디어 주역이 된다는 것도 결정적인 변화 중의 하나이다.

1910년에서 1920년에 걸쳐 형성된 초기 외식 문화에서 설렁탕과 비빔밥이 주목받는 콘텐츠로 부상한 것은 쌀밥 중심의 우리 음식 문화에서 이것들이 가장 효율적인 음식상품의 잠재성을 지니고 있었기 때문이라고 나는 생각한다. 무엇보다도 대중의 진입장벽이 높지 않은 적절한 가격대, 넓은 조리 공간이 필요하지 않고 복잡한 조리 공정이 필요하지 않은 레시피, 조선의 음식에 익숙하지 않은 외국인들에게도 수용될 수 있는 보편적 미각, 빠른 고객 회전, 테이크아웃과 배달 체제에 적응할 수 있는 이동성 등이 모든 요소들이 모여 외식의 일상화라는 근대적 식문화의 풍경을 분만했다.

모래 위에 쌓은 성,
경성 모더니즘

●

이렇게 서구의 문화가 유입되고, 이에 따라 문화적 거품도 커져갔지만 우리를 둘러싼 경제 여건은 매우 열악했다. 당시 우리가 식민지 피지배국이라는 사실은 변함이 없었고, 1929년 세계 대공황 이후 우리는 절대적인 빈곤 상태에 처해 있었다. 그런 처절한 빈곤 속에서 피어난 경성 모더니즘은 어찌 보면 모래 위의 성 같은 것이었다.

최악의 경제 상황으로 인해 고용은 불안정했고, 청년 실업률은 상상을 초월했다. 개화기에 신여성으로 불리던 여성들은 1930년대 모던 걸로 진화하면서, 문화적 거품 속에서 서구를 지향했다.

그러나 이들은 결국 열악한 경제 현실 앞에서 무릎을 꿇고 만다. 이른바 유흥화하고 마는 것이다. 이미 소비 문화에 길들여지고 말았는데 그것을 감당할 경제력이 없었다. 고학력 남성들도 마땅한 직장을 구하지 못하는 상황에서 모던 걸에게 돌아갈 직장은 흔치 않았다.

결국 이 시대 많은 모던 걸은 돈 많은 남자의 첩이 되거나 유흥가로 발길을 돌리고, 모던 보이들은 실업자가 되고 만다. 그럼으로써 한때 자유분방하게 문화를 즐기던 모던 걸들의 이데올로기는 다시 집에서 얌전히 살림만 하는 여자가 최고라는 현모양처주의를 강화하는 것으로 역전당하고 만다. 이것이 우리 1930년대 경성 모더니즘의 모던 걸이 안고 있던 뼈아픈 숙명이다.

서구 문화는 유입되고, 문화적 거품은 강해지지만 식민지 피지배국임은 변치 않는 현실이었다. 결국 열악한 경제 현실에 무릎을 꿇은 모던 걸은 역시 현모양처가 최고라는 이데올로기를 더욱 강화하는 결과를 만들어내고 말았다.

○

6

식민지 대중문화의 꽃,

트로트와 악극의 전성시대

〈사의 찬미〉,
그 이후
트로트의 등장

●

1926년 〈사의 찬미〉라는 역사적인 스캔들에 의해서 우리에게도 대중음악 시대가 열렸다. 두 남녀 엘리트의 동반 자살은 식민지 조선 사회에 엄청난 충격을 주었다. 게다가 그렇게 자살한 여자의 목소리가 담긴 노래가 나왔다는 것은 무진장 센세이셔널한 일이었다. 죽은 여자의 목소리를 들을 수 있다는 그 사실 자체도 충격적이었지만, 한편으로 어떻게 그 목소리를 들을 수 있는가에 대한 호기심도 굉장히 컸다. 사건이 던진 충격의 여파, 그리고 과학 기술에 대한 호기심이 결부되어 〈사의 찬미〉는 비공식 추산으로 10만 장 가까이 판매된 것으로 알려져 있다.

그런데 그 후가 중요하다. 〈사의 찬미〉는 이렇게 엄청난 회오리바람을 일으켰지만 서양 음악풍의 대중음악에 대한 열기는 급작스럽게 주저앉았다. 그럴 수밖에 없었다. 애초에 〈사의 찬미〉라는 노래는 서양 음악의 선율이었다. 그렇게 새로운 형식의 노래가 뜨면 그 이후에 비슷한 노래들이 연달아 나와주어야 계속해서 그 음악을 즐기는 향유층이 생기는 법이다. 그런데 〈사의 찬미〉가 뜨고 나서 그런 비슷한 노래를 계속해서 만들어낼 수 있는 작곡가가 우리에게는 없었고, 그것을 찾아 들으려는 수용층도 존재하지 않았다. 따라서 〈사의 찬미〉와 같은 풍의 노래들은 재생산될 수가 없었다.

결국 〈사의 찬미〉 이후 약 5년 동안 식민지 조선의 대중음악은 약간의 공백기를 맞는다. 우리의 노래 대신 일본의 엔카만 선풍적인 인기를 끈다. 오히려 1920년대 후반에서 1930년대 초반까지 약 10년 동안 식민지 조선의 대중을 지배한 노래는 1926년에 상영된 영화 〈아리랑〉의 주제가인 바로 그 원조 〈아리랑〉이다. 〈아리랑〉이 1930년대 중반까지 전국적으로 상영되었기 때문에 이 노래는 엄청나게 많이 불렸고 지금도 여전히 부르고 있는 '나를 버리고 가시는

○ 〈사의 찬미〉 이후 전통적 감수성과는 상관없는 신상품이 등장했다.
우리 대중음악사 최초의 장르, 바로 '뽕짝'이다.
우리는 트로트를 말하기 위해 이렇게 먼 길을 돌아온 건지도 모른다.

님은 십 리도 못 가서 발병 난다'는 이 노래가 일제강점기 최고의 히트곡이었다. 비록 영화 주제가였지만 〈아리랑〉은 여전히 우리의 전통적인 민요의 연장선상에 있었다.

그런데 우리의 전통적인 감수성과는 상관없는 신상품의 장르가 등장했다. 특정한 곡 하나가 등장했다기보다 하나의 스타일이 출현했다. 바로 우리 대중음악사 최초의 장르라 할 수 있는, '뽕짝' 혹은 '트로트'라 불리는 장르다. 드디어 트로트다. 우리는 결국 일제강점기의 최종적인 음악 장르인 트로트를 설명하기 위해서 이 먼 길을 돌아온 셈이다.

그렇지만 그저 일제강점기니까 엔카풍의 노래나 트로트가 식민지 조선 대중음악의 당연한 주류였다고 쉽게 생각해서는 안 된다. 트로트가 주류가 되기까지 다양한 형태의 음악들이 시행착오를 거치며 많은 스펙트럼을 만들어왔다. 그리고 이런 스펙트럼 안에 있는 음악 장르들은 대중에게 익숙해지기까지 어느 정도 시간이 필요하다. 다시 말해서 트로트가 본격적으로 대중문화의 첨병이 되는 것은 해방이 10년밖에 남지 않은 1935년에나 가능했다. 그리고 이러한 트로트를 일제강점기에는 '유행가' 또는 일본식 명칭으로 '가요'라고 불렀다.

가요라는 말은 이제 그만!

●

여기서 잠깐. 뭐라고? 가요가 일본식 명칭이라고? 이런 의문이 들 것이다. 우리가 지금도 가요라고 하는 이 말의 한자는 '歌謠'다. 일본에서도 같은 한자를 쓰는데 이것의 일본식 발음도 '가요'かよう다. 일본에서는 뒤에 '곡'曲자를 붙여서 '가요고쿠'歌謡曲, かようきょく라고 하고, 곡曲자를 생략해서 가요라고만 칭하기도 한다.

여기서 가요라는 말은 일본식 엔카 문법으로 만들어진 대중음

가요. 국민가요의 준말. 1920년대 일본 음반 산업에서 쓰던 말. 일부 몰지각한 이들의 억지 주장 덕분에 21세기인 오늘날까지도 청산하지 못한 일본 제국주의 시대의 잔재. 아닌 건 아닌 것.

○

악을 뜻한다. 그러니까 가요라는 말은 21세기인 지금까지도 우리가 청산하지 못한 일제의 잔재인 것이다.

이 단어를 둘러싸고 의견이 분분하다. 옛날 어르신들이야 그렇다고 해도, 소위 소장학자 중에도 '가요가 일본말은 아니다'라고 이른바 '뽕짝 진영'을 옹호하는 주장을 하는 이들이 있는데, 참 안타깝다.

물론 가요라는 말은 조선시대에도 있었다. 글자 그대로 노래 가歌, 노래 요謠다. 가歌는 멜로디가 있는 것을 말하고, 요謠는 멜로디는 없고 가사만 있는 것을 말한다. 그래서 노래와 관련된 문학적 가사는 전부 가요다. 실제 조선 말기 시조집에는 『해동가요』처럼 문집 제목에 가요라는 말이 들어가는 경우가 많다.

그렇다고 해서 이렇게 오래전부터 우리가 가요라는 말을 써왔으니 가요라는 말이 꼭 일본적인 표현은 아니라고 주장하는 건 말이 안 된다. 우리가 지금 부르는 가요라는 말과 조선시대의 가요는 같은 말인가? 가요라고 말할 때 조선시대 『해동가요』의 시조를 떠올리는 사람이 얼마나 되겠는가.

우리가 지금 쓰고 있는 가요라는 단어는 식민지의 특정 시기, 즉 1920년대 중반 이후에 만들어져 지금까지 이어져오고 있는 어떤 특정한 경향의 노래를 뜻한다. 그리고 그 가요라는 말은 불행하게도 조선시대의 문집에서 따와서 우리가 스스로 붙인 이름이 아니라, 당시 일본 음반 산업에서 쓰던 말을 그대로 따온 것이다. 그러니까 같은 한자라고 해도 철저히 제국주의적인 용어다. 이것이 분명한 '팩트'인데 지금 우리가 가요라는 말을 일반적으로 쓰고 있으니, 그것에 어떤 명분을 주고 스스로를 정당화하고 싶은 마음에 조선시대부터 써오던 말이라는 억지 논리를 내세워 일제의 잔재임을 부인하고 있는 것이다.

내가 보기에 참 딱하고 안쓰럽다. 당시 시대 상황이 그렇게 흘러가는 바람에 어쩔 수 없었다, 잘못된 건 잘못된 거다, 라고 인정하고, 그럼 앞으로 어떻게 바꿔서 부를지를 논의하면 되는 건데 왜 그렇게 억지 주장을 줄기차게 고집하는지 모르겠다.

비슷한 예가 없다면 또 모르겠다. 우리는 해방이 되고 나서도 한동안 써왔던 '국민학교'라는 명칭을 '초등학교'로 바꾸었다. 국민학교가 일제강점기에 쓰던 용어이기 때문이다.

역사는 그렇게 전진한다. '개꼬리 3년 묻어둔다고 용꼬리가 되는 것'도 아니지 않은가. 일제강점기의 잔재를 승인하고 인정하는 자세, 그것을 위한 논리를 자꾸 만들어내는 태도야말로 친일파의 전형적인 모습이다. 누가 뭐라고 해도 아닌 건 아닌 것이다. 아닌 걸 가지고 자꾸 우기면 안 된다.

비로소, 대중음악의 시대가 열리다

●

다시 대중음악의 이야기로 돌아오자면, 이 대중음악 시장의 문호를 연 것은 누가 뭐라 해도 〈사의 찬미〉를 남기고 죽은 윤심덕이다. 윤심덕은 자신이 식민지 조선 땅에 대중음악의 시대를 처음으로 열 줄은 꿈에도 몰랐을 것이다. 왜냐, 그녀는 정통 예술을 전공한 성악가였으니까. 스스로를 그렇게 여겼으니까. 대중음악을 하고 있다고 생각하지 않은 건 윤심덕만은 아니었다.

1930년대가 될 때까지 자신이 대중음악을 하는 사람이라는 자의식이나 직업의식을 가진 프로페셔널은 식민지 조선에 존재하지 않았다. 대중음악과 순수예술을 구분하는 그런 의식 때문이 아니라, 대중음악이라는 개념 자체가 일반화되지 않았기 때문이다. 윤심덕처럼 성악을 전공한 사람이든, 〈이 풍진 세월〉을 부른 기생이든 간에 자신이 대중음악가라고 생각하고 부른 게 아니었다. 그냥 모두 노래를 부르는 사람이었다.

오늘날 우리는 흔히 성악가라고 하면 마치 오페라나 가곡 같은 장르의 노래를 불러야 할 것 같지만 당시에는 그런 구분이 없었다. 실제 홍난파가 만든 가곡도 동요와 크게 다르지 않은 수준이었다. 그

윤심덕이든 기생이든 대중음악가라 말할 수 없다.
그런 구분 자체가 아예 없었다. 일본 유학파 채규엽은 한 장의 카드를 꺼낸다.
그가 꺼낸 카드는 바로 엔카. 그러나 결과는 실패.
○

뿐만 아니라 〈술은 눈물일까 한숨일까〉의 채규엽과 〈황성 옛터〉의 전수린全壽麟, 1907~1984, 〈타향살이〉를 작곡한 손목인과 그 노래를 부른 고복수高福壽,1911~1972 등등은 일단 모두 일제강점기의 엘리트다. 그리고 이 노래들의 가사를 쓴 사람은 전부 문인이었다. 지금처럼 대중가요 전문 작사가가 존재하지 않던 시절이었다.

그래서 곡을 쓰고 노래를 부른 사람들의 면면을 보면, 지금 우리가 보기엔 '쌍팔년도' 시절의 노래처럼 보이지만, 당시 개념으로만 본다면 뽕짝은 최고의 엘리트 진영이 만들어낸 문화였다. 다시 말해서 당시에 트로트는 가장 도시적이고 고급스러운 '신상' 문화였던 것이다.

따라서 1930년대 초반까지만 하더라도 채규엽이나 고복수 같은 사람들에게는 '나는 대중가수다' 혹은 '나는 성악가다'라는 자의식의 경계가 사실상 존재하지 않았다. 부르는 가수만이 아니라 듣는 사람도 그랬다. 이 시기에는 아직 이른바 대중문화와 고급문화를 가르는 경계가 있었다고 보기 어렵다. 이 시대의 특징을 이해하기 위해 이 점을 기억해둘 필요가 있다.

다시 말해, 당시만 하더라도 가곡을 부르는 사람이든 뽕짝을 부르는 사람이든 모두 음악을 하는 사람이었고, 자신들이 어떤 음악을 하고 있는가에 대한 자의식이 생기는 것은 더 시간이 지난 후의 일이다. 즉 대중음악과 소위 고급문화라는 구분, 그로 인한 자의식의 분리가 이루어지기까지는 시간이 더 필요했다는 말이다.

1930년대 초, 최초로 뽕짝 노래를 작곡해서 부른 채규엽은 유학생이었다. 엘리트였던 것이다. 그는 자신의 이름 뒤에 직업을 뭐라고 밝혔을까. 성악가라고 썼다. 레코드에도 '성악가 채규엽'으로 인쇄되어 있었다고 한다. 대중가수가 아니고 성악가라고 쓴 것이다.

그는 당시 일본에서 히트곡이었던 일본 엔카를 우리말로 번안해서 녹음했다. 〈술은 눈물일까 한숨일까〉라는 제목의 노래였다. 일본 엔카의 천황이라 불리는 고가 마사오古賀政男, 1904~1978의 곡으로, 쇼와 50년, 즉 일본의 근대사 50년 최고의 히트곡이다. 20세기 일본의 역사적 노래인 것이다.

이 노래를 찾아 들어보기 바란다. 이 노래는 전주와 후주가 같다. 첫 번째 테마가 반복되는 형식인데 거기서 더 이상의 발전이 없다. 그러다가 간주가 나오고 a-a′가 다시 반복된다. 그다음으로 다시 간주가 길게 나오고, 이쯤해서 뭔가 극적으로 고조되겠지, 하고 기대하는데 다시 같은 부분이 반복되다가 끝난다. 이것이 일본 쇼와 50년, 즉 1920년에서 1970년 사이의 일본 역대 히트곡 1위로 꼽히는 노래다.

심심한 이 노래는 엔카의 원형을 보여준다. 이 노래를 들어보면 음악에 문외한인 사람도 2박자 곡이라는 것을 알 수 있다. '쿵짝, 쿵짝' 이게 기본이고, 가끔씩 변박으로 전주의 마지막 부분이 '쿵-짜작 쿵짝'이다. 이렇게 전형적인 박자 패턴을 듣고 있으면 '뽕짝뽕짝' 하는 것처럼 들린다. 그래서 '뽕짝'이라 불렀다.

채규엽은 이렇게 당시 일본에서 가장 '핫'한 노래를 우리말로 번안해서 똑같이 불렀다. 그런데 식민지 조선에서는 전혀 반응이 없었다. 식민지 조선인에게는 아직까지 이런 리듬 패턴이 낯설었기 때문이다.

〈황성 옛터〉, 우리나라 작곡가가 만든 최초의 트로트 히트곡

●

한편 채규엽과 비슷한 시기에 일본 유학을 갔다 온 전수린이라는 작곡가가 일본의 엔카 패턴을 가지고 노래를 하나 만들었다. 당시 연극배우였던 이애리수李愛利秀, 1911~2009가 자신이 출연한 연극에서 이 노래를 불렀다. 처음 불린 것은 1928년도이고, 음반은 1932년도에 출시되었다. 바로 〈황성의 적迹〉이라는 노래다. 무슨 노래인지 모를 것이다. 지금은 다들 〈황성 옛터〉로 알고 있는 노래다. 이 노래는 어마어마하게 히트를 했다. 우리나라 작곡가가 곡을 쓴 최초의 트로트

○ 같은 엔카풍인데 채규엽은 실패하고, 〈황성 옛터〉는 성공.
두 노래 차이는 바로 박자. 2박자 일본풍 박자가 아닌 3박자 곡으로 만든 것이 주효.
성공과 실패는 '한끗' 차이.

히트곡이다.

그런데 이 노래가 채규엽이 번안한 노래와 무슨 차이가 있기에 이렇게 히트를 한 걸까. 〈황성 옛터〉가 앞서 채규엽이 번안한 〈술은 눈물일까 한숨일까〉와 다른 점은 바로 박자였다. 〈황성 옛터〉는 단조 5음계, 즉 라시도미파 음계를 사용했다. 이는 〈술은 눈물일까 한숨일까〉와 같은 패턴의 음계다. 그런데 〈술은 눈물일까 한숨일까〉가 2박자인 데 비해 〈황성 옛터〉는 3박자다.

일본풍의 박자가 아닌 3박자의 곡으로 만든 것이 주효했다. 급하게 쫓아가야만 하는 경박한 2박자보다는 호흡이 훨씬 여유로운 곡을 당시 식민지 조선의 대중은 훨씬 자연스럽게 받아들였다. 가사 역시 심금을 울렸다.

황성 옛터에 밤이 되니 월색月色만 고요해
폐허에 스른 회포를 말하여주노나
아 가엾다 이 내 몸은 그 무엇 찾으려고
끝없는 꿈의 거리를 헤매어 있노라

성은 허물어져 빈터인데 방초만 푸르러
세상이 허무한 것을 말하여주노라
아 외로운 저 나그네 홀로서 잠 못 이루어
구슬픈 벌레소리에 말없이 눈물져요

노래를 듣거나 부르고 있으면 나라를 잃고 뿌리가 뽑힌 채 객지를 떠도는 민족의 운명이 저절로 오버랩된다. 당시 대중의 감정을 노래 가사에 충분히 반영했다고 볼 수 있다. 때문에 만주 지방 순회공연을 할 때 이 노래가 나오면 관객이 전부 목 놓아 울었다고 한다.

그런데 이렇게 히트를 친 이애리수는 이 노래를 끝으로 연기처럼 사라진다. 사람도 사라지고, 다른 노래를 녹음한 적도 없다. 어떻게 된 일인가. 이 노래를 부를 당시 이애리수는 스무 살 남짓이었고, 약 2년 정도 활발하게 활동했다. 그러다가 좋은 가문의 남자와 혼담이 오갔다. 하지만 당시 연극배우는 기생들에게조차 천대받는 직업이었다. 남자 집안에서 순순히 허락할 리가 없었다. 극심한 반대에 부딪혔다. 그러자 신랑감이 이애리수에게 반해서 이 여자랑 결혼하지 못할 바에는 차라리 죽어버리겠다고 난리를 쳤다. 자식 이기는 부모 없는 건 그때나 지금이나 마찬가지다. 할 수 없이 결혼을 허락한 남자 쪽 집안에서 조건을 내걸었다. 이 세상에서 없는 사람처럼 살아라, 이게 결혼 허락 조건이었다. 그래서 어느 날 이애리수는 결혼과 함께 연기처럼 사라졌다고 한다. 그 이후로 70년 동안 그녀의 행적을 아는 사람은 아무도 없었다. 그러다 2000년대 초반 어느 날 홀연히 할머니 한 분이 등장해서 사실은 내가 이애리수다, 라고 말했다. 그로부터 3년쯤 후에 그녀는 세상을 떠났다. 우리나라 최초의 트로트 히트곡을 부른 가수의 운명이 그러했다.

〈황성 옛터〉 이후 빅히트곡이 연이어 나온다. 바로 뒤이어 나온 노래는 부평초浮萍草와 같은 식민지 조선 대중의 민족적 감수성을 건드리는 곡이었다. 바로 손목인이 작곡하고 고복수가 부른 〈타향살이〉라는 노래다. 1934년에 나온 이래 지금도 명절이면 라디오에서 빠지지 않고 틀어대는 노래다.

고복수가 이 노래를 부르는 모습을 찾아보기 바란다. 보고 있으면 조금은 낯선 느낌이 든다. 지금 우리가 뽕짝 가수를 생각하면 쉽게 떠오르는 그런 분위기가 아니다. 즉 뽕짝을 부른다는 생각을 하지 않는 것처럼 보인다. 그 역시 대중문화와 고급문화의 경계를 두고 있지 않았다.

〈목포의 눈물〉, 본격적인 트로트 시대의 문을 열다

●

〈황성 옛터〉와 〈타향살이〉를 거친 후 1935년 이 뽕짝의 문화가 바로 밑바닥 계층의 정신을 담은 것임을 보여주는 가수가 등장한다. 목포 출신의 열여덟 살 소녀 이난영이 주인공이었다.

그녀는 찢어지게 가난한 집에서 태어나서 열두 살에 고향을 떠나 제주도까지 가서 식모살이를 했던, 그야말로 처절한 밑바닥 인생이었다. 그런 그녀를 발탁한 사람은 우리나라 최초의 프로듀서로 역사에 남게 되는 오케레코드사의 이철李哲, 1903~1944이었다. 1934년에 데뷔한 이난영은 〈타향살이〉를 지은 손목인의 새 노래를 불러 취입한 음반에서 대성공을 거둔다. 그 노래가 바로 1935년에 발표한 음반에 수록된 〈목포의 눈물〉이다.

이난영의 등장은 본격적인 트로트 시대의 막을 올린, 우리나라 유행가의 새로운 시대의 문을 활짝 열어젖힌, 가장 위대한 터닝 포인트였다. 그리고 바로 〈목포의 눈물〉로부터 비로소 우리에게 대중음악이라고 하는 유행가는 밑바닥 계층의 정서를 대변하는 것이 되었다.

그도 그럴 것이 영국 로열아카데미 출신의 가수가 드레스를 갖춰 입고 이 노래를 부른다고 생각해보자. 뭔가 좀 부담스럽지 않겠는가. 그 사람의 노래는 그 사람의 노래일 뿐 일반 대중이 감정이입을 해서 듣기는 어렵다. 그런데 어느 날 어떤 가수가 나와서 슬픈 노래를 부르는데, 알고 보니 밑바닥 계층에서 온갖 고생을 다하다가 어쩌다 가수가 되어 노래를 부르고 있다고 생각하면 감정이입을 하기가 쉽다. 노래를 부른 사람에게 친근감을 느끼고 무조건 응원해주고 싶은 마음이 드는 것이 인지상정이다.

그 이전까지 노래를 부르는 사람은 대중과는 전혀 다른 이들이었는데, 열여덟 살 먹은 이 소녀는 자신들과 전혀 다를 바 없는, 아니

○ 〈목포의 눈물〉, 일본의 음악 문법인 엔카로 우리 음악의 문법을 이행시킨 노래. 일본에 저항하는 메시지를 담은 민족 저항가. 하나의 노래 안에 매우 역설적인 이야기가 동거하는 바로 그런 순간.

보통의 사람들보다 훨씬 더 지지리 고생하며 살아온, 밑바닥 계층 출신이었다. 그리하여 우리의 음악사는 이렇듯 보통 이하의 밑바닥 계층 출신의 한 소녀에 의해 새로운 장으로 넘어간다.

이난영이 부른 〈목포의 눈물〉은 여러모로 정말 중요한 노래다. 노래를 찾아서 들어보라. 전주 부분이 어떤가. 일본 엔카 번안곡 〈술은 눈물일까 한숨일까〉와 〈타향살이〉와 비교해서 들어볼 필요가 있다. 들어보면 알겠지만 이 노래는 〈술은 눈물일까 한숨일까〉와 같은 2박자로 회귀했다. 이게 의미하는 바가 있다. 그러니까 1935년에 나온 〈목포의 눈물〉은 우리나라 사람이 정통 일본 엔카의 방법으로 작곡하여 성공한 최초의 노래다. 1932년에 2박자의 〈술은 눈물일까 한숨일까〉라는 일본 최고의 히트곡을 받아들이지 않았던 대중들이 3년 만인 1935년에 이르러서는 우리 손으로 쓴 같은 2박자의 〈목포의 눈물〉을 받아들이게 된 것이다.

다시 말해 〈목포의 눈물〉 이전에 우리가 즐겨 부르던 노래는 대개 3박자의 노래였다. 3박자가 지배하고 있었다. 그런데 이 박자에도 변화가 시작된 것이다. 3박자 중심의 노래들이 완벽하게 체제를 갖춘 트로트 엔카 2박자 체제에 권력을 넘겨주게 된 것이다. 그 시작이 바로 〈목포의 눈물〉이다. 그 이전까지 식민지 조선에서는 함부로 명함을 내밀지 못했던 일본풍의 2박자 노래가 을사늑약 30주년이 되는 1935년에 이르러, 주도권을 차지하게 된다. 그것도 나라 잃은 슬픔을 애달프게 담은 그 노래로 인해서 말이다.

3년 만에 무슨 일이 벌어진 것인가. 이것은 음악적·미학적 수용이 아니었다. 당시 식민지 조선의 대중이 이 노래를 받아들인 것은 음악적인 이유가 아니라 정치적인 이유였다. 우리가 알다시피 이 노래는 고故 김대중 대통령의 '18번'이자 프로야구 팀 기아 타이거즈의 전신 해태 타이거즈 광주 홈구장의 응원가이기도 했다.

이 노래의 가사는 1절과 2절이 완전히 다른 이야기다. 1절은 부둣가에 서 있는 어느 아낙의 이야기다.

사공의 뱃노래 가물거리면
삼학도 파도 깊이 스며드는데
부두의 새악시 아롱젖은 옷자락
이별의 눈물이냐 목포의 설움

화자는 남편이 바다에 나가서 안 돌아왔는지 아니면 남편이 원망스러워 바다에 뛰어들려고 하는지 알 수 없는 색시다. 그런데 2절을 보자.

삼백 년 원한 품은 노적봉 밑에
님 자취 완연하다 애달픈 정조
유달산 바람도 영산강을 안으니
님 그려 우는 마음 목포의 노래

1절에서는 화자가 분명히 색시 한 명밖에 없는데 2절은 갑자기 '삼백 년 원한'으로 시작한다. 30년이면 몰라도 300년은 한 인간의 개인적인 시간이 아니다. 즉 여기서부터는 개인의 공간이 역사의 공간으로 바뀐다. 이렇게 거꾸로 300년을 거슬러 올라가면 무슨 일이 나오는가. 바로 1592년 임진왜란이다. '노적봉'은 명량해전에서 이순신이 쓴 전술적 가짜 지형물을 말한다. 따라서 '삼백 년 원한 품은 노적봉 밑에'라고 하는 순간 이 노래는 한 개인의 이별의 아픔이 아닌, 일본 제국주의에 대한 저항가의 성격을 드러낸다. 그렇게 보면 '님 자취 완연하다 애달픈 정조'에서 '님'은 당연히 돌아오지 않는 남편이 아니라 망국, 잃어버린 조국이 된다. 개인의 애조 띤 이별가에서 갑자기 민족 저항가로 돌변한 것이다.

〈목포의 눈물〉은 노래의 틀은 일본의 엔카에서 가져왔는데, 그런 가사 때문에 이 음반을 구매하고 즐겨 들은 대중에게는 가슴을 끓게 하는 민족 저항가가 되었다.

이 노래는 검열에 걸려서 발표하지 못할 뻔했으나 프로듀서 이철의 로비로 간신히 검열을 통과한다. 어떤 로비였을까. 로비라기보다는 기지라고 해야 맞을 것이다.

가사를 보면 누가 봐도 잃어버린 조국을 다시 되찾고자 하는 노래다. 조선총독부 입장에서는 절대로 검열을 통과시켜줄 수 없는, 일종의 민족 저항가였다.

이 노래가 발표되기 2년 전인 1933년에 조선총독부에서는 '공연과 흥행에 관한 취체령取締令'을 선포했다. '취체령'이란 지금식으로 설명하면 '검열령', '단속령'이다. 즉 모든 공연, 노래, 영화는 발표하기 전에 조선총독부의 검열을 받아야 했다. 이후에 우리나라에서 실시되었던 '사전심의제'는 조선총독부의 이 취체령을 그대로 베껴서 만든 법안이다. "황실의 안녕과 질서를 저해하는……"에서 '황실'이 '국가'로 바뀐 것 말고는 토씨까지 거의 비슷하다.

검열의 시대, 어쩌면 최초일지 모르는 노이즈 마케팅

●

취체령 이후 검열은 살벌했다. 그 이전까지만 해도 그 정도는 아니었다. 앞에서 살펴본 영화 〈아리랑〉은 객관적으로 보면 도저히 일제강점기의 검열을 뚫고 상영되기 어려운 영화였다. 하지만 일본 제국주의자들은 이 영화에 대해서 상영금지 조치를 한다거나 압수 조치를 내리지 않았다. 심지어 후속편이 나왔을 때도 전혀 건드리지 않았다. 1935년까지 이런 영화들이 지속적으로 극장에 걸렸다. 일본 사람들이 바보도 아니고, 영화의 장면이 의미하는 게 뭔지 몰랐을 리 없다. 그렇지만 〈아리랑〉은 1926년 단성사 상영뿐만 아니라 1930년대 중반까지도 전국의 극장에서 상영되었던 전 민족적 히트작이었다.

어떻게 그런 일이 가능했을까. 조선총독부는 일방적이고 무자비한 검열 정책보다는 적절한 수준에서 피지배 계층의 숨통을 어느 정도 열어주는 것이 식민 통치에 더 도움이 된다고 판단했을 것이다. 어느 정도 선까지는 두고 보자는 것이 이들의 판단이었던 듯하다.

그러나 이때도 한계선을 넘으면 가차 없이 철퇴를 내리긴 했다. 나운규는 1930년에 〈두만강을 건너서〉라는 의미심장한 영화를 만들었다. 이 땅을 떠나서 두만강 너머 만주에서 새로운 삶을 모색한다는 내용인데, 조선총독부는 검열 결과 이 영화에 대해서는 상영을 허락할 수 없다는 조치를 취한다. 결국 이 영화는 제목을 〈사랑을 찾아서〉로 바꾼 뒤에야 상영을 허락받았다. 민감한 제목을 뜨뜻미지근하게 바꾼 것이다. 그렇게 해야만 영화를 걸 수 있었다.

이런 일도 있었다. 1933년에 일본 검찰에서 '풍속교란'이라 불렸던 연극 사건이 일어났다. 단성사의 신무대라는 극단의 악단들이 〈황금광소곡〉이라는 슬랩스틱 코미디 연극을 한 편 올렸다.

그런데 배우들이 검열본과 다른 내용으로 공연을 했다. 이 일로 배우 열다섯 명이 한꺼번에 연행되어갔다. 보통은 대표 한 명을 잡아가는데 이번에는 싹 다 잡아들인 것이다. 연극이니까 애드리브가 있을 수 있는데, 내용이 문제가 아니라 대본과 다른 내용을 공연한 것이 문제가 되었다. 결국 그 배우들은 모두 실형을 선고받았다.

즉 어느 정도의 룰을 만들어놓고 그 안에서는 일정하게 허용하면서도, 선을 넘는다고 여기는 순간 가혹하게 대응했다. 그렇게 함으로써 식민지 조선인들이 스스로 알아서 조심하게 하는 문화적 상황을 만들기 시작했다.

문화통치 시대, 즉 사이토 총독은 단순히 일방통행적이고 억압적인 구조를 폭력적으로 관철시켰다기보다 유연하고 탄력적으로, 당근과 채찍을 유효적절하게 구사하는 전략을 썼다. 이는 사실상 조선인 진영을 교묘하게 분열시키고 경쟁시킴으로써 이들이 결집하지 못하도록 방해하는 고도의 식민 통치술이었다.

1930년대로 접어들면서 식민지 조선에는 전운이 감돌기 시작했다. 1931년에 일본은 만주사변을 일으켜 만주를 손에 넣고 만주 괴뢰국을 세운다. 대륙 진출의 발판을 위한 작업이었는데 이런 일본의 불법적인 만주 점령에 대해서 국제 여론의 비난이 빗발쳤다. 이로 인해 일본은 1933년에 국제연맹을 탈퇴했고, 이때부터 일본은 미국과 영국을 중심으로 한 백인 국가들과 잠정적인 적대 진영에 속하게 되었다.

일본은 국제연맹을 탈퇴하면서 활동사진 및 영화의 '취체' 규칙을 1934년에 보강하는데 식민지 조선의 영화는 이미 통제가 끝났고, 이때 이미 많이 들어오고 있던 미국이나 유럽의 영화들을 철저하게 걸러내기 시작한다. 취체 규칙을 통해 조금이라도 서구를 미화하거나 자기들이 보기에 좌파적인 표현이나 불온한 사상은 철저히 걸러내서 아예 식민지 조선에서 상영하지 못하게 하고 철저히 오락적인 할리우드 영화만을 볼 수 있게 했다. 노래 역시 예외는 아니었다.

이렇게 공연과 흥행에 관한 취체령이 발효된 지 2년 뒤였기 때문에 〈목포의 눈물〉은 검열을 통과하는 게 불가능한 가사였다. 앞에서 말한 이철의 로비 또는 기지라고 할 만한 활약상이 바로 이 지점에서 눈부시게 펼쳐진다. 우선 가사 중에서 딱 봐도 문제가 될 가능성이 큰 '삼백 년 원한 품은'을 '삼백연三柏淵 원앙풍은'으로 바꾸었다. 그 덕분에 300년이나 품은 무시무시한 원한이 '사이 좋은 원앙과 같은 산들바람'이라는 달콤한 분위기로 싹 달라졌다.

여기서 멈추지 않았다. 그렇게 검열을 통과한 뒤 이철은 이 노래가 가진 민족 저항가로서의 성격에 초점을 두고 대대적인 마케팅을 펼쳤다. 요즘말로 하면 노이즈 마케팅을 펼쳤다. 헛소문을 퍼뜨린 것이다.

> 〈목포의 눈물〉이라는 노래가 나왔는데, 조선총독부의 검열에 걸려 발매되지 못할지도 모른다.

이런 소문이 장안에 쫙 깔렸다. 이 소문은 순식간에 확산되었고, 소문이 어느 정도 무르익은 시점에 음반이 나왔다. 그때나 지금이나 '지금 못 사면 영영 못 살 수도 있다'는 위기감은 저절로 지갑을 열게 하는 강력한 힘이다. 결론은 보나 마나다. 이 노래는 전설이 되었다. 공식적인 판매고만 5만 장을 돌파함으로써 최초의 빅히트곡으로 등극했고, 식민지 조선 전역이 이 노래로 뒤덮이게 된다.

우리는 이 지점에서 〈목포의 눈물〉에 담긴 복잡한 의미를 살펴봐야 한다. 이 노래의 음악적 구조는 일본의 엔카에서 가져온 것으로 식민지 조선의 음악은 〈목포의 눈물〉로 인해 종주국 일본의 음악 문법인 엔카로 이행하게 되었다. 그런 일본의 음악 문법인 엔카로 식민지 조선 음악의 문법을 이행시킨 바로 그 노래가 일본에 저항하는 메시지를 담고 있는 셈이 된 것이다. 〈목포의 눈물〉 안에 매우 역설적인 아이러니가 동거하는 그런 순간이 되겠다.

1930년대
트로트를 중심으로
빛난 별들

●

○ 이난영, 트로트 문화의 원형을 만들고 창법을 완성한 가수.
남인수, 굉장한 미남에 미성의 소유자이자 트로트계의 30년 슈퍼스타.
박시춘, 트로트 역사에 길이 남을 불세출의 작곡가.

이난영의 〈목포의 눈물〉의 성공은 우리가 트로트 혹은 뽕짝이라고 부르는, 다시 말해서 일본 엔카풍 대중음악이 우리나라에서 최초의 지배적 주류 장르로 자리잡는 순간이기도 하다. 이 음반을 찍어낸 오케레코드사는 이난영의 성공에 확신을 가지고 이런 방식의 노래들을 열성적으로 찍어내기 시작한다.

오케레코드사의 경영자가 이철이라면 뮤직 디렉터는 후에 이난영의 남편이 되는 김해송이다. 그는 오케레코드사의 음악 감독이자 오케악단의 지휘자였고, 작곡가이면서 가수인 싱어송라이터였다.

김해송과 이난영은 우리 현대사의 소용돌이에 휘말려 비극적인 삶을 산다. 김해송은 한국전쟁 때 납북되었다. 김해송과의 사이에서 낳은 자식들을 전쟁통에 데리고 다니면서 고생하던 이난영은 신경쇠약증에 걸렸고, 한국전쟁 이후에는 아편 중독자가 되었다. 그렇게 밑바닥으로 전락했을 때, 이난영을 구원한 사람이 바로 오케레코드사의 동료였던 슈퍼스타 남인수南仁樹, 1918~1962다. 남인수는 인생의 마지막을 자신의 동료였던 이난영과 같이 하다가 1962년에 지병으로 세상을 떠나고, 그 후 얼마 지나지 않아 이난영 역시 1965년에 사망한다.

가수로서의 삶은 자식 대로 이어졌다. 김해송과 이난영 사이에서 태어난 두 딸과 이난영의 조카딸 한 명이 모여 걸그룹을 만들었는데, 이들이 바로 1960년대에 큰 인기를 끌었던 김시스터즈다. 한류의 원조이자 첫 주자랄 수 있는 김시스터즈는 1962년 한국 가수로는 최초로 〈찰리 브라운〉이라는 리메이크곡으로 미국 빌보드 차트 리듬앤블루스 부문에 오른다.

이난영이라는 존재는 우리 대중음악사에서 매우 중요한 위치를 차지한다. 그를 위시하여 트로트라는 문화의 원형이 만들어졌고, 그녀야말로 트로트라는 창법을 완성시켰기 때문이다. 이난영이라는 모델이 있었기에 1960년대 이미자李美子, 1941~가 나오고 이난영과 이미자가 있었기에 1980년대에 주현미周炫美, 1961~가 나올 수 있었다.

'이난영 앞에 이난영 없고, 이난영 뒤에 이난영 없다'는 말이 생길 정도로 이난영의 발성은 트로트의 표준이 되었다. 굉장한 고역과 콧소리 그리고 고역 부분에서의 매력적인 바이브레이션 트릴 같은 장식음 그리고 탁성이 아닌 클린 톤의 목소리만으로 내는 깨끗한 소리는 트로트 발성법의 중요한 요소들이다.

이러한 발성법으로 1962년에 세상을 떠날 때까지 30년 동안 황제의 자리를 누린 슈퍼스타가 뒤이어 등장했다. 바로 이난영의 뒤를 이어 오케레코드사의 전성시대를 연 진주 출신의 남인수였다. 오케레코드사의 이철은 전라남도 목포 출신의 이난영과 경상남도 진주 출신의 남인수라는 두 명의 슈퍼스타를 거느리고 한 시대를 풍미하게 된다.

남인수는 이난영과 달리 철저한 자기 관리로 유명했다. 끊임없이 공부하고, 끝도 없이 연습했다. 거기에다가 굉장한 미남에 미성이었다. 그가 죽기 얼마 전에 녹음한 음반을 들으면 젊은 시절에 녹음한 것과 거의 차이를 느낄 수 없을 정도다.

이런 철저한 자기 관리 외에도 남인수에게는 더할 수 없는 행운이 있었다. 그가 가진 최고의 행운은 트로트 역사에 길이 남을 불세출의 작곡가인 박시춘이었다. 박시춘이 남인수의 파트너라는 사실은 남인수에게 날개를 달아준 격이었다.

1938년 이 불세출의 콤비는 트로트 역사의 첫 번째 전성기를 여는 〈애수의 소야곡〉이라는 명곡을 발표한다. 이 노래는 식민지 조선을 넘어 일본에까지 알려지게 된다. 그로 인해 박시춘은 가장 영광스러우면서도 가장 모욕스러운 칭호를 달게 된다. '조선의 고가 마사오'. 고가 마사오는 일본 엔카의 작곡가다. 박시춘이 작곡한 일제강점기 최고의 트로트 명곡인 〈애수의 소야곡〉과 고가 마사오의 노래 〈술은 눈물일까 한숨일까〉를 비교해 들어보기 바란다. 특히 〈애수의 소야곡〉 기타 간주 부분은 고가 마사오의 노래와 조금 유사하다. 좋게 말하면 오마주이고 나쁘게 말하면 표절이 살짝 있다.

그렇지만 이 두 노래는 주력 멜로디를 만들어낸 방식이 완전히 다르다. 〈애수의 소야곡〉이 〈술은 눈물일까 한숨일까〉와 절대적으로 다른 것은 선율의 진행에 드라마가 있다는 것이다. 고가 마사오의 노래 선율이 하나의 테마를 몇 번 반복하다가 끝나버려 굉장히 밋밋하다면 〈애수의 소야곡〉은 하나의 악절 안에서 풍부한 표정과 드라마를 보여준다. 따라서 한일 양국의 이 두 대표곡을 비교해보면 이후 이 장르를 둘러싸고 누가 더 뛰어난 예술적 성취를 이룰 것인지에 대한 결론이 나온다.

트로트는 어디에서 와서 어디로 가는가

●

마치 영국이 축구 종주국이지만 월드컵에서는 브라질이 훨씬 많이

○ 엔카는 일본 근대 음악의 장르다.
어디에서 온 것이든 트로트는 50년 넘게 우리의 정서를 대변하는 노래였다.
그거면 됐지, 꼭 우리 거라고 억지로 주장할 건 또 뭔가.

우승한 것처럼, 엔카는 일본이 만들어낸 음악 장르지만 우리나라 대중의 감수성에 훨씬 잘 맞는 장르다.

엔카의 특징은 과장된 감정이입에서 오는 슬픔이다. 굉장히 화려하다. 이것은 미니멀리즘의 미학을 숭상하는 일본의 미학적 감수성에 맞지 않는 음악 양식이다. 예를 들어 떠는 음인 장식음을 '땅땅땅땅' 이렇게 치면 될 걸 '으양 응 땅땅땅땅' 이렇게 치는 식이다.

이것을 인도 음악에서는 가마카gamaka라고 하고, 우리나라에서는 가야금에서 현을 희롱한다고 하여 농현弄絃이라 하고, 일본에서는 '색깔 색色자'를 써서 쇼쿠しょく라고 한다.

어떤 음악 학자가 한국과 일본, 인도의 이런 음의 연주 방식을 연구했는데 놀라운 점을 발견했다. 인도의 현악기 시타르로 가마카를 연주하면 보통 그 음의 울림 진폭이 약 8도에서 12도의 옥타브를 넘나든다. 우리 가야금의 농현은 4도에서 8도 정도를 오간다. 일본의 샤미센 연주자들은 장식음을 넣으면 2~3도를 살짝 오가는 정도로, 이것을 넘어서면 위험하고 어지럽다고 했다.

그런데 뽕짝은 어떠한가. 살짝 떠는 것으로는 호소력을 가질 수 없는 장르다. 뭔가 감정의 격렬한 이입이 있어야 한다. 나훈아를 떠올려보라. 나훈아가 왜 트로트의 황제인가? 극단적인 감정이입이야말로 그의 강점이다. 그래서 일본의 음악 관계자들이 처음에 나훈아가 노래 부르는 걸 보고 기절초풍했다고 한다. 생긴 건 소도둑 같은데 어떻게 이런 압도적인 에너지를 엔카에서 만들어낼 수 있느냐면서.

1904년생인 고가 마사오는 1978년에 죽을 때까지, 1920년대 말부터 1970년대 말까지 일본 엔카의 천황으로 군림했다. 그러한 고가 마사오가 우리나라 트로트에 대해 가졌던 열등감은 이루 말할 수 없었다. 1960~1970년대의 나훈아나 이미자 같은 우리나라 트로트 가수에 대한 열등감도 그러하지만 사실은 일본 엔카의 최전성기였던 1960년대 엔카의 여왕인 미소라 히바리加藤和枝, 1937~1989를 비롯하여 일본 엔카의 슈퍼스타의 70퍼센트가 조선계 일본인이라는 것은 일본 엔카계의 공공연한 비밀이었기 때문이다.

미소라 히바리가 부르는 1950~1960년대의 엔카를 들어보면 당대의 일본 여자 엔카 가수가 부르는 것하고는 스케일이 다르다. 소리가 굵으면서 압도적인 파워가 있다.

물론 그러한 미소라 히바리도 이미자에 비할 수는 없었다. 우리나라 가수니까 무조건 더 잘 부른다고 하는, 팔이 안으로 굽는 차원이 아니다. 객관적으로 평가하면 그렇다.

일단 일본은 노래 자체가 싱거운 데 반해 우리는 감정의 둑을 터뜨리듯이 압도적이다. 그렇기 때문에 평생 엔카 인생을 보내면서 이 상황을 계속 지켜본 '원조' 고가 마사오가 느낀 자괴감은 그의 말년까지 이어진다. 그러더니 그는 죽기 직전에 갑자기 '망언'을 한마디 한다.

엔카의 뿌리는 조선이다.

엔카는 일본 우익의 문화다. 그래서 이 말로 인해 일본 우파에서는 난리가 났다. 온갖 비난이 쏟아지자 고가 마사오 측에서는 말이 와전된 것이라며 부정했으나 제대로 수습될 리 없었다. 그런 상태에서 1978년에 고가 마사오가 세상을 떠나자, 도대체 그가 무슨 뜻으로 그런 말을 했는지는 영원히 베일에 싸이게 되었다.

나는 그 사람의 마음이 이해가 된다. 그 사람은 모든 것을 다 알면서도 말할 수 없는, 평생 엔카의 천황으로 살았다. 그 고가 마사오는 1904년, 일본인 부부 사이에서 태어나 아직 일본이 우리를 강제병합하기 전에 일찍이 인천에 왔다. 그는 식민지 조선에서 선린상고까지 졸업하고 일본 메이지 대학에 진학한다.

다시 말해 고가 마사오는 태어나서 18년 동안, 인생에서 가장 민감한 시기를 식민지 조선, 정확히 말하면 오늘날 인천과 서울이라는, 우리 민요 지역으로 보면 경서도, 즉 경기 서도 민요 지역에서 성장했다. 경기 서도는 민요 중에서도 도시화된 민요, 잡가라고 부르는 상업화된 민요가 발달한 지역이다. 이 상업화된 민요의 음계에는 경서도의 서도놀량 음계라는 게 있는데 다른 지역의 민요 음계와는 조금 다르다. 이것이 약간 뽕짝의 음계랑 살짝 비슷하다. 그러니까 그는 비록 우리말은 잘 못 한다 하더라도 어릴 때부터 알게 모르게 이러한 음계에 노출되어 있던 셈인데, 내가 고가 마사오라면 이런 생각이 들 것 같다.

> 가만있어봐. 난 일본인인데 혹시 나도 모르게 조선의 음악적인 뉘앙스에 무의식적으로 물든 게 아닐까.

스스로 이런 의심이 들 법도 하다. 자기가 보기에도 엔카를 부르는 일본인들보다 우리나라 가수들이 더 뛰어나니, 어쩌면 자신 역시 엔카의 황제가 된 것이 어린 시절 식민지 조선에서 받은 영향 때문이 아닐까, 하는 의심 말이다.

속내야 어찌 됐든, 죽기 전에 그가 '일본 엔카의 뿌리는 조선'이라는 망언을 덜컥 해버리고 그냥 가버리는 바람에 우리만 어지럽게 됐다. 이것은 트로트가 우리나라 고유의 전통가요라고 주장하는 '정신 나간 사람들'에게 자신들의 말이 맞다는 어마어마한 근거를 만들어준 꼴이 된 것이다.

그러나 제아무리 고가 마사오가 그런 말을 했다 하더라도 손바닥으로 하늘을 가릴 수는 없다. 나는 이렇게 생각한다. 엔카는 일본 근대 음악의 장르다. 그리고 그들이 우리를 지배했기 때문에 피지배자인 조선으로 이식된 것인데 이것이 외려 우리한테 더 잘 맞았고 우리가 일본인들보다 더 잘 불렀다. 그러다 보니까 뛰어난 곡이 많이 나왔고, 1930년대 후반부터 이 트로트는 식민지 조선의 가난한 서민들의 정서를 대변하는 노래가 되어 50년 이상 살아남았다.

그렇다. 트로트는 살아남았다. 박정희가 1960년대 후반에 트로트를 죽이려고 왜색금지 파동을 불러일으키면서까지 그렇게 탄압했는데도 사라지지 않았다. 이미 대중으로부터 승인을 받았기 때문이다.

여기서 잠깐. 박정희는 왜 왜색금지 파동을 일으켰을까. 박정희는 대통령이 되기 전부터 한일회담을 시작했다. 굴욕적으로 일본과 국교 정상화를 하고서 고작 3억 달러의 '독립축하금'만 받아냈다. 회

담을 시작한다는 소식이 알려지자 곧장 나라가 난리가 났다. 반일의 물결이 거세게 일어났다. 박정희는 나름 머리를 썼다. 트로트를 왜색으로 몰아서 전면적으로 금지한 것이다. 문화적으로 방어막을 쳐서 반일의 물결이 정치 쪽으로 넘어오는 것을 막기 위해서였다.

그렇지만 트로트는 사라지지 않았다. 이와 관련해서 1980년대 노래 운동의 주역 중 한 사람으로 〈사계〉, 〈그날이 오면〉 같은 명곡을 작곡한 서울대 노래패 '메아리' 출신의 작곡가 문승현은 『문화운동론』에서 이런 말을 한다.

> 뽕짝을 우리는 다시 한 번 공부해볼 필요가 있다. 뽕짝은 왜 수십 년의 시간이 지났는데도 불구하고 대중들의 마음을 움직이는가. 과연 우리가 1980년대에 만든 이 투쟁가들이 10년, 20년 뒤에도 사람들에게 불려질 수 있을 것인가. 내가 볼 때는 비관적이다. 내가 볼 때는 뽕짝에는 (인정하고 싶지는 않지만) 대중들의 동의를 이끌어내는 리얼리즘의 힘이 있다. 바로 그 서민들의 삶, 그 자체의 동의를 이끌어낼 수 있는 리얼리즘이 있다.

나는 그 말에 동의한다. 트로트가 이토록 오래 살아남을 수 있던 것은 당시 대중의 구체적인 삶의 현실, '이건 정말 내 얘기야'라고 할 수 있는 그런 구체적인 삶의 본질이 그 안에 담겨 있기 때문이다. 또한 그러한 구체적인 삶의 본질을 담았다는 것은 바로 그 시대의 정신을 거기에 담아넣었다는 의미이기도 하다. 그렇게 보편타당한 정서와 풍경을 3분여짜리 노래 안에 심었기 때문에 계속 불릴 수밖에 없는 것이다.

2015년 전국의 고속도로 휴게소를 달군 이애란이라는 가수가 부른 〈백세 인생〉이라는 노래가 있다. '못 간다고 전해라'는 말을 반복하는, 약간 타령조 비슷한 뽕짝인데 이게 듣다 보면 무릎을 치게 만든다. 자식들이 아무리 나를 귀찮게 여겨도 끝까지 더 살 거라는 백세 시대 노인들의 절절한 마음이 여기 들어 있다.

우리가 10대, 20대를 서양의 음악 장르에 심취해서 트로트와는 담을 쌓고 성장했다고 해도, 30대에 취직해서 쓴맛 단맛 보고 나면 어느새 노래방 회식에서 뽕짝을 부르고 있는 자기 자신을 발견하는 순간이 온다. 그런 힘이야말로 트로트가 온갖 곡예를 하면서도 21세기의 지금 이 순간까지도 끈끈한 생명력을 유지하고 있는 근원이라 할 수 있다.

바로 그런 트로트가 지닌 서민 서사로서의 리얼리티, 말하자면 센티멘털한 리얼리티의 극점을 이루는 노래 중의 대표작은 1939년 발표된 김영춘金英椿, 1915~? 노래의 〈홍도야 우지 마라〉일 것이다.

이 노래의 탄생 배경에는 일제강점기 최초의 전국적 히트를 기록한 신파극 〈장한몽〉長恨夢에 이어 전국의 극장을 눈물바다로 만든 1936년 초연의 신파극 〈사랑에 속고 돈에 울고〉라는 임선규林仙圭, 1912~ 1970? 대본의 4막 6장짜리 연극의 기록적인 흥행 돌풍이 있다.

식민지 조선 최초의 연극 전용 상설극장인 동양극장 무대에 청춘좌가 올린 신파극 〈사랑에 속고 돈에 울고〉는 해방 이전 한국 연극사에 가장 많은 관객을 동원한 작품으로 알려져 있는데, '한 많은 여자의 비참한 인생'이라는 전형적인 멜로드라마로 당시 가장 중요한 관객인 화류계 여성들의 심정을 대변하여 '고등 신파'의 아성으로 불렸던 동양극장의 지위를 한껏 높인 작품이다.

극의 뼈대는 대강 이러하다. 오빠 철수의 학비를 벌기 위해 기생이 된 홍도는 이미 명문가의 딸과 약혼 상태였던 오빠 친구 광호를 만나 사랑에 빠져 결혼을 하는데 시어머니의 멸시와 시누이들의 음모로 시집에서 쫓겨나고 남편으로부터도 버림받게 된다. 절망의 벼랑에 몰린 홍도는 제 정신이 아닌 상태에서 남편을 가로채려는 새로운 약혼녀에게 우발적으로 칼을 휘두르고, 결국 경찰이 된 오빠에게 체포된다. 이 작품에서 결정적인 역할을 하는 이는 서생 월초로, 그의 야비한 계략에 의해 비극이 시작되고, 그의 고백에 의해 극중 사건이 해결되면서 결말을 맞는다.

초연 후 3년이 지나서도 이 신파극의 인기는 수그러들지 않았고, 1939년 원작자가 대본을 맡고 이명우가 감독한 영화 〈사랑에 속고 돈에 울고〉가 개봉하여 역시 엄청난 성공을 거둔다.

이 영화의 주제가로 작곡가 김준영金駿泳 또는 金俊泳, 1907경~1961이 홍도와 홍도의 오빠 몫으로 두 곡을 만들었는데 앞의 곡이 타이틀과 같은 〈사랑에 속고 돈에 울고〉(남일연 노래)이고 두 번째 노래가 바로 〈홍도야 우지 마라〉였다. 이 중 뒤의 노래가 기적적인 히트를 기록하며 원작의 성가를 더욱 높이는 데 기여하여 이 신파극은 〈홍도야 우지 마라〉로 불릴 정도였다. 해방 후에도 〈애정무정〉, 〈홍도야 우지 마라〉로 두 번이나 리메이크되었다. 앞에서 언급한 배우 문예봉과 결혼한 극작가이자 배우인 임선규는 해방 이후 부인을 따라 월북했으나 지병인 폐병으로 타계했고, 신파극과 영화의 주연을 맡은 차홍녀車紅女, 1919~1940는 지방 공연 중에 거지에게 적선하다 천연두를 얻어 22세라는 꽃다운 나이로 급서하는 아픔이 있었다.

살펴보았듯이, 〈홍도야 우지 마라〉는 단순한 하나의 히트곡이 아니었다. 신파극, 영화 그리고 트로트라는 식민지 시대를 관통하는 삼각편대가 종합적으로 구축한, 가장 대중적인 감정 언어로 주조된 애상주의의 폭발적인 산물이었다.

경쟁의 세계로 돌입한 트로트, 음악 문화의 패권을 차지하다

●

1926년 〈사의 찬미〉로 음반 시장이 열린 후 글자 그대로 음반 산업의 시대가 가속화되고 일상화되기까지 약 9년이 걸렸다. 지금이야 새로운 대중매체의 보급에 9년이 걸렸다면 매우 긴 시간처럼 느껴지겠지만 당시만 해도 9년은 굉장히 빠른 것이었다.

음반 산업의 시대, 다시 말해서 음악이 상품화된 시대가 열렸다는 것은 단순히 음반이 만들어지고, 그 음반을 구동할 수 있는 하드웨어인 유성기가 판매되었다는 것만을 의미하지 않는다. 이것은 바

○ 트로트가 식민지 조선의 대중을 매료시키는 데 걸린 시간은 3년. 스타 군단을 갖춘 오케레코드와 태평레코드의 살인적인 라이벌전으로 음악 문화 패권은 트로트에게 완벽히 이양되었다.

로 그 음악 상품을 만들기 위한, 음반사라고 불리는 시스템이 일상화되었음을 의미한다.

1930년대 중반이 되어서도 식민지 조선의 산업 시스템으로는 하드웨어인 유성기를 제작하지 못했다. 모두 일본에서 만들어진 유성기를 수입했다. 하지만 하드웨어는 그럴지라도, 그 소프트웨어에 해당하는 음반 제작사들은 일부이긴 하지만 우리의 토착 자본의 참여에 의해 만들어진다. 영화에 비해 다소 늦은 셈이었다. 영화는 이미 1920년대 후반에 독자적인 제작사들이 나온 데 비해 음반 제작사는 어쩔 수 없이 일본 음반 산업의 자회사로 시작해서 독자적인 형태로 이행하는 과정을 거쳤기 때문이다. 그런 이행의 과정을 거쳐 식민지 조선의 음반 제작자들이 시장을 일상적으로 운영하게 된다.

그중에서도 특기할 만한 것은 앞에서 얘기한 우리나라 최초의 레이블인 오케레코드사의 출현이다. 오케레코드사는 일본 음반 메이저 3사 중 하나였다. 그러니까 처음에는 일본 음반사의 식민지 조선 자회사로 만들어졌다가 1935년 이후부터 이 회사의 프로듀서이자 제작자인 이철이 독자적으로 경영하게 된다.

자고로 경쟁은 시장을 키운다. 오케레코드사의 경쟁사로는 태평레코드가 있었다. 태평레코드는 오케레코드사의 대표주자인 남인수와 맞설 톱스타 백년설을 내세웠다. 오케레코드사가 남인수와 이난영이라는 두 톱스타를 앞세워 나왔다면, 태평레코드는 백년설과 백난아를 전면에 내세워 전면전을 치른다. 이들은 글자 그대로 식민지 조선의 문화산업 시장에 등장한 최초의 슈퍼스타들이 된다.

그중에서도 남인수는 1930년대부터 1960년대 초반까지 최고의 스타로 군림하면서 이른바 국민가수로서의 첫 번째 자리를 차지한다. 우리가 흔히 국민가수라고 하는데, 여기에도 나름의 계보가 있다. 그 첫 자리는 일제강점기의 남인수가 차지한다. 이후 1960년대의 이미자, 그리고 1980년대의 조용필이 있다. 이런 식으로 그 명맥이 이어져온 것이다. 특히 이난영과 남인수 그리고 그들을 아우르는 최고의 작곡가인 박시춘이 등장하면서 트로트는 하나의 주류 장르로 자리잡았다.

트로트의 양대 슈퍼스타 남인수와 백년설은 창법이 조금 다르다. 남인수의 노래에도 비브라토가 있지만 그의 창법이 굉장히 명료하고 명징한 반면, 백년설은 떨어도 너무 떤다. 그는 노래에 감정을 격하게 이입하는데, 고등학교 국어 교과서식으로 말하면 주정주의식이다. 현실로부터의 도피의 감정이 이 노래의 창법에서 불안하게 드러난다.

그런데 이 트로트가 이렇게 순식간에 식민지 조선의 대중을 매료시키는 데 걸린 시간은 3년밖에 되지 않는다. 우리가 아는, 이른바 일제강점기의 1세대 트로트 스타들이 이 3년 사이에 전부 쏟아져나온다. 〈눈물 젖은 두만강〉을 부른 김정구金貞九, 1916~1998도 1935년에 데뷔했는데 이때는 명함을 내밀 만한 수준이 못 될 정도로 1935년부터 1938년 사이에 수많은 레이블이 창궐하고 그 레이블마다 스타들이 끊임없이 배출된다. 이 짧은 시간에 엄청난 양질의 콘텐츠 공급이 이루어지면서 가수들뿐만 아니라 우리가 아는 고전 트로트들이 전부 다 이 3년 안에 쏟아져나온 것이다.

최종적으로 시장의 승부는 산업에 의해서 결정이 난다. 그 산업은 좌인수 우난영, 즉 왼쪽에는 진주 출신의 남인수, 오른쪽에는 목포 출신의 이난영이라는 최고의 톱스타를 거느린 오케레코드사와, 백년설이라는 슈퍼스타를 거느린 태평레코드라는 두 메이저 레이블이 살인적인 라이벌전을 펼치면서 정점을 찍었다. 그 결과 음악 문화의 패권은 트로트로 완벽하게 이양되었다.

가요의 유래,
국민가요의 등장,
그리고 재등장

●

트로트가 주류를 이루긴 했으나 다른 장르의 음악 역시 동시에 만들어졌다. 이 '뽕짝의 전성시대'에 등장한 특이한 산문적인 노래 장

ㅇ 중일전쟁을 시작한 일본은 내선융화, 천황 숭상, 황군 찬양의 메시지를 담은 국민가요를 부르게 했다. 훗날 박정희 시대에 부활한 국민가요는 가요라는 이름이 되어 우리 곁에 남았다. 가요는 절대 쓰면 안 되는 말이다.

르가 앞에서도 언급했던 만요다. 일종의 '한국판 뽕짝 랩'으로 세태를 위트 있게 풍자해서 코믹송이라고 부르기도 했다. 박향림朴響林, 1921~1946이 부른 〈오빠는 풍각쟁이야〉, 〈눈물 젖은 두만강〉의 가수 김정구의 멜로디 라인이나 중국풍인 〈왕서방 연서〉 같은 노래들이 대표적으로, 이 두 사람은 만요 가수로 슈퍼스타가 되었다. 이런 독특한 장르가 전쟁으로 가는 비극의 시대 첫머리에서 엄청나게 히트하게 된다.

또한 김장미가 부른 〈엉터리 대학생〉의 반주는 스윙 재즈였다. 1930년대 중후반에 이미 재즈가 수입되었음을 알 수 있다. 또한 우리는 이난영을 밑바닥 인생을 경험한 청승맞은 트로트 가수로만 알고 있지만, 이난영은 당시 트렌드의 아이콘이었다. 그녀는 다양한 장르를 소화했고 트렌드를 몰고 다녔는데 1939년에 그의 남편 김해송과 함께 한 〈다방의 푸른 꿈〉이란 노래는 이난영이 블루스를 훌륭히 소화했음을 보여준다.

하지만 이러한 다양한 음악적 풍경은 〈다방의 푸른 꿈〉으로 끝난다. 1939년을 마지막으로 이제 더 이상 '미영귀축'의 귀신 같고 짐승 같은 서구풍의 노래들은 일본과 식민지 조선 내에서는 존재하지 않게 된 것이다. 전쟁이 본격화되었기 때문이다. 이렇게 선풍적인 인기를 끌었던 트로트를 비롯한 다양한 음악들은 순식간에 싹 사라져 버린다. 물론 자발적으로 사라진 것이 아니다. 사라짐을 강요당했다. 무슨 소리인가. 1937년에 중일전쟁이 터졌다. 전쟁이 터진 것은 전선이 전면화됨을 의미하고 일본 군국주의가 대륙 침략을 본격적으로 시작했음을 뜻한다.

일본 근대사를 보면 중일전쟁 전에 이미 군부에 의해 두 번의 쿠데타가 일어났다. 첫 번째는 문관 중심의 현 체제 유지자들을 경멸한 청년 장교들이 1932년에 일으킨 것이다. 이들은 이누카이 쓰요시犬養毅, 1955~1932 총리를 쏴죽였고, 이로 인해 나라가 온통 난리가 난다. 그런데 예상했던 것과 달리 천황이 자신들을 지지해주지 않자 이들은 모두 자결을 해버렸다. 이로써 첫 번째 쿠데타는 끝이 난다.

1936년에 두 번째 쿠데타가 일어났고, 군부가 사실상 내각을 접수하게 된다. 이때 일본 황군, 특히 육군과 해군의 권력은 어마어마했다. 일본 군부는 두 번째 쿠데타를 통해서 '군부대신은 현역 장성이 맡아야 한다'라는 법을 만들어버린다. 무슨 말이냐. 문관文官이 군을 지배하는 꼴은 더 못 보겠다는 것이다. 다시 말해서 일본의 운명을 결정지을 군대는 현역 군인에 의한 지휘권만 인정하겠다는 것이다.

첫 번째 쿠데타는 실패했지만 두 번째 쿠데타는 성공한다. 군부는 사실상 일본의 내각을 군 통제하에 두게 되고 이 군부의 지지에 의해서 미나미 지로라는 예비역 육군 대장이 식민지 조선의 총독으로 부임한다. 미나미 지로 총독의 부임으로 일본 군부의 의도는 명확해진다. 일본이 대륙 전면전에 나서면 전선의 후방은 어디가 되겠는가. 바로 식민지 조선 땅이다. 따라서 식민지 조선 땅을 철저히 군 출신의 총독에 의해서 백업을 하겠다는 확고한 의지를 보인 것이다.

조선의 문화통치를 주도했던 사이토 총독은 일본의 총리가 되었다가 두 번째 쿠데타에서 젊은 장교들한테 총에 맞아 죽는다. 사이토 총독 역시 군인 출신이긴 했지만 문관 성향을 갖고 있었다. 혈기왕성한 젊은 장교들은 그런 물에 물 탄 듯 술에 술 탄 듯한 태도를 용납하지 않았다. 이때부터 일본의 총력은 오로지 전쟁으로 흘러가게 된다. 이제 더 이상 1920~1930년대 총독부가 보여주었던 정치적 조율과 타협은 존재하지 않게 된다.

1937년 7월에 중일전쟁이 일어나고 같은 해 12월에 일본군은 난징南京을 함락시킨다. 이때 약탈과 강간과 남녀노소를 가리지 않는 살육이 벌어졌다. 중국 발표에 따르면 1937년 12월부터 1938년 2월 사이에 일어난 난징 대학살로 약 30만 명이 죽었다고 한다.(난징 대학살의 희생자는 약 50만 명이 넘는다는 주장도 있다.)

이렇게 급격하게 전선이 확대되던 상황에서 조선 총독이 된 미나미 지로는 부임하자마자 굉장히 중요한 문화적인 정책을 결정지어버린다. 바로 유행가 금지 칙령을 발표한 것이다. 트로트 같은 노래가 너무 축축 처지고 청승맞고 죄다 사랑 타령으로, 이는 대동아공영의 이상에 어긋난다는 것이 이유였다. 이로 인해 엄청난 폭발력을 보이던 트로트는 순식간에 사그라진다.

그렇다면 무슨 노래를 부르게 했는가. 모든 국민이 새 마음 새 뜻으로, 과거 퇴행적인 노래가 아니라, 미래 지향적인 노래를 불러야 한다고 했다. 이것이 1939년에 본격적으로 전개된 '국민가요'國民歌謠 개창운동이다. 유행가를 부르지 말고 국민가요를 부르라는 것이다. 이른바 국민가요라는 말이 이때 처음으로 나왔다.

그러면 국민가요라는 게 뭘까. 바로 내선융화를 이루고 천황을 숭상하며 황군을 찬양하는 노래다. 트로트풍의 감상적인 2박자가 아니라 장조의 씩씩한 행진곡풍의 4박자 노래, 바로 군가다. 즉 군가를 부르라는 이야기다. 그렇게 해서 일본풍의 군가들이 일본에서 그대로 들어왔다. 특히 일본 해군가이면서 일본 제2국가의 칭호를 받았던 〈바다에 가면〉海行かば이라는 군가는 일본뿐만 아니라 식민지 조선 땅에서도 거의 국가처럼 불릴 정도로 널리 보급되었다.

또한 이 땅의 작곡가들과 가수들이 경쟁적으로 일본 군가풍의 국민가요를 만들어 불렀다. 1930년대 초만 해도 대중음악과 예술음악의 구분이 명확하지 않았으나, 1930년대 후반에 접어들면서 차츰 음악계에도 이런 구분이 생기기 시작했다. 1930년대 초반만 해도 식민지 조선에 들어와 노래를 부르는 서양 음악 전공의 유학생 출신 가수들이 그렇게 많지 않았다. 그러나 차츰 식민지 조선에서 자신들의 노래와 음악을 만들고 부르는 서양 음악 전공 음악인들이 많아지면서 강단을 기반으로 하는 엘리트주의 음악인들이 상업적인 대중음악을 만들고 부르는 가수들과 구분되기 시작했고, 이는 곧 예술음악이냐, 대중음악이냐의 분리로 점차 이어졌다. 그리고 1939년 국민가요 개창운동이 한창일 즈음 단순히 대중음악 작곡가나 가수들뿐만 아니라 홍난파나 현제명, 박태준 같은 이른바 예술음악이라고 불리는, 서양 음악의 작곡가들까지 전부 총동원되었다. 이광수, 최남선 같은 문인들 역시 죄다 동원되어 국민가요의 가사를 써야 했다. 이렇게 일본 제국주의자들은 본격적으로 친일에 모든 총력을 집중시킨다.

이런 분위기에서 마지막 슈퍼스타가 등장했으니 태평레코드의 백년설이었다. 이 무렵 백년설이 부른 〈나그네 설움〉은 1939년부터 1940년 사이에 히트를 치는데, 비공식적으로는 〈목포의 눈물〉보다 두 배 이상의 판매고를 올렸다고 할 정도로 트로트의 마지막 대형 히트곡이 된다. 징용과 징집이 본격적으로 시작된 어수선한 분위기에서 한민족의 주제가가 된 것이다.

그런데 먼 훗날 이 국민가요란 말을 다시 쓰게 한 사람이 있다. 바로 박정희다. 일제강점기 당시 관동군 장교였던 박정희는 대통령이 되고 난 뒤에 미나미 지로가 했던 정책을 그대로 따라 한다. 그 이름부터가 일본의 메이지유신에서 따온 유신헌법으로 헌정을 유린한 이후인 1975년에 박정희는 가요 규제조치를 내려서 대부분의 노래들을 금지하고 뭔가 건전하고 미래 지향적이라고 여겨지는 노래를 만들어서 보급하는 데 주력한다.

국민가요라는 말은 그 이전에 등장했다. 1972년 1월 '싸우면서 건설하자'라는 타이틀로 《국민가요 20곡》이 나왔고 같은 해 문화공보부의 주도로 '온 국민 밝은 노래 부르기 운동'이 전개되면서, 《다 함께 부르는 건전국민가요집》이 나왔다. 이때 나온 노래가 박정희가 스스로 만든 〈새마을 노래〉이다. 이것은 명백히 미나미 지로의 용어를 그대로 가져왔음을 말해준다. 1975년에는 국민가요라는 말 대신 《국민건전가요 20곡》이 나오면서 '건전가요'라는 말이 나왔고, 이게 우리에게 익숙한 건전가요의 출발인 셈이다. 이것의 오리지널은 국민가요이고 이 국민가요의 오리지널은 미나미 지로에서 나왔다.

내가 가요라는 말을 쓰지 말자고 하는 이유가 바로 이것이다. 우리가 지금 사용하는 가요는 결국 국민가요의 줄임말이다. 국민가요는 일제강점기 말기에 가면서 이미 '국민'이 빠지고 가요만 남아 불렸다. 그래서 일제강점기의 '가요'는 바로 그 일본 군가풍의 군국주의와 천황을 찬양하는 노래를 뜻한다. 그런데도 우리가 아직도 정신을 못 차리고 이 말을 쓰고 있으니 차라리 요즘 젊은 세대들이 쓰는 케이팝이 낫다 싶긴 하다.

물론 케이팝이라고 적절한 것은 아니다. 이 용어도 알고 보면 일본 방식을 그대로 수입한 것이다. 일본에서도 1960년대에 미국 팝이 들어오면서 제이팝이란 말을 만들었고, 그 이전 구세대의 엔카를 가요라고 한다. 다시 말해 일본에서도 이른바 비틀스 세대가 등장하면서 그 이전을 가요고쿠 시대, 이후를 제이팝 시대로 나눈 것이다. 이것이 약 40년 뒤 우리나라에서 가요 세대와 케이팝 세대로 똑같이 재현된다. 나로서는 케이팝도 마뜩치는 않지만, 가요라는 말을 안 쓰는 게 어딘가.

권력의 시녀가 된 딴따라들, 청산하지 못한 과거사

> 국민가요의 시대에 수많은 대중음악인들이 국민가요를 만들고 불렀다.
> 일제에 부역한 지식인과 예술인들의 역사는 아직 규명되지 않았다.
> 우리의 역사는 언제쯤 제대로 서게 될 것인가.

한편 국민가요의 시대인 1939년에 희한한 노래가 나온다. 바로 박시춘이 작곡한 남인수의 〈감격시대〉다. 이 노래를 둘러싸고 많은 논란이 일었다. 제목이 〈감격시대〉라서 대부분의 사람들은 〈가요무대〉에 나오는 이 노래를 아직도 해방의 감격을 노래한 것으로 알고 있지만, 이 노래는 난징 대학살이 끝난 이듬해인 1939년에 발표한 것이다. 더구나 이 노래의 내용과 형식은 명명백백히 황군 찬양가다. 이 노래는 일본의 제2국가인 〈바다에 가면〉의 오마주라고 나는 생각한다. 이 노래는 시작부터가 트로트와는 완전히 다르다. 노래의 가사를 살펴보자.

> 거리는 부른다 환희에 빛나는
> 숨쉬는 거리다 미풍은 속삭인다
> 불타는 눈동자 불러라 불러라

불러라 불러라 거리의 사랑아
휘파람 불며 가자 내일의 청춘아

바다는 부른다 정열이 넘치는
청춘의 바다여 깃발은 펄렁펄렁
바람에 좋구나 저어라 저어라
저어라 저어라 바다의 사랑아
희망봉 멀지 않다 행운의 뱃길아

시작 구조부터가 행진곡이다. 1절은 약간 애매하다. '거리는 부른다 환희에 빛나는'은 얼핏 보면 해방을 염원하는 혹은 해방이 되었을 때 환희에 빛나는 그런 거리라고 생각할 수도 있다.

그러나 2절이 시작되면 마각을 그대로 드러낸다. '바다가 부르고' '깃발이 펄렁펄렁'한다. 이 2절의 마지막 가사가 무엇인가. '희망봉은 멀지 않다 행운의 뱃길아' 이렇게 끝난다.

도대체 희망봉이 어디 있는가. 남아프리카 케이프타운에 있다. 이때 황군은 난징을 지나 싱가포르로 진군하고 있었고, 이 노래가 나온 지 두 달 뒤에 싱가포르를 함락시킨다. 그래서 싱가포르 함락을 기념하기 위해 싱가포르 지역의 고무나무에서 채취하여 만든 고무공을 천황의 하사품으로 당시 '국민학생들'한테 한 개씩 선물로 준다. 이 노래는 즉, 일본 해군에 대한 오마주다. 그런데도 아직까지 이 노래가 버젓이 전파를 타고 있고, 심지어 김영삼 정권 때인 1995년 8월 15일 아침에는 광복절 기념행사에서 이 노래를 연주했을 정도니 정말 기가 찰 노릇이다.

내가 이 노래를 국민가요로 간주하자 이에 대해 반대하는 논문이 나올 정도로 박시춘을 옹호하는 사람들이 있다. 박시춘을 옹호하는 입장의 소장학자들은 1939년에는 아직까지 본격적으로 식민지 조선인에 의한 국민가요가 만들어지지 않았고, 1940년이 되어서야 본격적으로 나오기 때문에 1939년에 만들어진 〈감격시대〉는 국민가요가 아니라고 주장한다. 또한 이들은 이 내용이 해방의 감격을 가슴속으로 염원하는 젊은 청춘의 노래라고 이야기한다.

물론 그럴 수 있다. 눈앞의 권력이 요구했을 때 예술가도 먹고 살아야 하니까 작품 속에 많은 함의를 심어놓을 수는 있다. 그렇지만 〈감격시대〉를 그렇게 해석하거나, 이 한 곡으로 박시춘을 옹호하기에는 박시춘이 만든 국민가요가 너무 많다. 그는 갈수록 더 노골적인 국민가요들을 쏟아냈다. 남인수가 부른 〈감격시대〉보다 백년설이 부른 〈복지만리〉에서 친일 성향은 훨씬 진일보했으며, 아주 노골적이다. 노래 가사는 아래와 같다.

달 실은 마차다 해 실은 마차다
청대콩 벌판 위에 헤이 휘파람을 불며 불며
저 언덕을 넘어서면 새 세상의 문이 있다
황색기층 대륙길에 어서 가자 방울 소리 울리며

이 노래도 한동안 〈가요무대〉의 단골 레퍼토리였다. 이 노래의 은유적 표현을 감안해서 이 정도까지는 들어줄 만하다고 치자. 그런데 1942년이 지나면서부터 태평양 전쟁으로 청년들이 너무 많이 죽어나갔다. 그로 인해 군 병력이 모자라게 되자 일본은 식민지 조선인 유학생들을 징집하고, 식민지 조선의 청년들을 강제로 끌고 나갔으며, 여성들까지 정신대나 군수공장으로 끌고 갔다. 그러자 징용과 정신대 동원을 독려하는 노골적인 노래들이 숱하게 만들어지는데 박시춘은 〈아들의 혈서〉 같은 살벌한 노래들을 만들어냈다.

밝혀진 것만 그렇고, 이 외에 당시에 만들어진 수많은 국민가요들은 지금 알 수가 없다. 관련 자료들이 친일파에 의해서 조직적으로 싹 다 삭제되었기 때문이다. 그런데 그 사이를 비집고 이들이 아주 대놓고 친일 행위를 한 증거들이 간간히 계속 발굴되고 있다. 그중 하나가 〈혈서지원〉이라는 노래다. 세 명의 슈퍼스타인 박향림, 백년설, 남인수를 아예 한 곡에 투입해 함께 부르게 한 음원이 발굴된 것이다. 〈혈서지원〉의 가사는 이렇다. 진짜 살벌하다.

무명지無名指 깨물어서 붉은 피를 흘려서
일장기 그려놓고 성수만세 부르고
한 글자 쓰는 사연 두 글자 쓰는 사연
나라님의 병정 되기 소원입니다

해군의 지원병을 뽑는다는 이 소식
손꼽아 기다리던 이 소식은 꿈인가
감격에 못 이기어 손끝을 깨물어서
나라님의 병정 되기 자원합니다.

나라님의 허락하신 그 은혜를 잊으리
반도에 태어남을 자랑하며 울면서
바다로 가는 마음 물결에 뛰는 마음
나라님의 병정 되기 소원입니다.

아직도 1941년부터 1945년 사이에 행해진 지식인과 예술가들의 부역은 다 밝혀지지 않았다. 민족 반역자에게는 공소시효가 없다. 그러므로 한 치도 남김없이 이 모든 자료들이 다시 재구성되고 그 바탕 위에서 역사를 다시 바로 세워야 한다.

우리는 1949년 1월 본격적인 활동을 시작했던 반민특위 즉, 반민족행위특별조사위원회에서 그 첫 번째 기회를 맞았지만 친일파 주구들이 예전 미도파 백화점 자리에 있던 반민족행위특별조사위원회 검사들의 본부를 습격해서 그 검사들을 전부 유치장에 집어넣었다. 그리고 유치장에 있던 노덕술盧德述, 1899~1968 같은 악질 친일 고등계 형사, 이광수 같은 악질 친일파들을 전부 석방시켰다.

그렇다면 어쩌다 우리나라의 딴따라들은 이렇게 권력의 시녀가 되어 살게 되었을까. 이유는 간단하다. 바로 이 어둠의 역사를 친일파의 권력들이 청소시켜주었기 때문이다. 이 원죄로부터 이들의 결탁의 역사가 시작되었다.

나는 남인수가 훌륭한 가수라고 생각한다. 박시춘은 우리나라 대중음악사에서 첫 번째로 등장한 위대한 창조적 작곡가다. 그럼에도 불구하고 이런 예술가들이 동족을 전선으로 몰아넣는 데 앞장서서 기여했다는 사실은 역사에 분명하게 남겨두어야 한다. 그들이 한 시대를 풍미한 슈퍼스타였다고 해서 그들을 무조건 옹호해줄 수는 없는 일이다. 하지만 아직도 너무 많은 것들이 미궁의 어둠 속에 감춰져 있고 지금도 계속해서 사라지고 있다.

식민 시대 최후의 장르, 악극

●

자, 이제 우리는 일제강점기 최후의 장르에 대해 이야기해야 한다. 바로 악극樂劇이다. 우리는 악극 이전에 이미 수많은 연극적 전통을 가지고 있었다. 가령 통영오광대 같은 수영야류, 야외에서 펼치는 탈춤 연극이 있었고, 판소리 같은 것으로 상징되는 음악 서사극이 있었다. 또한 다양한 지역의 이른바 무속 신앙과 결합했던 서사무가敍事巫歌의 형태도 많았다. 하지만 이런 것들은 일제강점기에 와서는 다른 모습으로 자리를 잡게 된다. 이렇게 된 데에는 서양 연극을 변형한 일본식 신파극의 상륙이 결정적인 배경으로 작용한다.

일본식 신파극이 상륙하면서 드디어 우리나라도 프로시니엄 무대proscenium stage 속으로 들어가게 된다. 프로시니엄 무대란 3면에 벽이 있는 것을 말한다. 모든 공간은 4면이 벽으로 이루어져 있다. 그런데 우리가 보통 보는 연극은 3면에 벽이 있다. 엄밀히 말하면 무대와 객석 사이도 벽이다. 다만 관객은 그 벽을 걷어내고 무대, 즉 벽 안을 보는 것이나 마찬가지다. 프로시니엄 무대란 이런 연극의 무대 형태를 말한다.

프로시니엄 무대가 정착했다는 얘기는 상설 극장의 시대가 열렸다는 것을 뜻한다. 야외극은 사람만 모이면 장터든 대감 집 앞마

이른바 우리나라 뮤지컬이라 할 수 있는 악극은 1930년대부터 1960년대까지 우리 대중문화의 중추적 콘텐츠였다. ○

당이든 아무 데서나 공연을 할 수 있다. 그렇지만 프로시니엄 무대는 갖춰야 할 것이 많다. 어둠과 조명과 3면의 벽이 전제되어야 한다. 한일강제병합 이전부터 광화문에 있는 원각사에서는 이런 상설 공연이 이루어져왔다. 이미 상설 공연장의 시대가 열렸음을 알 수 있다.

이렇게 출발한 연극의 문화 속에 신파극과 본격적인 정통 서양 연극이 등장했고, 그 영향으로 판소리 역시 프로시니엄 무대에 서게 되었으며, 판소리의 대중적 흥행 과정에서 일종의 변종으로 창극이 등장했다. 판소리는 창자唱者 한 사람이 등장해서 모든 이야기를 이끌어나가는 모노드라마다. 반면 창극은 여러 사람이 배역을 나누어서 각자 자기가 맡은 역할을 하는 것이다.

1920년대 말부터 시작된 우리의 무대극은 1940년대 초반까지 우리 대중문화의 주축으로 성장하게 되는데 그 형태는 음악과 극이 결합된 것이었다. 이른바 '한국판 뮤지컬'이라고 할 수 있는 이 무대극은 이름하여, 악극이라 불리게 된다. 이 악극이라고 하는 것은 우리가 지금 생각하는 것과는 달리 1930년대부터 1960년대까지 우리나라 대중문화의 중추적 콘텐츠였다. 그만큼 큰 시장을 갖고 있었고 많은 수익을 올렸다.

물론 음악과 극이 결합된 형태의 무대극은 악극 이전에도 존재하고 있었다. 신파극이 그런 형태였는데, 신파극은 일종의 주제가가 있는 연극으로 악극과 조금 다른 형태였다. 말하자면 신파극에서 노래는 극중에서 불린다기보다 막과 막이 교체될 때 일종의 서비스 개념으로 배우들이 나와서 불렀다. 그런데 악극에서는 음악이 극 속으로 들어가기 시작한다. 그리고 바로 그 노래가 상품이 되기 시작했고 그 노래를 부른 가수가 상품 생산자인 스타가 되기 시작했다. 즉 1930년대에 접어들면서 노래와 극을 결합해서 무대에 올릴 수 있는, 이른바 커튼 프로바이더curtain provider들이 형성되기 시작한 것이다. 다시 말해 이 악극을 통해서 엔터테인먼트 비즈니스의 스타들이 배출되었고, 악극의 무대는 스타 등용문 구실을 했다.

우리는 남인수, 고복수 하면 가수로만 알고 있지만 당시에 이들은 가수이면서 동시에 악극단의 배우이기도 했다. 또한 훗날 유명한 영화배우가 되는 황해黃海, 1920~2005와 장동휘張東暉, 1919~2005나 연극 쪽의 백성희1925~2016, 우리나라 최초의 코미디언으로 역사에 남게 되는 윤부길尹富吉, 1912~1957, 그리고 역시 희극배우인 김희갑金喜甲, 1923~1993, 구봉서具鳳書, 1926~2016 등도 전부 악극단의 배우 출신이다.

그러니까 지금의 대형 기획사와 같은 일종의 스타 육성 체제를 악극이 맡았다고 봐야 한다. 이 악극은 '한국판 뮤지컬'인 셈이지만 그렇다고 해서 뮤지컬과 꼭 같지는 않다.

이름도 다양해서 당시에는 '악극'이란 말을 가장 많이 쓰긴 했지만, 다르게 부르는 경우도 있었다. 언론인이면서 희곡작가이고 악극 연출가로도 유명했던 서항석徐恒錫, 1900~1985은, 마치 바그너가 자신의 작품을 오페라라고 부르지 않고 '총체적 예술 작품'Gesamtkunstwerk, total work of art이라 부른 것처럼 이 장르를 일컬어 '종합무대'라고 불렀다 한다. 그리고 천재 작곡가 안기영安基永, 1900~1980이 개척한 토속적이고 민담적인 소재의 악극을 두고 당시의 음악평론가이자 김순남과도 친구였고, 안기영의 후배격이어서 가까이 지냈던, 100세로 영면한 박용구朴容九, 1914~2016는 일종의 로컬 오페라라는 개념으로 '향토가극'이라는 표현을 썼다.

이렇게 우리 대중문화사에서 한 시대를 풍미한 장르이지만, 우리는 당시 공연된 악극 작품을 감상할 방법이 없다. 당시 공연되었던 작품에 대한 기록을 보면 1930년대부터 1950년대까지 창작된 악극의 수는 아직 다 집계되지 않아 정확하지는 않지만, 대충 내가 봐도 500편이 넘을 정도로 많다. 하지만 현재 전해지는 것 중 악보까지 다 갖춘 작품은 몇 편 되지 않는다. 그러니 상상력을 동원해서 우리나라의 이른바 종합 엔터테인먼트 콘텐츠로서의 악극이 일제강점기에 어떻게 시작됐는지를 머릿속으로 그려봐야 한다.

김호연의 『한국근대악극연구』에 의하면, 신파극을 넘어서서 본격적인 최초의 악극단은 1929년에 권삼천權三川이 주도했던 삼천가극단이다. 그리고 친일파로 악명 높은 배구자 가극단이 있는데 배구자裵龜子, 1905~2003는 일본의 모 귀족을 스폰서로 두고 활동했던 무용가다. 이 가극단은 식민지 조선에 뿌리를 두었다기보다 일본에서 만들어져서 식민지 조선과 일본을 오갔기 때문에 토종 가극단으로 보기는 어렵다. 물론 배구자가 오랫동안 식민지 조선의 무대 작품에 영향을 미친 것은 사실이다. 악극이라는 장르의 특성상 노래, 연극, 춤이 모두 중요하다. 그런데 배구자 사단은 무용을 중심으로 활동했던 터라 이들이 악극의 춤 부분에서만큼은 큰 역할을 했다고 한다.

이때만 하더라도 악극은 오늘날 우리가 생각하듯이 내러티브가 있는 드라마에 음악이 완벽하게 결합한 작품의 수준은 아니었다. 보통 하루 공연하면 40분짜리 짧은 단막극을 세 편 정도 구성하는 형태였다. 그중 한두 개는 조금 슬픈 이야기, 하나는 웃기는 이야기로 구성하고, 여기에 노래 한두 곡이 삽입되는 일종의 레뷰revue였다.

레뷰는 뮤지컬 초기 시대에 나오는 것으로, 완벽한 춤과 노래라기보다는 일종의 해프닝적인 형태의 극이다. 따라서 처음부터 끝까지 한 편의 드라마로 전개되는 것이 아니라 한 사람 한 사람이 장기자랑을 하는 수준의 버라이어티쇼 같은 것으로, 정신 산만한 무대 위의 종합선물 세트였다. 초기의 악극이 바로 이런 레뷰와 유사한 형태였다.

그러다가 1928년에 삼천가극단 출신인 이애리수가 단성사에서 극단 취성좌 공연의 막간 무대에서 〈황성 옛터〉를 부른 후 1932년에 이 노래가 실린 음반을 세상에 내놓음으로써 한 명의 여배우가 아니라 민족의 애인으로 떠오르는 일대 사건이 일어나게 되었다.

그 후 이애리수는 토월회土月會의 박승희와 손을 잡고 극단 태양극장에 들어간다. 박승희는 우리나라에서 첫 번째로 서양 연극을 도입했던 토월회의 리더였다. 윤심덕이 죽기 전에 유부남이었던 서울의 부호 이용문과의 염문 스캔들 때문에 하얼빈으로 도망갔다가 다시 경성으로 돌아와서 어떻게든 먹고살아보려고 처음으로 연극에 도전했지만 흥행 참패로 크게 망신당했던 바로 그 작품, 〈카츄샤의 노래〉를 제작한 이가 바로 박승희다. 박승희는 전문적인 가수 이애리수의 영입으로 본격적인 노래가 꽤 많이 들어간 작품을 성공시킨다.

하지만 모든 극단이 이렇게 성공한 것은 아니었다. 한 편의 악극을 올렸다가 쫄딱 망해서 사라진 극단이 수없이 많고, 없어진 만큼 또 생기면서 수많은 극단이 만들어졌다 없어졌다를 반복하며 이합집산을 거듭하게 된다.

그도 그럴 것이 이때의 악극단은 기본적으로 영세한 자본으로 출발했다. 그렇기 때문에 한 작품을 올려서 성공하면 다음 작품을 만들 수 있었고, 실패하면 극단은 문을 닫아야 했다. 아주 극단적인 영세 부침浮沈기라고 할 수 있다.

1938년에는 〈아리랑〉 상영으로 유명한 단성사가 화랑악극단을 만든다. 여자 배우로만 구성된 소녀 가극단이었는데 일본의 다카라즈카 가극단宝塚歌劇団을 흉내내 만든 것이다. 다카라즈카는 현존하는 일본의 위대한 여자 가극단으로 일제강점기에 경성에까지 원정 공연을 와서 깊은 인상을 주었다고 한다. 일본에 가게 되면 꼭 한 번 다카라즈카 같은 일본의 전통적인 극단의 연극을 보기 바란다.

일제강점기 우리만의 미학을 보존하고 지속할 수 있는 유일한 대중문화 공간은 악극밖에 없었다. 그랬던 것이 명맥이 완전히 끊겨 대중문화로도 공식 예술로도 외면받게 되었다.

악극단,
우리 미학의 유일한
대중문화 공간

●

식민지 조선에 본격적으로 악극이 자리잡게 되는 것은 음반사들이 악극단으로 진출하면서부터였다. 남인수와 이난영을 거느리고 있던 프로듀서 이철의 오케레코드사의 경우 자신의 음반 스타들이 많아지자 마치 지금의 음반 기획사들이 기자들을 불러놓고 쇼케이스를 하듯이 오케연주회를 열었다. 오케악단이 그달에 나온 새로운 가수나 기존의 가수가 새로 발매한 곡들을 가지고 유료 공연을 했는데 사전 마케팅으로 꽤 호응을 얻었다. 그러자 이 쇼케이스 무대를 상설화하는데 가수며 악단, 작곡가, 편곡자를 다 갖추고 있으니 아예 무대 콘텐츠를 만들어보려는 생각을 자연히 하게 되었다. 그렇게 해서 이철은 오케연주회를 오케그랜드쇼로 키웠고, 이 오케그랜드쇼가 나중에 조선악극단이 된다.

그런데 이때 이철이 뜻밖에도 오케레코드사에서 쫓겨나게 된다. 일본인 투자자에 의해서 전문 경영인 자리를 내놓게 된 것이다. 그 뒤 이철은 오케그랜드쇼만을 맡게 되자 더욱더 악극단을 키울 수밖에 없는 상황이었다. 그에게는 남인수, 이난영, 장세정張世貞, 1921~2003 등의 막강한 스타군단과, 박시춘 같은 스타 작곡가, 그리고 김해송 같은 뛰어난 편곡자와 밴드마스터가 있었다. 이런 뛰어난 인력을 바탕으로 이철은 본격적인 악극 제작에 들어가게 된다. 결과는 대성공이었다.

연기를 좀 못 하면 어떤가. 남인수가 이몽룡 역으로 나오면 그날 극장 앞은 인산인해였다. 당대 스타들을 주인공으로 내세우고 향단이나 월매 같은 조연은 연기력이 출중한 배우들로 조화를 이루어 무대에 올렸다. 2000년대 이후의 아이돌 스타들이 미흡한 연기와 가창력으로 뮤지컬 무대에 오르는 것을 떠올리면 되겠다. 한편으로는 거대한 규모의 공연장을 만들어 수많은 공연을 무대에 올렸는데, 예술성을 고집하는 공연이 아니기 때문에 비슷한 스토리의 작품을 대충 사흘 안에 뚝딱 만들어 무대에 올렸다. 그렇게 그는 끊임없이 작품을 만들어냈는데, 한 극단이 1년에 열 편의 작품을 올릴 정도였다면 상상이 되겠는가. 지금으로서는 꿈도 꿀 수 없는 얘기다.

또 다른 극단으로는 빅타가극단이 있었다. 애초에 빅타레코드사 전속이었던 빅타연주단의 파생 단체였는데, 재정적으로 어려움을 겪자 서민호徐珉濠가 인수하여 1941년에 만든 것이 빅타가극단이었다. 하지만 서민호가 1942년 조선어학회 사건으로 감옥에 갇히자 박구朴九라는 사람이 빅타가극단을 이끌게 되었고, 일본이 영어 이름을 못 쓰게 해서 바꾼 이름이 반도가극단이다. 주로 우리 고전물을 무대에 올린 반도가극단의 대표적인 작품으로는 서항석이 대본을 쓴 〈심청〉, 〈자매화〉, 〈에밀레종〉 등이 있다.

한편 반도가극단과 함께 향토가극운동을 전개한 극단으로 라미라가극단이 있다. 라미라가극단의 전신은 콜롬비아악극단으로

1940년에 설립되었고, 그 창립 공연으로 〈콩쥐팥쥐〉를 무대에 올렸다. 이후 콜롬비아악극단은 1941년 〈견우직녀〉를 공연했는데, 대중들로부터 큰 인기를 얻었다. 그러면서 민족적인 이름으로 단체의 명칭을 고치겠다는 생각으로 바꾼 것이 라미라가극단이다. 라미라는 羅美羅, La-Mi-La로 계면조의 기본음 명칭에 신라의 '라'와 아름다울 '미'를 써서 만든 이름이다.

이 당시 우리 악극계에 큰 영향을 주는 일이 일어났다. 1940년 일본이 자랑하는 여자 가극단 다카라즈카 가극단이 식민지 조선 순회공연을 하는데 이들이 무대에 올린 작품이 바로 〈춘향전〉이었다. 이들의 공연은 관객뿐만 아니라 식민지 조선의 악극단 관계자들에게 큰 충격을 안겼다. 그도 그럴 것이 우리가 만든 작품과는 그 수준이 달라도 너무 달랐기 때문이다.

모든 게 달랐지만 결정적인 것은 무대미술이었다. 그때만 해도 식민지 조선은 무대라는 개념조차 거의 없었다. 목수 한두어 명이 와서 대충 뚝딱거리다 가는 게 고작이었다. 그런데 일본의 가극단은 완벽한 무대미술을 선보였고, 거기에 전문적인 분장과 의상 그리고 완벽하게 통제된 연출까지 보여줌으로써 관객을 압도했다. 이런 모든 것들이 종합되어 있어야만 무대가 완성된다는 사실을 관객과 식민지 조선의 악극단 관계자들에게 각인시켜준 것이다.

다카라즈카의 공연을 계기로 식민지 조선의 악극단들은 그 이전까지 대충 며칠 만에 작품 하나 뚝딱 만들어냈던 데서 벗어나서 제대로 드라마트루기를 가진 작품을 만들어내기 위해 노력했고, 이는 진정한 작품의 세계로 가는 전환점이 되었다.

1940년대 가극단은 조선악극단, 반도가극단, 라미라가극단에서 주도했다. 이중에서 가장 많은 슈퍼스타를 보유한 것은 조선악극단이었지만, 가장 폭발적이고 역사적인 의미를 갖게 된 악극단은 반도가극단이었다. 반도가극단은 1942년에서 1943년 사이, 그 전쟁통에도 정식 단원이 200명에 이르는 규모로, 무려 세 개의 공연팀을 돌렸다. 그러니까 같은 작품을 경성 이남 팀, 경성 이북 및 만주 팀, 일본 팀 이렇게 세 팀으로 나누어 만주부터 일본까지 누비고 다니며 공연을 했다는 것이다. 지금 어떤 뮤지컬도 할 수 없는 한류가, SM엔터테인먼트에 앞서서, 이미 1930년대 후반에 이들에 의해서 만들어진 것이다. 이 반도가극단은 훗날 우리의 엔터테인먼트 산업을 이끌어가는 수많은 스타들을 배출한다.

당시 톱스타는 한국 최초의 개그맨이면서 스탠딩 개그를 한, 반도가극단에서 일종의 사회자 역할을 했던 윤부길이다. 윤항기尹恒基, 1943~, 윤복희尹福姬, 1946~ 남매의 아버지이기도 한 그는 자기 이름을 따서 〈부길부길쇼〉를 선보일 정도로 유명한 사람이었다. 영화배우로서는 전영록全永祿, 1954~의 아버지인 황해黃海, 1920~2005가 있었고, 그 부인인 백설희白雪姬, 1924~2010는 가수로서 1950년대를 지배하는 인물이다. 그리고 연극계의 최고원로라고 할 수 있는 백성희, 코미디언이자 영화배우인 김희갑 등 45세 이상이라면 다 아는, 한때 이름을 날린 스타들은 거의 다 반도가극단 출신이었다. 그 정도로 반도가극단은 한국 엔터테인먼트 산업의 산실이었다.

1941년 식민지 조선에서는 우리말이 공식적으로 폐지되고, 『조선일보』와 『동아일보』를 위시한 우리말 언론사들이 모두 폐간된다. 남은 것은 일본어로 된 교과서와 일본어로 된 언론뿐이었다. 이런 상황에서 그나마 우리말로 된 작품을 올릴 수 있었던 유일한 공공 영역이 바로 악극 무대였다. 물론 이것도 검열을 통과해야 가능한 일이었지만 이른바 우리만의 미학을 보존하고 지속할 수 있는 유일한 대중문화 공간은 이 악극밖에 없었다. 이런 점 때문에 당시에 활약했던 조선악극단, 반도가극단, 라미라가극단이 오늘날에도 중요한 의미를 가지는 것이다.

그러나 이런 악극은 해방 이후부터 오늘날까지 완전히 버려지다시피 했다. 연극 쪽에서는 악극이 정통 연극을 모독한다는 인식이 형성되어, 우리 연극계의 태두가 되는 배우들 역시 자신이 악극단 출신이란 것을 밝히길 꺼리는 분위기가 되었다. 이른바 클래식 음악 쪽에서는 더 말할 나위도 없었다. 수준 운운하며, 악극단 출신 가수들을 천대하는 바람에 이 사람들은 어디에도 설 자리가 없어졌다.

악극단은 급기야 1950년에서 1960년대에 접어들면서 그 명맥이 끊어지게 된다.

그러다가 한 번 전기가 마련되는 듯했다. 1960년대 당시 중앙정보부장이었던 김종필金鍾泌, 1926~이 앞장서서 악극단을 부활시키려 한다. 그런데 그 이유가 가관이다. 왜 부활시키려 했느냐. 북한에 가서 봤더니 피바다가극단이 혁명가극을 하는데 꽤 수준이 높더라는 것이다. 그래서 나중에 북한과 여러 가지 면에서 대결하려면 우리도 무대극으로 뭔가 준비를 해야겠다고 마음먹었다는 것이다. 그런 이유로 김종필은 정부와 민간에서 돈을 끌어모아 일종의 반관반민半官半民 형태의 가극단을 하나 조직했다. 그것이 바로 1961년에 창간된 예그린악단이다. 물론 김종필 본인은 이런 해석을 부인한다. 그는 이렇게 말했다고 한다.

> 어느 대학 교수가 논문에서 '예그린악단은 북한 피바다가극단의 대형 가무극에 대적할 음악극을 발전시켜야 한다는 정치적 목적으로 만들어졌다'고 한 모양인데 잘못된 해석이다. 나는 그런 생각은 해본 적이 없다. 왜들 아무런 근거 없이 그렇게 가져다 뜯어 붙이는지 모를 일이다.

이 예그린악단이 무대에 올린 첫 작품이 바로 〈살짜기 옵서예〉이고, 이 작품의 타이틀롤을 가수 패티김이 맡았다. 이렇게 억지로, 정권 유지 차원에서 부활시킨 악극이 민간에서 오래 갈 리가 없다. 무엇보다도 이미 명맥이 끊긴 악극이 하루아침에 되살아나기도 어려운 일이다. 이로써 악극은 오늘날 대중문화의 영역에서도, 공식적인 예술 영역에서도, 인정을 받지 못하게 된다.

악극은 돌이켜보면 문화의 소도蘇塗와 같은 역할을 한다. 이른바 클래식을 하는 사람도 여기에 참여할 수 있고, 대중음악을 하는 사람도 마찬가지이며, 연극 · 민요 · 국악 분야의 예술가도 다 참여할 수 있다. 따라서 악단이 한창 활성화되었을 무렵 극단들은 조금이라도 경쟁력을 높이기 위해서 소프라노를 주연으로 삼기도 하고, 판소리하는 사람들을 불러오기도 하면서 다양한 캐스팅, 다양한 음악가들을 불러들여 많은 실험을 거듭했다.

주목해야 할 이름, 안기영

●

그중에서 우리가 주목할 만한 사람이 있다. 바로 작곡가 안기영이다. 안기영은 1900년생으로 성악가이자 작곡가이고 이화여자전문학교 음대 교수였다. 물론 유학파이고 서양 음악 1세대에 속한다. 홍난파보다 두 살 어리고 현제명보다는 두 살 위다. 그는 스물여섯 살이 되던 1925년에 우리나라 최초의 토착적인 서양 음악 작곡가로 꼽히는 정사인鄭士仁, 1881~1958의 〈내 고향을 이별하고〉라는 노래를 테너 성악가로서 녹음까지 한 인물이다. 노래 참 잘 불렀다.

그러고 난 이후에 미국 엘리슨화이트 음악학교에 유학을 간다. 유학을 마치고 1929년에 돌아와서 이화여대의 전신인 이화여전의 음대 교수가 된다. 윤심덕의 동생인 윤성덕尹聖德도 같은 이화여전 음대 교수였다.

안기영은 같은 서양 음악을 공부했지만 홍난파나 현제명과는 완전히 다른 사람이었다. 친일 여부의 문제를 말하는 것이 아니라 예술가로서의 관점에 주목해서 하는 말이다. 홍난파나 현제명은 서양 음악을 신봉했기에 이광수나 최남선처럼 우리가 빨리 이 원시적인 조선 음악에서 벗어나서 세계인으로서 서양 음악을 구사하는 민족이 되어야겠다고 생각한 사람들이다.

그런데 안기영은 미국 유학을 마치고 돌아와서 우리가 세계의 일원이 되기 위해서는 우리 것에 충실해야 한다고 생각했다. 우리만의 독자성에서 창의성이 나온다는 것이다. 다시 말해 현제명이나 홍난파는 유학을 가서 베토벤이나 슈베르트만 보고 왔다면, 안기영은

○ 우리만의 독창적이고 입체적인 무대가 안기영에 의해 만들어졌다.
우리 음악사의 중요한 존재여야 할 그 이름은 그러나 아무도 거론조차 하지 않는다.
바로 월북작가라는 이유 때문이다.

헝가리의 작곡가 벨러 버르토크Béla Bartók, 1881~1945나 졸탄 코다이 Zoltán Kodály, 1882~1967, 러시아 작곡가 무소륵스키Modest Mussorgsky, 1839~1881 정도는 보고 온 것이다. 보고 온 게 다르다.

버르토크는 작곡가이자 피아니스트로, 헝가리를 비롯한 루마니아 · 불가리아 · 체코 등 중앙 유럽과 북아프리카에 이르는 광범위한 지역의 민요를 수집하고 정리한 민속음악 학자다. 코다이와 함께 민요를 수집해서 『20개의 헝가리 민요』라는 민요집을 합작으로 출판하기도 했다.

무소륵스키는 '러시아 5인조'의 멤버로, 러시아 5인조는 러시아에서 처음으로 '우리 것으로 음악을 해야 되겠어'라고 생각한 다섯 명의 음악가를 말한다. 1837년생 밀리 발라키레프Milii Alekseevich Balakirev, 1837~1910, 무소륵스키, 알렉산드르 보로딘Alexsandr Porfiryevich Borodin, 1833~1887, 세자르 퀴César Cui, 1835~1918, 림스키 코르사코프Nikolai Rimskii-Korsakov, 1844~1908 등 다섯 명이 그들이다.

안기영은 무소륵스키나 졸탄 코다이나 벨러 버르토크가 한 것을 그대로 따라 한다. 제자들을 데리고 시골에 다니면서 할머니들이 부르는 민요를 채집했고, 그것을 들고 학교로 돌아와서 서양 악보로 기보해서 그런 풍에 맞는 음악을 창작했다.

그런데 그의 이러한 행보는 우리 음악계로부터 많은 비난을 받았다. 왜 이대 음대생들에게 민요 같은 걸 가르치느냐는 것이었다. 그렇게 가르쳐서 기생으로 만들 셈이냐는 얼토당토않은 비난이 엄청나게 쏟아졌다. 비난은 전통음악 진영으로부터도 쏟아졌다. 유학까지 다녀온 사람이 전통음악 진영의 영역을 넘본다는 오해를 받았기 때문이다. 말하자면 자기네 영역을 넘본다는 것이었다. 그런데도 안기영은 꿋꿋이 자신의 철학에 입각한 창작 음악을 계속 발표한다. 그러면서 그는 자연스레 1930년대 초 식민지 조선의 음악계에서 이단아가 된다.

안기영은 유학에서 돌아온 1929년도에 첫 번째 작곡집을 발표하는데 여기에 실린 노래 하나가 일제강점기를 통틀어 가장 크게 성공하는 곡이 된다. 이 노래는 대중음악이라 볼 수도 없고 가곡이라

볼 수도 없다. 즉 장르를 규정지을 수 없는데 하여튼 제일 유명한 노래가 된다. 바로 〈그리운 강남〉이다. 1934년에 김용환, 왕수복, 윤건영이 처음 부른 이 노래는 당시 어린 여학생들이 고무줄놀이를 하면서 불렀다고 한다.

안기영이 만든 줄은 몰라도 이 노래를 들어본 사람은 많을 것이다. 이 노래는 모든 장르를 떠나서 일제강점기에 만들어진 곡 중에서 최고의 히트곡 중 하나가 된다. 요즘 사람들은 이 노래를 모른다. 하지만 우리의 할머니, 증조할머니 중에 이 노래를 모르는 분이 있으면 그분은 만주에서 오랫동안 독립운동을 하셨거나 아니면 상하이 임시정부에서 일을 하셨거나, 둘 중 하나라고 생각해야 한다. 그 정도로 이 땅에 살았던 사람치고 이 노래를 모르는 사람은 없었다.

그런데 대부분의 사람들이 이 노래를 민요라고 생각한다. 장사익도 이 노래를 음반에 수록했는데, 제목은 〈아리랑〉, 작자는 미상이라고 써놓았다. 어릴 때부터 할머니가 하도 불러서 민요인 줄 알았다고 한다.

〈그리운 강남〉을 악곡적으로 분석해보면, 그냥 민요라는 생각이 들지도 모른다. 그러나 실제로 이 곡은 굉장히 창의적이다. 그것은 안기영이 민요 수집을 대충하지 않았다는 것을 증명한다. 이 사람은 홍난파, 현제명과 똑같이 미국 유학을 다녀온 서양 음악인이다. 미국에 가서 우리 민요를 공부했을 리는 없지 않은가.

그는 서양 음악을 공부했지만 민요화 작업을 통해서 우리나라의 전통적인 평조음계를 그대로 서양 음악의 온음계로 옮겨서 만든 것이다. 사실상 이 노래의 형태는 서양 음악이다. 화성도 다 서양 음악의 화성을 썼는데 그 음계적 특성을 통해서 4분의 3박자의 서양 음악의 틀에서 우리의 토착 정서가 묻어나는 선율을 만들어내는 데 성공했다.

그리고 이것이 1930년대부터 1940년대 식민지 조선의 대중에게 신선하게 다가가서 완벽하게 '자기 것'으로 꽂히게 된다. 트로트와도 다르고 그렇다고 서양 음악의 가곡이나 찬송가하고도 다른, 뭔가 새롭지만 결코 위화감이 느껴지지 않는 노래로 받아들여진 것이다. 즉 서양을 배운 안기영은 오히려 유학을 다녀와서 거꾸로 비록 식민지 피지배국이지만 우리의 음악이 앞으로 어떻게 가야 할지를 전략적으로 고민했고, 결국 대중의 품에서 새로운 미래의 길을 발견했다. 그리고 미래가 아닌 당대의 식민지 대중으로부터 그가 발견한 길이 열광적 지지를 받았다는 것은 매우 놀라운 일이다. 안기영은 이때부터 민족음악을 우리 음악의 미래로 본 것이 틀림없다.

다만 이런 안기영에게도 한 가지 오점이 있었다. 바로 제자와의 스캔들이었다. 그의 행적 가운데 1932년부터 1935년 사이가 비어 있다. 제자와 바람이 나서 학교에서 쫓겨났고, 사랑의 도피를 떠난 것이다. 그는 여제자와 함께 상하이로 갔지만 또 잘 안 됐는지 고개 푹 숙이고 1934년경에 귀국을 했다.

돌아온 그는 멈추지 않고 위대한 작품을 만들어낸다. 그는 단순히 노래를 넘어서 우리만의 독자적인 가극을 만들어야겠다는 생각을 했고, 우리의 전통적인 민담이나 고대 소설의 스토리를 바탕으로 해서 만든 작품들을 무대에 올렸다. 그를 비롯한 설의식薛義植, 1900~1954, 서항석徐恒錫, 1900~1985 등이 함께 주도했던 민족가극운동의 일환으로 만들어진 그의 창작가극은 음악평론가 박용구에 의해 '향토가극'으로 불리게 되었다. 토착적인 가극이라는 뜻이다. 이 향토가극은 뽕짝도 아니고 그렇다고 서양 음악도 아니었다. 우리의 전통적인 음악어법에 맞지만 그렇다고 민요는 아닌 그런 음악이었다. 새로운 미래의 민족음악으로서의 어법을 가지고 만들어낸, 안기영이 예술가로서 이룬 가장 위대한 작업이다.

그는 자신의 첫 가극 작품인 〈콩쥐팥쥐〉를 1940년 라미라가극단의 전신인 콜롬비아악극단의 창단 공연작으로 무대에 올렸다. 〈콩쥐팥쥐〉는 콜롬비아악극단 무대에 두 번째로 올린 〈견우직녀〉 만큼은 아니었지만, 그의 콜롬비아악극단이 라미라가극단으로 이름을 바꾼 후에도, 반도가극단에서도 주요 레퍼토리로 꾸준히 무대에 올랐다.

그가 1941년 8월 콜롬비아악극단의 주최로 부민관에서 올린

〈견우직녀〉는 '선녀와 나무꾼' 설화를 바탕으로 만든 것으로, 안기영의 향토가극 작품 중 가장 큰 인기를 끌었고, 예술성에서도 좋은 평가를 받았다. 이 작품은 같은 해 12월 콜롬비아악극단이 라미라가극단으로 이름을 바꾼 후에 올린 첫 공연이기도 했고, 훗날 라미라가극단이 파산한 뒤 1944년, 1945년 반도가극단에서 이 작품을 자주 올릴 만큼 오랫동안 악극단의 주요 레퍼토리였다.

그의 대표작으로 꼽히는 또하나의 작품 〈은하수〉는 〈견우직녀〉의 제2부에 해당한다고 볼 수 있다. 〈견우직녀〉가 날개옷을 찾은 직녀가 아이들과 다같이 천상으로 올라가는 것으로 끝을 맺는 지상편이라면, 〈은하수〉는 그 이후의 이야기로 천상으로 올라간 견우와 직녀가 옥황의 노여움을 사 서로 만나지 못하다가 칠월칠석 오작교를 통해 만난다는 이야기로 전개되는 이른바 천상편이라 할 수 있다. 1942년 1월 부민관에서 라미라가극단에 의해 무대에 오른 뒤 같은 해 8월에는 도쿄에서, 1945년 6월과 7월 국내 극장에서 공연이 되었다.

안기영의 향토가극 작품은 〈콩쥐팥쥐〉, 〈견우직녀〉, 〈은하수〉 등 세 작품이 주로 거론되고 있으나 당시의 신문 광고나 팸플릿 등 여러 자료에서 안기영 작곡으로 표시가 된 것들이 많다. 해방 이후 반도가극단에서 공연한 〈에밀레종〉이나 1943년 말과 1946년 11월에 공연한 〈장화홍련전〉, 1945년 11월 반도가극단이 고려가극단으로 이름을 바꾼 뒤 무대에 올린 가극 〈조국〉, 1946년 2월 공연한 〈양귀비〉, 1947년 공연한 〈금단의 화원〉 등을 비롯한 다수의 작품들이 바로 그것들이다.

당시 악극단을 비롯하여 안기영과 관련한 내용은 남아 있는 자료들이 서로 다른 부분이 워낙 많다. 이와 관련한 내용은 그 가운데 2005년 『음악과 민족』에 전정임이 발표한 「작곡가 안기영의 향토가극 연구」를 토대로 정리한 것이다.

1936년 4월 『음악평론』이라는 지면을 통해 안기영은 이런 말을 했다고 한다.

> 나는 앞으로, 이 점을 명심하고, 또는 성악을 위하야 노력할 것이거니와 그것의 운동으로 조선적 오페라를 창시創始해볼 기획입니다. 일반 대중이 성악을 감상하는 좋은 방법으로는 물론이고, 성악가 제씨들의 연구, 또는 우리들의 음악을 창작하는 데는 가극歌劇박게 없다고 믿습니다. 서양의 고상한 오페라보다 위선爲先 조선민요를 토대로 하는 오페라를 하여볼가 합니다.

안기영은 이후 10여 년 동안 실제로 서구의 오페라도 아니고 미국의 뮤지컬도 아니고 그렇다고 우리의 전통적인 판소리나 창극도 아닌 새로운 형태의 입체적이고 거대한 규모의 무대극을 만들어냈다. 그는 일제강점기 말기 우리말로 된 공연이 금지된 와중에도 마지막까지 우리말로 된 공연 콘텐츠, 그것도 우리의 음악 질서를 가진 작품을 끊임없이 만들어냈다. 그는 그렇게 우리 음악사에서 중요한 이름이다. 한국의 음악 교과서는 안기영으로부터 쓰여야 한다.

그러나 아쉽게도 우리 음악사에서 안기영의 이름은 아예 거론되지 않는다. 우리는 그가 남긴 향토가극의 전곡을 들을 수 없다. 그나마 〈은하수〉의 악보는 가까스로 발굴되었지만, 아무도 연주를 하지 않아 들을 수가 없다. 그저 남겨놓은 악보를 들여다보면서 이 사람이 어떤 생각으로, 이런 작업을 시도했는지 가늠해볼 뿐이다.

짐작하겠지만 그는 월북작가다. 내가 볼 때 이 사람은 좌파도 아니고 사상적으로 어느 쪽도 아니다. 북쪽에 연고도 없는데 왜 월북했는지는 아무도 모른다. 해방 후에 조선음악가동맹에서 활동할 때는 이미 쉰 살이 다 된 탓인지 그렇게 주도적으로 하지도 않았다. 그저 있는 둥 마는 둥 활동이 미미했다. 한국전쟁통에 북한에 갔다고는 하는데, 그곳에서도 한동안 뚜렷한 행적이 보이지 않았다. 그래서 월북 중 폭격에 맞아 사망했다는 얘기가 한동안 나돌 정도였다. 그러다가 1990년대 이후 남북 교류가 이루어진 뒤에야 그가 1983년까지 살았다는 게 알려졌고, '수령님'이 사랑하는 애창곡으로 그의 노래 〈그리운 강남〉이 꼽힌 것으로 봐서 적어도 숙청당하지는 않았던 것으로 추측할 따름이다.

이유야 어찌 됐든 월북했기 때문에 그의 이름에는 오랫동안 '빨간 줄'이 그어져 있었다. 1980년대 내가 음악대학원에 다닐 때만 해도 월북 인사들을 언급하거나 그들을 주제로 논문을 쓴다는 것은 금기시되었다.

안기영의 가족들은 아직도 남한에 많이 살고 있다. 남한의 가족을 수소문하다가 우연히 안기영의 조카가 어느 대학 교수로 재직하고 있다는 소식을 듣고 찾아가서 인터뷰를 했다. 다른 주제로 한참 이야기를 나누다 안기영에 대한 이야기를 꺼내자 낯빛이 확 바뀌었다. '어떻게 알고 왔어요? 우리 집안에서는 다 파묻은 사람이니까 더 이상 얘기하지 마세요' 하는 반응을 보였다.

현재 우리나라에 공식적으로 남아 있는 안기영의 노래는 단 한 곡뿐이다. 바로 이화여대 교가다.

악극, 완벽히 사라지다

●

반도악극단이나 라미라가극단 등 거대한 규모의 악극들이 1941년부터 1945년 사이, 그것도 문화적 암흑기라고 할 수 있는 태평양 전쟁 시기에 집중적으로 나왔다는 것은 문화적인 기적이자, 예외적인 상황이라고 할 수 있다. 당시 식민지 조선 악극의 무대는 당시 시대 상황을 감안했을 때 굉장한 수준으로 진화한 상태였고, 어쩌면 그런 모든 것들이 남북한 모두의 무대극 발전에 수원지 역할을 했을 것으로 본다. 음악평론가 박용구 선생의 추론을 빌리자면 다음과 같다.

북한의 혁명가극 〈꽃 파는 처녀〉를 보면 스케일은 굉장히 크지만 우리의 감각으로는 지루하고 좀 재미없다. 그렇지만 여러 가지 면에서 우리가 하고 있는 뮤지컬과 비교해볼 때 생각해봐야 할 점이 많다. 일단 발성이 마음에 든다. 문예봉이 1930년대 영화에서 하는 발성을 들으면 지금 우리가 듣는 북한 아나운서 발음 같다. 실제로 우리말의 표준어 발성이 북한에 갔다고 생각한다. 그러니까 지금 북한 중앙방송국의 아나운서가 하는 발성이 우리말의 표준어 발성이었다고 본다. 남한의 발성은 본래 우리의 표준어 발성과는 좀 다르게 바뀐 편이다. 북한 혁명가극의 배우들이 부르는 창법이 해방을 전후한 시기의 것과 비슷하다. 벨칸토도 아니고 그렇다고 민요 창법도 아니고 그 어느 것도 아닌데 굉장히 순수한 울림을 가지고 있고 고역도 깨끗하게 올라간다.

북한의 혁명가극은 누가 만들었을까. 알다시피 우리나라뿐만 아니라 모든 문화는 메트로폴리탄의 문화로 근대 이후에는 다 대도시로 모인다. 북한이 특히 음악과 관련해서 많은 사람들을 배출하긴 했지만, 북한 지역의 음악적 인프라는 일제강점기가 끝날 때까지 박약하다고밖에 볼 수 없다. 게다가 압록강과 두만강을 건너가면 더 박약해진다. 박용구의 추론은 뭐냐. 안기영의 향토가극적 문제의식과 실제 작업의 경험이 결국 북한이 자랑하는 거대한 규모의 혁명가극의 미학적 뼈대를 이루었다고 보는 것이다.

일단 나는 그 추론이 옳다고 본다. 물론 이 추론을 증명하기 위해서는 향토가극의 많은 부분들이 발굴되어야 하고 미학적으로 다시 분석되어야 한다. 북한의 혁명가극이야 지금도 하고 있으니 얼마든지 학술적으로 교류할 수 있는 부분이다. 몇백 년 전과 오늘을 잇는 게 아니기 때문에, 기껏해야 100년도 안 된 시기의 것을 대상으로 삼는 일이기 때문에 그 미학적 뿌리를 규명하는 것은 그리 어렵지 않다.

하지만 이런 향토가극을 위시한 종합 무대, 혹은 악극들은 그 뒤 더욱 향상된 문화적 후속 사건이 남한에서는 진행되지 않았다. 나는 이것이 더 가슴 아프다. 우리가 음악극 무대에 관한 한 적어도 1943년도에 성취했던 수준으로 되돌아간 것은 그나마 1980년대가 되어서다. 이 부분에 있어서만큼은 남한은 안기영의 시대로부터 아주 오랫동안, 그러니까 50년이 넘는 불모의 시간을 가져야 했다는 말이다. 이런 무대 종합극이 1940년대 중반 이후 한동안 왜 계속 저개발 저발전의 상태에 있었는지 그 이유를 규명해보는 것도 우리에게 남은 중요한 과제다.

지금 우리가 접하는 뮤지컬은 흔히 인류 최후의 흥행 상품이라고 불린다. 흥행 상품이라는 말에 걸맞게 엄청나고 어마어마한 규모의 시장을 가지고 있다. 뮤지컬 평균 제작비가 영화를 추월한 지는 이미 오래되었다. 바야흐로 뮤지컬은 자본주의의 최후의 흥행 장르가 되었다.

때문에 언젠가부터 우리나라에서도, 물론 수입 뮤지컬이지만, 작품 하나 만드는 데 100억 원씩 쓰는 건 우스워지더니 갑자기 전 세계에서 세 손가락 안에 꼽히는 뮤지컬 국가가 되었다. 2015년 대한민국은 1년에 가장 많은 뮤지컬을 무대에 올리는 국가가 되었다. 전 세계의 모든 뮤지컬이 우리나라 무대에 오르고 있다.

그런데 실상은 어떤가. 아직까지 우리는 여전히 이른바 라이선스 뮤지컬이라는 수입 뮤지컬 의존에서 벗어나지 못하고 있다. 창작 뮤지컬은 어디 지자체에서 행사용으로 하는 거 말고는 거의 찾아보기 어렵다. 대단히 심각한 문화적 불균형 속에 살고 있는 것이다.

그런 한편으로 우리는 일제강점기 시절 우리와 함께 했던 악극을 비공식화된 문화의 영역으로 밀어내버렸고, 지금까지 그야말로 하수구 문화 취급을 해오고 있다. 한 20년 전까지만 해도 어버이날 효도상품으로 세종문화회관 같은 데서 〈울고 넘는 박달재〉 같은 제목의, 옛날 배우들이 나와서 뽕짝을 부르면서 상연했던 작품들이 한때 꽤 흥행 수익을 올렸지만 지금은 거의 사라졌다.

하지만 우리에게도 폭발적인 대중적 지지와 동시에 내적인 완성도를 갖추면서 성장했던 그런 예술사의 시기가 있었음을 잊어서는 안 된다. 바로 그런 예술사의 시기에 우리 곁에 있었던 예술 장르가 바로 악극이었다는 사실도.

악극이 우리 곁에 머물던 그 시절로부터, 악극이 완전히 사라지고 뮤지컬만 넘쳐나는 지금 2016년 사이의 이 거대한 구멍을 우리는 어떻게 메울 것인가. 이것은 또한 21세기에, 어쩌면 자본주의 최후의 문화산업으로서의 뮤지컬에 대해 우리 콘텐츠가 어떻게 전략적으로 대응할 것인가에 맞닿아 있는 질문일지도 모른다.

참고문헌

강대민, 『부산지역학생운동사』, 국학자료원, 2003.
강동진, 『일제의 한국 침략 정책사』, 한길사, 1980.
강준만, 『축구는 한국이다』, 인물과사상사, 2006.
_____, 『한국 근대사 산책: 개화기에서 일제강점기까지 1~10』, 인물과사상사, 2008.
_____, 『고독한 대중』, 개마고원, 1997.
_____, 『대중 문화의 겉과 속』, 한샘출판사, 1994.
_____, 『한국 대중매체사』, 인물과사상사, 2007.
강헌, 『전복과 반전의 순간: 강헌이 주목한 음악사의 역사적 장면들』, 돌베개, 2015.
강현두 엮음, 『현대사회와 대중문화』, 나남출판, 2000.
김구·도진순 옮김, 『백범일지』, 돌베개, 2005.
김동인, "조선근대소설고", 『조선일보』, 1929. 07. 28~08. 16.
_____, 『수평선 너머로』, 교보문고, 2011.
김수진, 『신여성, 근대의 과잉: 식민지 조선의 신여성 담론과 젠더정치, 1920~1934』, 소명출판, 2009.
김영준, 『한국 가요사 이야기』, 아름출판사, 1994.
_____, 『한국 인기가수 사전』, 아름출판사, 1993.
김윤식, 『이광수와 그의 시대』, 솔, 1999.
김진송, 『서울에 딴스홀을 허하라』, 현실문화연구, 1999.
김창욱, 『홍난파 음악연구』, 민속원, 2010.
김형찬, 『한국대중음악사 산책: 1960-1970년대 대중음악의 결정적 장면들』,알마, 2015.
김호석, 『스타 시스템』, 삼인, 1998.
김호연, 『한국근대악극연구』, 민속원, 2009.
"나운규와의 대담", 『삼천리』, 1월호, 1937.
노동은, 『민족음악론』, 한길사, 1991.
_____, 『한국근대음악사 1』, 한길사, 1995.

노래동인 엮음, 『노래 3집: 민족음악과 노래운동』, 이론과 실천, 1988.

레이먼드 윌리엄스, 김성기·유리 옮김, 『키워드』, 민음사, 2010.

로버트 스칼라피노·이정식, 한홍구 옮김, 『한국 공산주의운동사』, 돌베개, 2015.

류덕휘·고성휘, 『한국동요발달사』, 한성음악출판사, 1996.

마샬 W. 피쉬윅, 황보종우 옮김, 『대중의 문화사: 동굴에서 태어나 사이버 공간으로 걸어 나오다』, 청아출판사, 2005.

마쓰모토 겐이치, 『일본 우익사상의 기원과 종언』, 문학과지성사, 2009.

마이클 채넌, 박기호 옮김, 『음악 녹음의 역사』, 동문선, 2005.

문승현 외, 『문화운동론』, 공동체, 1985.

문옥배, 『한국 교회음악 수용사』, 예솔, 2001.

_____, 『한국 찬송가 100년사』, 예솔, 2002.

민경배, 『한국교회 찬송가사』, 연세대학교출판부, 1997.

민족문제연구소 편집부, 『친일인명사전 1~3』, 민족문제연구소, 2009.

박경호·김덕기, 『한국축구 100년 비사』, 책읽는 사람들, 2000.

박성봉, 『대중예술의 미학』, 동연, 1995.

박세길, 『다시 쓰는 한국현대사』, 돌베개, 1992.

박정배, 『음식강산』, 한길사, 2013.

박찬호, 안동림 옮김, 『한국 가요사 1: 가요의 탄생에서 식민지 시대까지 민족의 수난과 저항을 노래하다』, 미지북스, 2009.

박태원, 『갑오농민전쟁』, 깊은샘, 1993.

_____, 『천변풍경』, 문학과지성사, 2005.

반민족문제연구소, 『친일파 99인 1~3』, 돌베개, 1993.

사이먼 프리스·윌 스토로·존 스트리트, 장호연 옮김, 『케임브리지 대중음악의 이해』, 한나래, 2005.

사회과학원역사연구소, 『조선통사 하』, 오월, 1989.

사회과학출판사, 『항일 혁명문학예술』, 갈무지, 1989.

서대숙, 서주석 옮김, 『북한의 지도자 김일성』, 청계연구소출판국, 1989.

세광음악출판사 편집부, 『우리 민요: 우리나라 각 지방의 전통민요, 신민요 수록』, 세광음악출판사, 1992.

__________________, 『인기가요 대백과』, 세광음악출판사, 1994.

손인정, 『트로트의 정치학』, 음악세계, 2009.

송방송, 『한국근대음악 사료색인집: 문헌자료편』, 민속원, 2005.

신기욱·마이클 로빈슨, 도면회 옮김, 『한국의 식민지 근대성: 내재적 발전론과 식민지 근대화론을 넘어서』, 삼인, 2006.

신명직, 『모던뽀이, 경성을 거닐다: 만문만화로 보는 근대의 얼굴』, 현실문화연구, 2003.

신용하, 『동학과 갑오농민전쟁연구』, 일조각, 1991.

_____, 『일제강점기 한국민족사 상·중』, 서울대학교출판부, 2001.

신인섭, 『한국광고사』, 나남출판, 2005.

신채호, 박기봉 옮김, 『을지문덕전』, 비봉출판사, 2006.

신혜경, 『벤야민&아도르노: 대중문화의 기만 혹은 해방』, 김영사, 2011.

심훈, 『상록수』, 문학과지성사, 2005.

아단문고 기획실 · 이주영, 『장화홍련전』, 현실문화, 2007.

아르놀트 하우저, 백낙청 옮김, 『문학과 예술의 사회사』, 창작과비평사, 1974.

아름출판사 편집부, 『히트가요 대백과』, 아름출판사, 1994.

에드가 모랭, 이상률 옮김, 『스타: 스타를 통해본 대중문화론』, 문예출판사, 2000.

역사문제연구소, 『인물로 보는 친일파 역사』, 역사비평사, 2003.

염상섭, 『삼대』, 문학과지성사, 2004.

원광대학교 일본어교육연구회, 『일본 대중문화의 이해』, 제이엔씨, 2002.

유민영, 『한국현대희곡사』, 새미, 1997.

이광수, 『그의 자서전』, 우신사, 1982.

_____, 『나의 일생: 춘원 자서전』, 푸른사상, 2014.

_____, 『무정』, 민음사, 2010.

_____, 『사랑』, 문학과지성사, 2008.

_____, 『이순신』, 정산미디어, 2014.

_____, 『흙』, 문학과지성사, 2005.

이동순 엮음, 『목일신 동요곡집』, 소명출판, 2013.

__________, 『목일신 전집』, 소명출판, 2013.

이상구 옮김, 『원본 숙향전 · 숙영낭자전』, 문학동네, 2010.

이유선, 『한국양악백년사』, 음악춘추사, 1985.

이이화, 『이이화 한국사 이야기 19: 오백년 왕국의 종말』, 한길사, 2015.

_____, 『이이화 한국사 이야기 20: 우리 힘으로 나라를 찾겠다』, 한길사, 2015.

_____, 『이이화 한국사 이야기 21: 해방 그날이 오면』, 한길사, 2015.

이정식, 『한국민족주의운동사』, 미래사, 1989.

이정옥, 『1930년대 한국 대중소설의 이해』, 국학자료원, 2000.

이준식, 역사문제연구소 기획, 『일제강점기 사회와 문화: '식민지' 조선의 삶과 근대』, 역사비평사, 2014.

이철, 『경성을 뒤흔든 11가지 연애사건: 모던걸과 모던보이를 매혹시킨 치명적인 스캔들』, 다산초당, 2008.

임규찬 엮음, 『일본 프로문학과 한국문학』, 연구사, 1987.

임종국, 『실록 친일파』, 돌베개, 2006.

장유정, 『오빠는 풍각쟁이야』, 민음IN, 2006.

전봉관, 『경성기담: 근대 조선을 뒤흔든 살인 사건과 스캔들』, 살림, 2006.

전선아, "일제 강점기 신민요 연구", 강릉대학교 대학원 석사학위논문, 1998, p. 1~126.

전인권, 『박정희 평전』, 이학사, 2006.

전정임, 「작곡가 안기영의 향토가극 연구」, 『음악과 민족』, 2005.

_____, 『초기 한국 천주교회음악』, 한국예술종합학교 한국예술연구소, 2001.

전지영, 『근대성의 침략과 20세기 한국의 음악』, 북코리아, 2005.

전통예술원, 『한국 민요의 음악학적 연구』, 민속원, 2003.

________, 『한국근대음악의 전개 양상』, 민속원, 2006.

정근식 외 4인 엮음, 『검열의 제국: 문화의 통제와 재생산』, 푸른역사, 2016.

정현숙·최영철, 『일본대중문화론』, 한국방송통신대학교, 2013.

제너드 모즐리, 팽원순 옮김, 『일본천황 히로히토』, 깊은샘, 1994.

조동일, 『한국문학통사 4: 중세에서 근대로의 이행기 문학 제2기』, 지식산업사, 2005.

_____, 『한국문학통사 5: 근대문학 제1기』, 지식산업사, 2005.

조명희, 『낙동강』, 범우사, 2008.

존 스토리, 유영민 옮김, 『대중문화란 무엇인가』, 태학사, 2011.

주영하, 『식탁 위의 한국사: 메뉴로 본 20세기 한국 음식문화사』, 휴머니스트, 2014.

_____, 『음식인문학: 음식으로 본 한국의 역사와 문화』, 휴머니스트, 2011.

채백, 『사라진 일장기의 진실: 일제 강점기 일장기 말소 사건 연구』, 커뮤니케이션북스, 2008.

천정환, 『대중지성의 시대: 새로운 지식 문화사를 위하여』, 푸른역사, 2008.

_____, 『조선의 사나이거든 풋뽈을 차라: 스포츠민족주의와 식민지근대』, 푸른역사, 2010.

최동현, 『판소리 연구』, 문학아카데미사, 1991.

최상천, 『알몸 박정희』, 사람나라, 2001.

최창봉·강현두, 『우리 방송 100년』, 현암사, 2001.

최창호, 강헌 옮김, 『민족수난기의 대중가요사』, 일월서각, 2000.

한국대중음악연구소, 『이식과 독립: 서구 대중음악의 한국 상륙사』, 대중음악연구소.

한국종합예술학교 한국예술연구소, 『한국 작곡가 사전』, 시공사, 1995.

한홍구, 『대한민국사 1: 단군에서 김두한까지』, 한겨레신문사, 2003.

_____, 『대한민국사 2: 아리랑 김산에서 월남 김 상사까지』, 한겨레신문사, 2003.

_____, 『대한민국사 3: 야스쿠니의 악몽에서 간첩의 추억까지』, 한겨레신문사, 2005.

_____, 『대한민국사 4: 386세대에서 한미FTA까지』, 한겨레신문사, 2006.

허복, 『올림픽정치사』, 보경문화사, 1985.

현진건, 『운수 좋은 날』, 문학과지성사, 2008.

황문평, 『돈도 명예도 사랑도』, 무수막, 1994.

_____, 『삶의 발자국 1~2』, 선, 1998~2000.

_____, 『한국 대중 연애사』, 부루칸모로, 1989.

- 위 순서는 지은이 및 엮은이의 이름을 가나다 순으로 정리한 것으로, 분야를 따로 구분하지 않았음 _편집자 주

강헌의 한국대중문화사 1

초판 1쇄 발행 2016년 11월 2일 | **초판 2쇄 발행** 2016년 12월 5일

지은이 강헌 | **펴낸이** 고미영

책임편집 이현화 | **편집** 이승환 오효순 | **편집보조** 강소이 | **디자인** 최윤미
녹취 홍기란 | **본문수정** 김명선
마케팅 방미연 최향모 오혜림 함유지 | **홍보** 김희숙 김상만 이천희
제작 강신은 김동욱 임현식 | **제작처** 영신사

펴낸곳 (주)이봄
출판등록 2014년 7월 6일 제406-2014-000064호

주소 10881 경기도 파주시 회동길 210
전자우편 yibom01@gmail.com | **팩스** 031-955-8855
문의전화 031-955-1935(마케팅) 031-955-2645(편집)

ISBN 979-11-86195-73-4 (세트)
979-11-86195-86-4 04910

- 이 도서의 국립중앙도서관 출판시도서목록(CIP)은 서지정보유통지원시스템 홈페이지 (http://seoji.nl.go.kr)와 국가자료공동목록시스템(http://www.nl.go.kr/kolisnet)에서 이용하실 수 있습니다. (CIP제어번호: CIP2016025492)

- 잘못된 책은 구입하신 곳에서 바꿀 수 있습니다.

springtenten yibom_publishers